図書館戦争

図書館戦争シリーズ①

LIBRARY WAR
part1 CAST

怒れるチビ。

堂《どう》上《じょう》 篤《あつし》

図書特殊部隊・堂上班班長／二等図書正

冷静でいるよう努力しているが、
郁の行動に雷を落とす毎日。

熱血バカ。

笠《かさ》原《はら》 郁《いく》

図書特殊部隊・堂上班班員／一等図書士

高三の秋に図書隊員に助けられ、
彼を『王子様』と慕い、図書隊に入る。

情報屋。

柴《しば》崎《さき》麻《あさ》子《こ》

図書館員
一等図書士

真の自分を隠し、八方美人に徹する。また、あらゆる情報に精通する。

頑な少年。

手《て》塚《づか》 光《ひかる》

図書特殊部隊・
堂上班班員
一等図書士

真面目で努力家。堂上を慕うあまり、郁の存在が目障りとなっている。

喧嘩屋中年。

玄《げん》田《だ》竜《りゅう》助《すけ》

図書特殊部隊隊長
三等図書監

無茶を無茶と思わない性格。稲嶺の良き補佐役。

笑う正論。

小《こ》牧《まき》幹《みき》久《ひさ》

図書特殊部隊・
堂上班副班長
二等図書正

冷静沈着で、決して弱みを見せない。堂上の良き相談相手。

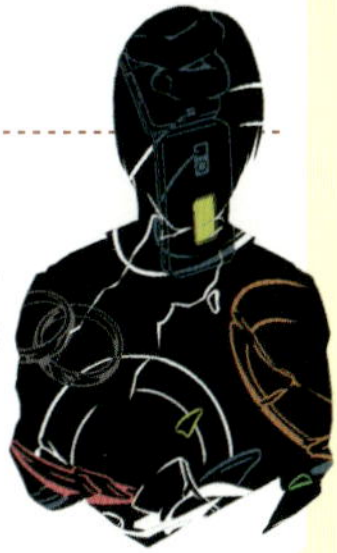

稲《いな》嶺《みね》和《かず》市《いち》

関東図書基地司令
特等図書監

『日野の悪夢』の後、『メディア良化法』の検閲に対抗して、武装組織『図書隊』を創設。

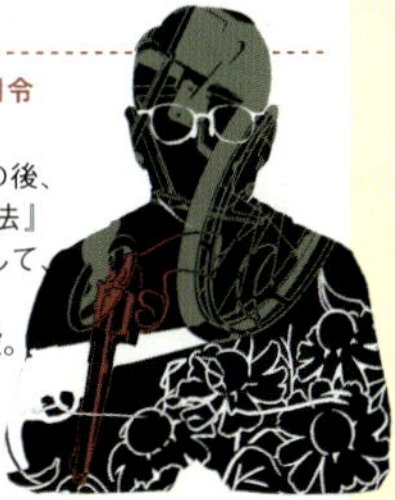

折《おり》口《くち》マ《ま》キ《き》

『週刊新世相』記者

玄田の大学時代からの友人。『メディア良化法』を批判している。

あたしはあんたを超えるんです。
だから絶対辞めません。

図書館戦争

図書館戦争シリーズ①

有川 浩

角川文庫 16777

目次

口絵イラスト／徒花スクモ
口絵デザイン／カマベヨシヒコ

図書館の自由に関する宣言

一、図書館は資料収集の自由を有する。
二、図書館は資料提供の自由を有する。
三、図書館は利用者の秘密を守る。
四、図書館はすべての不当な検閲に反対する。

図書館の自由が侵される時、我々は団結して、あくまで自由を守る。

一、図書館は資料収集の自由を有する。

＊

前略

お父さん、お母さん、お元気ですか。

私は元気です。

東京は空気が悪いと聞いていましたが、武蔵野《むさしの》辺りだと少しはマシみたい。

寮生活にも慣れました。

念願の図書館に採用されて、私は今――


毎日軍事訓練に励んでいます。

＊

「腕下げんな、笠原《かさはら》ッ！」

名指しで飛んだ罵声《ばせい》に、笠原郁《いく》は小銃を保持した腕を懸命に引き上げた。

陸自払い下げの六十四式小銃は重量四・四kg、二十二歳女子が抱えて走るにはかなり厳しいウェイトだ。払い下げ元の陸自ではもう使われていないような旧型で、新隊員の訓練用のためだけに保存されているような銃だ。弾の供給も完全に止まっている。

もっと軽くて取り回しやすい八十九式小銃も採用されているが、それを使うのは一部の熟練隊員で、新隊員が仕込まれるのはもっぱら拳銃《けんじゅう》と短機関銃《サブマシンガン》である。

男子隊員の先行集団に追いすがる態《てい》で小銃を抱えた持久走《ハイポート》を終えた郁は、ゴールを切るなり転げるように地面に倒れ込んだ。五十人中十二位、男子を混ぜてもそこそこの順位だし女子の中ではぶっちぎりのトップだが、

「誰が倒れていいっつった、腕立て！」

くっそぅ鬼教官め！　今に見てろ！　腹の中で毒づきながら、表向きは逆らわずに郁は罰則の腕立て十回をやっつけた。その様子を見ていたほかの女子隊員はゴールしても倒れ込まず、隊列を作って座っている男子の後ろに回ってから休む。

腕立てを終わらせた郁が列に着くと、先に座っていた女子が肩をすくめて小さく片手で拝む。ずっるー、とは思うがこれもやむなし。

全員のハイポートが終わると昼の休憩だ。グラウンドに正午のサイレンが鳴り響いた。

「ああ――もうつっかれたぁー！」

春先の基地食堂、昼は新図書隊員の悲鳴や泣き言が溢《あふ》れる。夜は訓練疲れでもう騒ぐ気力も残っていない。

晩は図書館業務を終えて基地へ戻った図書館員も利用者に混じるが、昼間はほとんど防衛員や後方支援員、そして春先のこの時期においては新隊員の貸し切りである。

「ちょっとあのクソ教官、あたしのこと目の敵にしてなぁい!?」

言いつつ郁は日替わり定食のチキンソテーにフォークを突き立てた。勢い余って皿から肉が逃げそうになる。

「クソ教官て……堂上《どうじょう》教官のこと?」

「そぉよ!」

堂上篤《あつし》二等図書正《としょせい》。先ほど郁に腕立てを命じた「鬼教官」である。

関東圏の新図書隊員の練成教育を引き受ける関東図書基地は、今年三百名の新隊員を迎えた。図書館員として配属される者も戦闘訓練は免れないので、五十名ずつ六班で編成された教育隊の全員が一律しごかれている。

武蔵境《むさしさかい》に位置する関東図書基地は、訓練施設としてはちょっとした自衛隊駐屯地並みの規模を誇り、訓練内容も毎年脱落者を数十人出す程度にはハードだ。

「あたしだけ！　あたしだけよこんな腕立て食らってんの！　他の女子がへばっててもあたしと同じ仕打ちしたことないわよアイツ！　ハイポート男子と混ざって十二位で一体ナニ文句があるってのよ！　そんだけ結果出したんだから最後でコケても少しは大目に見たらどうなの!?しかもコケたのゴールの後じゃないよっ!」

「えー、でもそれはそんだけ期待されてるってことじゃないの?」

そう言ったのは郁と寮で同室の柴崎麻子《しばさきあさこ》だ。練成教育後は図書館員として武蔵野第一図書館への配属が決まっている。武蔵野第一図書館は、関東図書基地に隣接する基地付属図書館でもある。

郁は防衛員としてやはり武蔵野第一図書館に配属だ。関東図書基地は東京都配属の図書隊員の独身寮の機能も兼ねているので、別の図書館でも配属が都内であればそのまま基地暮らしとなる。他県では主要な図書館に併設する形で基地に準ずる施設をいくつか作っている。

「それにあたし結構あの人スキかも。ちょっとかっこよくない？」

「あ、そうね顔はね」

柴崎に周囲の女子も何人か追随した。「でもちょっと恐くない？」「あたしはイマイチ」と反対意見もほぼ同数か。郁はと言えばもちろん反対最右翼である。

「柴崎アンタ目ー腐ってんじゃないの⁉　何よあんなチビ！」

「そうそう、惜しむらくは背がちょっと低いのよね」

他の女子は同調したが、柴崎は頷《うなず》かない。

「あたしよりは高いしねー」

そう言う柴崎の身長は一五七cm、大抵の男よりは小さいカノジョになれる女だ。対して郁は一七〇cm。男の中に混ぜても低いほうには入らない。問題の堂上は目算で一六五cmあるかないかというところである。

でも、と柴崎が小首を傾げた。

「笠原は背で選《え》り好みしてたらオトコ作るハードルますます高くなるよ。いくら日本人が体格良くなったって言っても、一七〇㎝女子に見劣りしないオトコってまだ少ないんだし」

「ますます言うな！　どうせあたしは大女だわよ、悪かったわねっ」

コンプレックスを遠慮なしに突かれて郁は僻《ひが》んだ。

「背で選り好みできないとしても少なくとも奴だけは論外よ、性格悪いし！」

「……お前らの俺に対する評価はよく分かった」

背後からの低い声を振り向き、郁はぎゃあっと悲鳴を上げた。好き勝手に俎上《そじょう》に載せていた堂上その人がトレイを持って後ろに立っている。

「何でこんなとこにッ……おられるんですかッ！」

教官は隣の士官食堂を使うのが基本だ。堂上は郁たちの後ろのテーブルにつきながら答えた。

「今日はこっちのほうが日替わりのメニューが旨《うま》そうだったんだ」

それから、と付け加えるに、

「無理して敬語作らなくていいぞ、さっきの口調のほうがよほどラクそうだしな。ここが規律厳しい軍隊じゃなくてよかったな」

うわ何たるイヤミか！　だからこいつ嫌いなのよ！　郁は堂上に見えない角度からべぇっと舌を出した。周囲の女子がくすくす笑う。本人には笑い事ではない。

「チビで性格の悪いクソ教官か……俺も人間だからたまたま耳に入った罵詈《ばり》雑言が指導に影響を及ぼさないかどうかまでは保証できんが」

「あたしは誉めてたから関係ないですよねー、教官？」

柴崎がさっさと郁を切り捨てて保身にかかる。くっそぅ女の友情なんてこんなもんか。郁は食事をガッガッかき込んだ。

「早食いは体に悪いよ、笠原さん」

上からかかった声は別の班の教官である。小牧幹久《こまきみきひさ》二等図書正、堂上とは確か同期の筈《はず》だが、背は堂上より十㎝ほど高く、温和な人柄のせいか女子隊員からの人気も堂上よりは勝っている。堂上が来たときは慄《おのの》いていた周囲の女子もきゃあっと色めき立った。

ざまあ見ろ、と訳もなく内心で勝ち誇ってみる。決して自分の勝利でないことはこの際棚に上げる方向で。

「どうせもう昼ご飯まずくなったからいいんです、教官が隊員食堂使うなんて反則」

堂上に聞こえよがしに答え、それから郁は怪訝な顔で小牧を見上げた。小牧と個人的に言葉を交わしたのはこれが初めてである。それなのに、

何でこの人あたしの名前知ってんだろう？

新隊員側からすれば、座学担当まで含めても教官は十数名しかいないから全員の名前と顔が一致しているが、教官側からは三百名だ。入隊試験の面接に小牧と堂上がいたことを郁のほうは覚えているが、採用数の何倍かを面接したであろう二人が採用前の郁を個人的に覚えているとは思われない。

「反則かぁ」と小牧は郁のぶった切りに苦笑した。

「まあ、そう言わないで。士官食堂のほう、定食がたまに精進料理みたいなメニューになるんだよね。利用者がおじさんメインだから」

言いつつ小牧が堂上の向かいに座る。何故郁を知っていたのかは訊《き》くタイミングを逸した。

隣の柴崎を窺《うかが》うと、食が細いせいかもう箸《はし》を置いている。

「柴崎、行こう」

返事は待たずに郁は立ち上がった。トレイを持って歩き出したところへ、

「おい、落としたぞ」

声をかけた堂上が郁に向けて差し出したのは二つに折ったハガキである。立ち上がった拍子にポケットから落ちたらしい。

「いいです、捨てといてください」

とにかく堂上からとっとと逃げたい気持ちがそう吐かせた。

「いいってお前、もう書いてあるじゃないか」

しまった、素直に受け取ったほうが話が早かったか。しかしもう戻るのも面倒だ。

「出せないと思ったから折ったんです。親元にそんなハガキ出したら連れ戻されちゃう」

それじゃ、と一方的に切り上げて、郁は食器を戻す列に並んだ。

「他人に信書捨てさせるか、まったく……」

堂上は郁が残したハガキをくるりと裏返した。

「バカが、住所書いてあるじゃないか」

宛先は茨城県だ。実家の住所だろう。世話の焼ける、とハガキを破ろうとした堂上に小牧が苦笑した。

「それが親元に連れ戻されちゃう文面か」

裏を返したので小牧にも読めたらしい。職業柄、文章に目を通すのは早い。

『念願の図書館に採用されて、私は今、毎日軍事訓練に励んでいます』

「防衛員配属は反対されてるのかな？」

「最初から防衛員志望だったはずだがな」

図書隊員の志望者は内勤の図書館員希望が圧倒的に多い。防衛員は図書館員の配属に漏れた者から適性と本人の意志を確認して選抜するのが常だ。

女子で第一志望が防衛員というのはかなり珍しい。今どき図書館防衛員などうっかりしたら警察や自衛隊より日々の危険度は高い職種だ。

「第一志望だったのは知ってるよ、俺も一緒に面接したじゃないか」

女子の防衛員志望ということで、面接には新隊員の主任教官となる六名の図書隊員が特別に動員されたのである。たった一人の面接のために六人もの熟練隊員が駆り出されたなど本人は知る由もないだろうが。

「それにしても随分嫌われたもんだね、堂上。もうちょっと指導方針考えたら？」

「絞られてへこたれる程度なら辞めりゃいいんだ。親にも反対されるんならな」

「素直じゃないな」

からかい口調の小牧には応じず、堂上は無言でハガキを細かく破った。

「実際のところどうなの、彼女」

「化け物だな」

それは認めざるを得ない。

「男子を混ぜたハイポートで十二位に入りやがった。自衛隊の普通科に突っ込んでも訓練ならついていけるんじゃないか」

体格的に恵まれていることもあるが、元々の身体能力が高いのだろう。戦闘職種適性として重要な反射速度や瞬発力を培う訓練なら、教育隊全体でも余裕で上位に食い込む。大した体力バカだ。履歴書によると、中学から大学までずっと陸上をやっていたらしい。

「部活で基礎体力はできてたとしてもタダゴトじゃないね。大した素質じゃないか」

ヒュ、口笛を鳴らしつつ小牧。食事時に行儀が悪い、と堂上は軽く眉《まゆ》をしかめた。ハガキを破り終えて自分も食事を再開する。

「そりゃもう、決まりじゃない？」

「まだ決まってない」堂上は頑《かたく》なに否定した。「身体能力だけで安易に決まるようなもんでもないからな」

公序良俗を乱し、人権を侵害する表現を取り締まる法律として「メディア良化法」が成立・施行されたのは昭和最終年度である。

検閲の合法化自体が違憲であるとする反対派を押し切る形で成立した同法は、検閲に関する権限が曖昧《あいまい》で拡大解釈の余地が広く、検閲の基準が執行者の恣意で左右される可能性を意図的に含んだかのごとき内容であった。何しろ検閲基準に関しては細則や施行令で随時補うことができ、その裁量権は執行機関に委《ゆだ》ねられるという驚くべき無制約ぶりである。

かくも偏向した法がいかなる政治的駆け引きで成立したかについては昭和の政界七不思議の一つとまで言われ、成立に至る過程が明らかにされることは決してなかった。

社会に慢性的にはびこる政治的無関心も手伝い、国民は同法についての予備知識をほとんど与えられずその成立を受け入れることとなった。

明らかになったメディア良化法の概要について世論で強烈な拒否感が沸き起こったものの、一度成立してしまった法律はたやすく覆らない。

そんな情勢の下、メディア良化法の検閲権に対抗する勢力となることを期待されて成立したのが通称「図書館の自由法」——既存の図書館法全三章に付け加える形で成立した図書館法第四章である。

*

図書館法第四章　図書館の自由
第三十条　図書館は資料収集の自由を有する。
第三十一条　図書館は資料提供の自由を有する。
第三十二条　図書館は利用者の秘密を守る。
第三十三条　図書館はすべての不当な検閲に反対する。
第三十四条　図書館の自由が侵される時、我々は団結して、あくまで自由を守る。

元々は日本図書館協会で採択されていた「図書館の自由に関する宣言」の主要な章題であり、章題のみで立法化されたのは成立を急いだことと、メディア良化法の無制約なまでの裁量権に対抗するべく解釈の余地をできるだけ広く取ろうとしたものである。運用の詳細に関しては、メディア良化法と同じく施行令で随時補われることとなった。

恣意的な権限に恣意的な権限をぶつけることでメディア良化法を相殺しようとしたものとも言える。

すべてのメディアへの監視権を持つ良化法を完全相殺する新法は成立が不可能だったため、良化法支持派の警戒が薄かった既存行政法を強化することで検閲の一部に対抗するという戦略だった。

そして両法の施行から三十年が経過した現代――正化《せいか》三十一年。

メディア良化法を根拠法としたメディア良化委員会は法務省にその本拠を置き、各都道府県にメディア良化委員会代執行組織となる良化特務機関を設置。全てのメディアの良化を目指し、公序良俗に反する書籍・映像作品・音楽作品などを任意で取り締まる権限を持った。

具体的には小売店に対する入荷商品の検閲、販売元に対する流通差し止め命令、マスコミに対する放送禁止あるいは訂正命令、インターネットプロバイダーに対する削除命令などでその取り締まりは実行される。

テレビ局や出版社、販売店などは検閲対抗権を持たないために、一方的な検閲を受け入れるしかない状態である。

そもそもメディア良化法成立以前に反発すべきであったマスコミは、政府発表を咀嚼《そしやく》しない垂れ流し報道、形骸《けいがい》化して実効を持たない政府批判に終始し、メディア良化法に無批判のまま準じたも同然であった。

唯一、低俗とされ司法から目の敵《かたき》にされる週刊誌は精力的に反対キャンペーンを張ったが、それも成立してしまった同法の前には出版と検閲・押収のいたちごっこである。

制作者に罰則を与えず、流通前の媒体を取り締まらないことで基本的人権の一つである表現の自由の保護とバランスを取ったとする説明はあくまで建前に過ぎず、メディア良化法の公序良俗基準を満たさない媒体は流通するや狩られるのが実情となった。

流通している媒体を購入することは罪に問われないものの、状況に応じ出版社と取次、一次販売店で分け合うことになる罰則や検閲による損害は、流通側に防衛としての自己規制を課し、媒体は結果的に言語統制されているのと変わらなかった。

一方、メディア良化委員会に唯一対抗できる根拠法を持つ図書館もこの三十年の間にその姿を大幅に変えた。

検閲を退けてあらゆるメディア作品を自由に収集し、かつそれらを市民に提供する権利をも合わせ持つ公共図書館は、メディア良化委員会にとってほとんど唯一とさえ呼べる警戒すべき「敵」となった。

検閲における良化特務機関の示威行動は坂道を転がり落ちるようにエスカレート、またそれに対抗する図書館も防衛力を追求し、全国の主要な公共図書館は警備隊を持つに至る。

結果として良化特務機関と図書館の抗争は激化の一途をたどった。

抗争の歴史は、両組織の武装化の歴史でもあった。火器の導入はかなり早い段階で為《な》されている。もっとも、図書館は専守防衛を基本姿勢としており、抗争の激化を終始リードしたのは良化委員会陣営である。

メディア良化委員会、図書館ともにその根拠法を積極的に拡大解釈し、今となっては両組織の抗争そのものが超法規的性質を持ち、抗争が公共物・個人の生命と財産を侵害しない限りは司法が介入することもない。

良化隊員と図書館員が抗争で死傷することすら超法規的解釈がなされている。

そうした社会情勢を背景として、最終的に図書館は全国十地域に図書防衛員の練成本拠地となる図書基地を持つに至った。

また、かつて地方自治体の任意で行われていた図書館人事は、各地方単位で設立された広域地方行政機関となる図書隊に権限が移行し、また、歳入歳出も経理のスリム化による運営予算節約を狙い、図書隊で一本化して処理されることとなった。

国立国会図書館以外は全て地方自治体に属し、戦後発表された論文『中小都市における公共図書館の運営』（通称『中小レポート』）により地域住民へのサービスをその使命とした公共図書館には中央集権型の組織ヒエラルキーが存在せず、それゆえ国家予算が付かない。

それは現在に至るも変わらず、そのため図書隊の運営には資金面の課題が常に深刻だったが、地方行政独立機関であることが法務省組織であるメディア良化委員会との全面的な対決を可能としている面もある。

昭和の後期よりその気運が盛り上がっていた地方行政の自立、延《ひ》いては長年取《と》り沙汰《ざた》されている日本道州制の実現までを睨《にら》んだ国と地方の対立構造がその『抗争』に集約されているとも言えた。

メディア良化法の抑制に地方行政自立の図式をも織り込んだ「図書館の自由法」提唱者たちは、三十年後の今から見ると策士と呼んで差し支えない人々だったようである。

彼らの築いた礎の上に現在の図書隊制度はある。

＊

「何しろ本人が防衛員を志願してるんだし、女子から採るとすれば彼女しかいないと思うけど。大卒で司書資格持ちならキャリア資格も満たしてるし、隊に女性の視座が必要だってのは随分前から言われてたことだしね」

「あれが女性の視座になったもんかな」

皮肉を吹いた堂上に小牧が苦笑した。

「そこまで言うと防衛員からも弾きたいみたいに見えるよ、堂上」

柔らかい窘《たしな》めに返す言葉はない。笠原郁への視点が公正を欠いているのは自覚している。

「防衛員から弾くとしても図書館員にはもう空きがないよ。図書隊は独立採算制だから他地方との人員交換も難しいしね。前例ないけど後方支援員にでも入れるかい？」

図書隊における補給・整備等の後方支援は、商社に装備物流も含めてアウトソーシングすることで運営予算のディスカウントが図られており、後方支援員は管理職を除いて臨時図書隊員扱いの契約社員とアルバイトで賄われるのが通例だ。

「臨時図書士と臨時図書正メインの職場に正隊員が入ると浮くだろうけどね。でもまぁ管理職候補としての前例を作るって言えば何とか……」

「もういい」

堂上は不機嫌な顔と声を取り繕わず味噌汁《みそしる》をすすった。後ろめたい願望を全面検討されては自分の不公正を思い知らされるばかりである。旅人のコートを脱がせるのは北風ではなく太陽だ。小理屈捏ねる太陽に照らされるほど鬱陶《うっとう》しいこともないが、小牧のほうが正論である。

「本人の適性に応じた部署に配属するという人事原則に変更はない。笠原郁の適性は明らかに防衛員向きだ」

頑《かたく》なになった声に小牧がまた苦笑。

「ごめん、見くびりすぎた」

率直で善良なこの友人が堂上はたまに苦手だ。

＊

午後からは屋内の道場で格闘技訓練である。種目は柔道、入隊一ヶ月目にして初めて乱取りが行われる予定だ。

「笠原、さすがにあたしたちじゃ無理よ」

女子たちが郁に詫《わ》びを入れる。みんな郁より一回りは小柄で、横幅はともかく上背は平均的体格の男女を組ませたくらいの差がある。そのうえ男子と混合でも各訓練で上位に食い込む郁である。乱取りともなると組んだ女子が一方的に投げられるだけに終わるのは明白だった。

「あっ、じゃあ俺俺！」

周囲の男子隊員が目ざとく状況を察して我先に立候補する。女子と組み合うほうが楽しいというスケベ心を隠す気もないところが逆に潔いが、

「アホか貴様ら！」

手を挙げていた連中が後ろから堂上に無差別に張り倒される。

「笠原は俺と組め、こいつらとは組ませられん」

教官ずっるー、と大合唱を始めた男子隊員たちを堂上は一瞥《いちべつ》で黙らせた。

「見くびるな、これに女を感じるほど飢えてない」

その言い草が郁を逆なでする。うわームカツク、こいつに女感じられても嬉《うれ》しかないけど、──他に何か言いようあんだろテメエ。

「大丈夫ですか、教官」

何だと振り向いた堂上に狙い澄まして投げる。

「あたしより背がだいぶお小さくておられるようですけど？　ちゃんとあたしの奥襟までお手が届かれますか？」

せいぜい挑発したつもりの台詞《せりふ》に、堂上の表情は小揺るぎもしなかった。

始め、と堂上が開始を告げてから郁と組んだ。

うわ、何これ硬ッ！

今まで女子としか組んだことのない郁には腰が引けるほど堂上の体は手応《てごた》えが硬い。筋肉の質が根本から違う、ということが一瞬で分かった。

やばい、負ける——と思ったその刹那《せつな》、世界が一転していた。息が詰まる。背中からまともに叩《たた》き落された。堂上の顔が真上にある。

堂上が道着を直しながら一言、

「受身くらいまともに取れるようになってからそういう口は利くもんだ」

挑発はしっかり利いていたらしい。実力行使でお返しとは大概大人げない、と自分のことは棚に上げて郁は歯噛《はが》みした。

「俺よりだいぶ背がお高くておられるようだが、稽古《けいこ》中に一度くらいは畳を拝ませてくれるんだろうな？」

——それはあれか、あたしに喧嘩《けんか》売ってんのか売ってんだなよし買った！

おおっと周囲がどよめいた。あり得ない光景に稽古が完全に止まる。

ズダンと大きな音を立てて堂上が床に転がった。

飛び起きざま助走つきで郁が放ったドロップキックをまともに背中に受けた形である。

「拝ませて差し上げましたが何か？」

仁王立ちした郁を畳に両手を突いた堂上がじろりと見上げる。うっわー気分ソーカイ！

「……そうかそういうのがアリか」

低い呟《つぶや》きが終わるより先に足を刈られた。不意を打たれて今度は郁が思い切り尻餅《しりもち》をつく。

そして、

「ギャ————————————ッ!?」

　ものすごい悲鳴が自分の喉《のど》から飛び出した。

「何これ痛い取れる腕がもげる——!?」

　何やら右手を極《き》められているらしいことだけは分かるが、今自分がどんな体勢になっているのか皆目分からない。

　周囲の男子が呆然《ぼうぜん》として呟く。「うわ、腕ひしぎだよあれ」——それはアレか最強の関節技と名高い例のアレか！　ここここいつ仮にも女子に向かって何て大人げないッ！

「ルール無用のセメントで俺とやりたいとは恐れ入った、その向こう見ずに敬意を表して全力で相手してやる。——おいそこの、三十秒カウント取れ」

　近くの男子が指名を受けて、畳を叩きながら三十秒のカウントダウンを開始する。一体何を悠長な、

「三十秒とか保《も》つわけないでしょバカ、呑気《のんき》にカウントしてんじゃねーわよ！　ギブギブギブ離せクソこの死ね堂上————ッ！」

　極められた腕が解放されるまでの間に、郁は怒濤《どとう》の勢いで罵詈《ばり》雑言のボキャブラリーを使い果たしていた。

「あーもうちょっと信じらんないアイツー！」

　と、郁が吠《ほ》える気力を取り戻したのは訓練を終えて寮に戻ってからである。

「信じらんないのはアンタよ笠原」

風呂《ふろ》から戻ったタイミングの柴崎が呆《あき》れ顔で突っ込んだ。

「ふつう教官に背後からドロップキックなんかかます一？　とんでもない女よねアンタ、見境ないにも程があるわ」

「喧嘩売ったのは向こうが先よっ」

郁は顔をしかめながらシップをべたべた貼られた右腕を曲げ伸ばした。筋を傷めているかもしれないので医務へ行くようにと堂上に指示されて、訓練中に手当てを受けたのである。自分でやっといて何を今さら、と郁にはおためごかしにしか聞こえない。

「あたし的には堂上教官の株ますます上がったけどな一」

「何よそれ裏切りの応酬!?　友人がこんなひどい目に遭わされたってのに!?」

「応酬っていつどこにそんなもん発生する図式があったのよ。前から一度言わなきゃいけないと思ってたけど、笠原あんた言語センスひどすぎ。トモダチだから言ってんのよ一」

ほっといてよと郁は拗《す》ねた。同室になって一ヶ月、このルームメイトはコメントが遠慮ないこと甚だしい。

柴崎は郁のいじけた様子など意にも介さず、自分の言いたいことを勝手に喋《しゃべ》る。

「でも、手加減されてたと思うわよ」

「どこが!?」

「男子が言ってたんだけど腕ひしぎって完全に極められたら三秒保たないって。あんた、十秒保ってたわよね」

それ逆に生殺しの刑じゃないの、とあくまで懐疑的な郁と対照的に、柴崎は堂上に好意的だ。

「礼儀知らずの山ザル娘に突っかかられても最後の容赦は忘れない大人の優しさ、益々《ますます》あたしの好みだわー」

「ちょっと待て、山ザルって誰のこと」

「あらぁ違うとでも？」

不本意だが大して違わない。田舎育ちで体力が取得とくれば山ザル扱いも無理からぬところだ。郁はむっつり黙り込んだ。

どーせ。

「あんたみたいに華奢《きゃしゃ》な美人って位置付けもらえたことなんか今までないわよ」

「あら僻《ひが》んでんの。言っとくけどこの位置付けにもいろいろ苦労はあんのよー」

一蹴《いっしゅう》できる柴崎のほうが一枚上手だ。

「そーいやあんたさぁ、親に報告どうすんの。防衛員配属ってことまだ言ってないんでしょ」

「あぁそれもあったかー」

郁はコタツの天板に突っ伏して頭を抱えた。打ち明けようと実家に出すつもりだったハガキは結局捨ててしまった（正確には堂上に押し付けて捨てさせたわけだが）。未《いま》だに両親は図書館員として防衛員として採用されたことは田舎の親には知らせていない。未だに両親は図書館員として採用されたと思っている。それでも今どき図書館は危ないのにと渋い反応だった。

「うーん、それはおいおい……」

「いずれ働いてるとこ見に来るとか言ってんでしょ？」

思いがけず箱入りよね、と呟いた柴崎が共同で買い置きしている菓子類の中から適当に一袋を取り出した。肉体疲労が激しい教育期間、晩飯だけでは体が保たずに「夜おやつ」の習慣がついてしまっている。

思いがけずで悪かったわね、と郁も唇を尖《とが》らせて柴崎の開けたスナック菓子に手を伸ばした。

「上に三人アニキがいるからさぁ。女の子に対して過大な期待を抱いちゃってる訳ようちの親としては。蝶《ちょう》よ花よと育てたかったらしいんだけど」

しかし、上にわんぱく盛りの兄たちが近い年頃で連なっていたため、郁の鍛えられ方は尋常ではなかった。弱い者は虐げられろ、然《しか》らずんば去れ——子供同士の暗黙かつ絶対のルールに揉《も》まれ、柴崎言うところの山ザルが出来上がった次第である。両親の嘆きぶりもただごとではなかった。

大学も陸上の推薦枠で物にしたのだから、そろそろ郁の個性を認めて折り合ってほしいものだが、両親の「女の子」信仰は未だ止む気配を見せない。

このうえ防衛員配属なんて話を聞いたら——「卒倒に一票」と、柴崎の論評も容赦ない。

「それで済めばいいんだけど」

実家に連れ戻されて親のコネで再就職、などというステロタイプに情けない顛末《てんまつ》もあり得るのが「イナカモン」の親の恐ろしさだ。

「防衛員と図書館員じゃ業務かぶらないしねぇ」

防衛員は図書館の警備警戒を主な業務とし、またそのための練成も欠かせないので内勤業務は兼任しない。

「親が来るときだけ内勤に回してくださいっても抜き打ちで来られたら意味ないしねえ？」

「うあーいま懸案増やすな頼むから」

訓練でしごき倒される毎日だ、面倒なことは考えていられない。両親のことは郁にとって棚に上げたい最大案件である。

「図書特殊部隊《ライブラリー・タスクフォース》なら図書館業務にも関わるらしいけどね。あらゆる想定の作戦に対応する前提上、全業務に精通してなきゃいけないからって」

つっても新米には関係ないけどねー、と突っ込むより先に柴崎が自分でオチを付ける。

タスクフォースは防衛員から精鋭を選抜して編成されることが主だ。平時は基地に駐屯し、各図書館の要請に応じ出動する。通常図書館業務から大規模攻防戦まで、その任務は幅広い。

「ていうか笠原って確か司書資格持ちでしょー。何で図書館員志望にしなかったのー」

図書館法に司書と司書補については定められているものの、図書館員が必ずしもその資格を持っていなければならない規定はないため、図書館人事を地方自治体が管轄していた時代には司書資格を持たない図書館員の存在は珍しくなかった。

しかし図書隊という機関が新たに地方自治体に成立し、人事権が図書隊に移行した今日では、図書館員は専門職採用とする動きが全国的に高まってきている。

「んー、それはいろいろ思うところがあって……」

素で答えかけた郁は目を剝《む》いて柴崎を睨《にら》んだ。

「何であたしの第一志望が防衛員だったって知ってんのよ！」

柴崎に志望の話をしたことはないはずだ。柴崎は悪びれずに笑い「情報網ってのは広げ方にコツがあんのよ」——油断も隙もあったものじゃない。

「ちなみに女子で防衛員第一志望って、関東圏じゃあんたが史上初らしいわよ。全国でもまだ数件しかないって」

「えっそうなの⁉」

それは知らなかった。だとすれば、と昼間の食堂のことが頭をよぎる。

『早食いは体に悪いよ、笠原さん』小牧が郁のことを知っていたことに納得がいった。史上初ならそれはさすがに記憶に残るしチェックもするだろう。

「で、なんで親に反対されるのが目に見えてるのにわざわざ防衛員志願だったわけ？　ずっと格闘技やってて特技活《い》かしたかったとかなら分かるけどさぁ」

さすがに志望動機までは摑《つか》んでいないらしい。郁はほっと胸をなで下ろした。油断ならないこの友人に郁の動機は弱みになる可能性が大だ。

「あっ、イタタタタ」

大袈裟《おおげさ》にシップだらけの腕を庇《かば》う。

「クソ教官に極められた腕が痛いからもう寝るわ」

「ウソが下手ねえ、あんた」

一蹴しつつ、柴崎が追い討ちをかける気配はない。点けっぱなしのTVの音量をリモコンで落とす。一応は寝るという建前を尊重してくれるつもりらしい。口は悪いがそういうところは間合いの分かるいい奴だ。

郁はベッドに潜り込んでカーテンを閉めた。

＊

本を読むのは昔から好きだった。

郁を女の子らしくさせたい両親が読書などの静的な趣味を推奨したせいでもあるが、ほかに勧められたピアノやお華よりは「おはなし」を読むことが楽しかった。本を読む分には両親も機嫌がよかったので自然と読書量は増え、郁の幼少期は兄たちと暴れ回ることと本を読むことが違和感なく両立していた。

だが、これが他人にはちぐはぐに見えたらしい。小学校の六年間は、郁が教室で本を読んでいると級友から百発百中「似合わない」と声がかかった。アクティブなコドモは本を読むのが嫌いなもの、という固定観念は郁の周囲でかなり根強かった。

ドッジボールが楽しいときもあれば、読みかけの本の続きが気になるときもある。それは郁にとっては当たり前の感覚だったが、小学生時分の級友たちには理解しにくかったようだ。

「意外」というボキャブラリーを獲得する前の年代の級友たちは直截《ちょくさい》に「本読んでるなんて郁

に似合わない、ヘンだ」などと言い垂れてくれ、その度ひっそり傷ついていた。

似合わないって一体何だ、似合わないと本を読んじゃいけないのか。あたしが本を読むのはそんなにヘンか。——要するに彼女たちは一緒にドッジボールをしたかったのだと理解できるようになったのは、もう少し年を取ってからのことである。

『赤毛のアン』を読んでいて、当時密《ひそ》かに好きだった男の子に「似合わねー！」と爆笑されたのは今でもココロの傷だ。

そのココロの傷が響いて、中学生になってからは人前で本を読むことがなくなった。陸上に打ち込むスポーツ少女という設定は郁に似合っていたらしく、今度は怪訝《けげん》な顔をされることも笑われることもない。

似合っているならよろしかろう、運動は嫌いじゃないし、という理由で高校でも続けた陸上が結局進学先を決めてくれたのでこれはこれで結果オーライ。

部活を引退して暇を持て余し、学校の図書室を恐る恐る利用するようになったが、さすがに高三ともなると大柄な体育会系女子が本を読んでいるからと笑われるようなこともなかった。

むしろ、

「えーっ郁って本読む人だったんだ⁉　あたしもけっこう読むよー！」

などとはしゃいだ友人たちがそれぞれお勧め本を教えてくれて読書の幅も広がったり。

そーか、あたしが読んでもおかしくないんだ。小学校から抱えていたココロの傷は少し快方へ向かう気配を見せた。

個人的吉報が飛び込んできたのは高三の秋である。

子供のころ大好きだった童話の完結巻が十年ぶりに出版されることになったというのだ。

郁がそれを知ったのは、あるNPOが運営する出版情報サイトである。メディア良化委員会の検閲対策で頻繁に海外のサーバーを移転し、追いかけるのも一苦労のサイトだが、追いかけててよかった！　自宅のパソコンの前で小躍りしたが、気がかりが一つ。

良化委員会の公序良俗基準を満たしている書籍なら表に出版情報が出回るから、そのサイトで扱われるということは「狩られる」本ということだ。検閲対象図書は通信販売を禁止されているので本屋で直接手に入れるしかない。

情報をチェックすると、本文に「好ましくない」文言がいくつか入っている程度の基準違反らしい。メディア良化委員会の代執行組織である良化特務機関も人員に限りがあるし、全国の書店を一斉に絨毯《じゅうたん》爆撃することは不可能だ。優先順位は都会の大きな書店から。そして違反が重大なものを優先的に没収するので、郁の欲しいその本に関しては優先順位が低いはずだ。

それにこの辺イナカだし大丈夫だよね。

——結果としては全然大丈夫ではなかったのである。

発売日に学校の近くの本屋に行き、児童書のコーナーにひっそりと数冊積んであったその本を手に取った瞬間だった。

入り口から揃いの紺の制服を来た一団が乗り込んできた。隊長らしき男がレジの女性に一通の封書を突きつけ、

「正化二十六年十月四日付、良化第３０７５号文書である！　読めッ！」

女性が震える手で封を切り、文書を取り出す。その視線が紙の末尾まで動いたタイミングで、隊長がまた怒鳴った。

「これより良化第３０７５号の書面にて通告した通り、メディア良化委員会・小野寺滋《おのでらしげる》委員長の代理として、良化法第三条に定める検閲行為を執行するものである！　これより一切の書物を店内から移動させることを禁ずる！」

直に見るのは初めての――良化特務機関だった。

どうしよう、よりにもよって今日なんて！　郁はとっさに持っていた本を制服のブレザーの下に隠した。検閲図書を買うこと自体は罪に問われない、何とか買ってしまいさえすれば――まだレジは通していないけれどももちろん後でお金は払うつもりだし、きっと本を隠した理由は分かってもらえる。

だってあたしこの本読みたい。このお話に十年かけてどんな決着がついたか知りたい。

良化委員会の隊員たちは店内を駆け回り、持ち込んだコンテナに「問題図書」を次から次へ投げ込んでいく。その手つきには本に対する敬意は微塵《みじん》も感じられず、コンテナの中で本たちは表紙が折れたり曲がったり破れたり。

ひどい、あんな手荒に。

いたたまれなくて郁はコンテナから目を逸《そ》らした。ごめんね、あんたたちを隠してあげられなくて。ごめんね、あたしはこの本しか助けられない。

検閲の様子を見つめる店員たちの顔も一様に痛ましい。その痛ましい顔は狩られる本を悼む顔だ。没収された本の損失は出版社と取次にかかるので、書店は販売機会とその売上見込みは失うものの、直接の金銭的損失はない。それでも本が狩られることが悲しいのだ。

その悲しさを一顧だにせず、良化隊員たちは書棚を蹂躙《じゅうりん》していく。

「何を隠してる！」

自分が詰問されたのだということは、腕を摑《つか》み上げられてから分かった。

「いやっ……！」

抗《あらが》ったがブレザーの前は強引にはだけられた。隠していた本が床に落ちる。

怪訝な顔をして本を拾い上げる隊員。他の隊員が見て声をかけた。

「ああ、それも回収しとけ」

「いや、返してッ！」

コンテナに本を放ろうとした隊員の腕に、郁はとっさにしがみついた。

「離せ！　それとも万引きの現行犯で警察に行きたいか⁉」

投げつけられた恫喝《どうかつ》に一瞬ぎくりと心が冷える。違う。万引きなんかじゃ、

とっさに周囲の目を気にして見回すと、近くにいた初老の店長が痛ましい顔のままで首を横に振った。逆らうな。そう言っているのが分かった。

分かってくれてる。そう思った瞬間、腹が括《くく》れた。

「いいわよ行くわよ！　店長さん警察呼んで！　あたし万引きしたから！　盗《と》った本と一緒に警察行くから！」

盗った物がなければ万引きは立証できないはずだ。

隊員が忌々しそうに舌打ちした。

「うるさい、離せ！」

思い切り突き飛ばされて、──派手に尻餅《しりもち》をつく直前で支えが入った。振り向くとスーツ姿の青年が郁を片手で支えていた。

そのまま床にへたり込んだ郁が見上げている前で青年は隊員に歩み寄り、有無を言わさず本を取り上げた。

「何をするキサマ！」

いきり立った隊員の前で、青年は内懐から出した手帳のようなものを掲げた。

「こちらは関東図書隊だ！　それらの書籍は図書館法第三十条に基づく資料収集権と三等図書正の執行権限を以《もっ》て、図書館法施行令に定めるところの見計らい図書とすることを宣言する！」

高らかに宣言するその人の背中を見上げ、胸に湧き上がった言葉は一つだけだった。

──正義の味方だ。

どういう力関係になっているかは分からないが、とにかく状況は引っくり返ったらしい。

良化隊員たちは一様に歯噛《はが》みして、しかし本はすべて店内に置いたまま撤収した。

良化特務機関が撤収してから、店長が図書隊員を名乗った青年のところに飛んでいった。

「ありがとうございます、ありがとうございますっ……！」

店長の声が詰まった。無体な本への狼藉《ろうぜき》に為《な》す術《すべ》もなかったところへ、この青年の登場は店にとって天の助けにも等しい。

青年は戸惑ったように店長の感謝を聞き、宣言の高らかさとは打って変わった低い声で受け答えた。

「かなり傷めつけられたようですが、補修の上ひとまず市立図書館のほうへ納入してください。コーティング等の書籍装備はこちらで手配します」

そう指示したのはコンテナに投げ込まれた本のことらしい。

郁はその様子を店が用意してくれた椅子に座って眺めていた。青年が庇《かば》ってはくれたものの、突き飛ばされたときにこらえようと無理に踏ん張った足を捻《ひね》っていた。捻ったほうの足は靴と靴下を脱いでシップを当てている。これも店の厚意だ。

店長とのやり取りを終えた青年が郁のほうを振り向いた。反射で立とうとした郁を制し、

「これ」

渡したのは良化隊員から取り戻した本だ。

「買って来なさい」

でも、と郁はためらった。彼は良化特務機関にこれらの本を見計らい図書にすると言った。

見計らい図書というのが何のことかは分からないが、とにかく図書館に納入するのだろう。

青年は郁の躊躇《ちゅうちょ》を読んだように言い足した。

「見計らい図書は全部購入するとは限らないんだ。同じ本が何冊かあるからどうせ一冊や二冊は差し戻す」

本当にいいのだろうか。遠慮を振り切れない郁の気持ちをもう一度優しく押すように、

「万引きの汚名を着てまでこの本を守ろうとしたのは君だ」

ほろりと涙腺《るいせん》が柔らかくほどけた。本を受け取るが、声が詰まってお礼が言えない。さっきの良化隊員の恫喝で傷ついていたことに今さら気づいた。

こぶしで目元をぐいぐい拭《ぬぐ》う郁の頭を、優しい手が軽く叩《たた》いた。それで顔を上げると、青年はもう店を出ていくところだった。

レジでお金を払うとき、本のカバーが少し破れているのに店員が気づいた。破損のないものと取り替えようとしてくれたが「いいです、それください」カバーの破れたその本をそのまま買った。破れていてもその本がよかった。

汚名を着てまで君が守った。そう言われて手渡されたその本がよかった。

家に帰って破れたカバーをセロテープで直して、十年ぶりのその本を開いた。読んでいると途中に「こじきのおじいさん」が出てきた。どうやらそれがNGワードだったらしい。

何てバカバカしい。郁は眉《まゆ》をひそめた。

そのシリーズは生き生きとした異世界を綴《つづ》った温かなファンタジーで、作者がその登場人物を良化委員会の推奨する「住所不定無職のおじいさん」などと書きたくなかったということはよく分かった。読むほうだって興醒《きょうざ》めだ。

「こじきのおじいさん」は実は滅びた王国の王様で、主人公たちを優しく見守り導く役だった。そこに使われたその単語には一切の偏見も差別もなく、物語は昔と変わらず優しかった。この本をきちんと読めば、その単語が何かを貶《おとし》めるために使われた訳ではないことが分かるのに。

これを狩るのが公序良俗か。そんなのヘンだ。

あの青年の背中が頭をよぎった。高らかに宣言した声も。——あたしも、なんて思ったのは、思い込みの激しい郁には自然な成り行きだったかもしれない。

「こちらは関東図書隊だ!」

などと台詞《せりふ》を真似してみて、きゃあっと照れて布団に潜る。

「でかい声出して何やってんだ、お前」すぐ上の兄が怪訝《けげん》な顔で部屋を覗《のぞ》いた。

「キャー見ないでよッ!」

叫んで枕を投げつける。

ラブレターを書いているところを見つかった並みに恥ずかしかった。って、そんなの書いたことないけど。即決即断速攻が性分の郁は、告白するときは面と向かって直球勝負が身上だ。

図書隊員のことを色々調べた。後方支援はほとんどアウトソーシングで、正隊員は図書館員と防衛員に分かれるらしい。目指すとすれば——

やっぱ防衛員でしょ。

あの青年に「本を守った」と言われたことがゲキレツに効いていた。

あたしも図書隊員に——図書防衛員になる。あの人とおんなじところに行く。

もしかしたら運命的な再会とかあるかもしれないし、などとやに下がって、

「しまったぁ——————————————！」

「うるせぇぞ郁！」

隣の部屋の一番上の兄から壁をガンガン蹴《け》られる。知ったことか。それどころじゃない。

あたし、あの人の名前も聞いてない！　顔も——たぶんカッコよかったと思うけど、きっとカッコよかったと信じてるけど、

要するに覚えていない。もともと顔（だけに限らないが）覚えが悪いうえにあの騒ぎだ。

例の書店の店長を摑まえて訊《き》いてみたが、結果は空振り。どうやら地元地区の図書隊員ではなかったらしく、市立図書館への本の納入手配はされていたが本人は見つからずじまいだったという。

そういう控えめなところもカッコいいけど、この場合はそれが仇《あだ》だ。

いいよ、別に。浮ついた気分だけで決めたわけじゃないもん。半ばいじけながら図書隊員になる方法を調べた。

ガイド本によれば、司書資格を持っているほうが採用に有利だという。一番手堅いのは司書課程のある大学もしくは短大でその単位を取得して卒業する方法だ。

「しまった司書課程がない――――――――――――！」

「静かにしろ――――！」

ドアを開けてクッションを投げ込んできたのは中の兄だ。

郁が推薦で入学を決めた大学には司書課程がなかった。入学金は払い戻し不可の制度でもう払い込んでしまったし、今から志望を変えたいなんて到底許されることではなかった。

大学在学中に司書資格を取るための公開講座を探して奔走したことはまた別の話である。


高校三年生の頃に地元の書店に良化検閲が入って、私が買おうとしていた本も取り上げられたんです。そのとき良化隊員から本を取り戻してくれた図書隊員の方がいて、その人がとてもかっこよくてステキで凜々《りり》しくて頼もしくて、私もこんなふうになりたいと思ったんです。私も理不尽に取り上げられる本をその人みたいに守りたいんです。

だから図書防衛員を志望しました。


語りに熱を入れすぎたのか、採用試験の面接では面接官たちに笑われた。

それでも採用されて防衛部に配属されたのだから、情熱が認められたに違いないと郁は勝手に解釈している。

＊

新隊員の教育期間も終盤を迎え、部署に応じた実地訓練が織り込まれるようになった。

柴崎は図書館業務部配属なので、防衛部の郁とは訓練内容が分かれる。武蔵野第一図書館で研修に励む毎日だ。武蔵野第一図書館をフィールドとする研修には、関東区内の他の図書館に配属の隊員たちも交替で参加し、また、関東全域の共同保存図書館《デポジット・ライブラリー》を兼ねている関東図書基地でも分類や管理を学んでいるという。

年を追って増え続ける蔵書を保存するための共同保存図書館としての関東図書基地は、広大な敷地の地下に十数階層にも及ぶ書庫を持ち、広すぎてたまに遭難者が出るとまで言われる。その巨大書庫の管理は研修にもうってつけだ。

この教育期間が終われば、他県の図書館配属の隊員はそれぞれ所轄の主要図書館の隊舎へと旅立つことになる。

「堂上教官と会えなくなるのが残念～。あたしのこと忘れないでくださいね」

猫を被《かぶ》った柴崎の台詞は一体どこまで本気なのだか。そもそも同じ基地で生活するのだから、顔を合わせる機会は頻繁だ。寮は棟こそ男女に分かれているが共有区画が多いし、玄関も共同である。

何を大袈裟《おおげさ》な、と堂上は苦笑し「よく励めよ」と――だから何であたしにはそういう優しい対応ができない、と郁は腐った。相変わらず堂上とは犬猿の仲で、格闘訓練のときなどお互い隙を窺《うかが》ってピリピリしている。

一体こうなった最初の経緯《いきさつ》は何だったのか、少なくとも郁には自分から引き金を引いた覚えはなく、堂上はあきらかに郁と他の女子隊員とで——うっかりすると男子隊員とも——扱いが平等でなかった。

防衛員は引き続いての練成訓練と並行し、武蔵野第一図書館と図書基地とで実際に警備業務をローテーションで体験する。防衛員は標準装備として弱装弾を装填《そうてん》のSIG-P220《シグ・ザウエル》を携行するが、新隊員は三段式の警棒のみだ。

良化特務機関によるメディア良化委員会代執行には事前の書面通達が義務付けられているが、その書面を検閲直前に投げ込んで不意を打つことが基本的な手口となっている。事実上は完全な抜き打ちだ。その手口なら郁も高三のあの日に体験している。

警戒すべきはまずバイク便等の急配便、配送状況を追尾できる宅配便。良化特務機関が施設に乗り込んだ上で書面を突きつけるような場合もあるから周辺地区の哨戒《しょうかい》も欠かせない。

それでいて利用者に威圧感を与えるわけにはいかないので、警備はあくまでさりげない人員の配置を考慮せねばならない。良化特務機関は夜討ち朝駆け何でもありだからローテーションにも隙は作れず、昼夜を分かたず警戒態勢が敷かれる。

確かに図書防衛員は過酷な仕事であり、女子が防衛員になるなど郁の両親でなくとも難色を示すだろう。全国に女性防衛員はまだまだ少ない。公務員だからという理由で安易に志望する者は、男女を問わず真っ先に振り落とされていく。

内勤の図書館員とて危険から完全に隔離されているわけではないので離職率はそう低くない。

安定しているのは完全に図書館から切り離されているアウトソーシングの後方支援員だけだ。関東区では毎年数百人単位の正隊員採用があるが、必要な人員の維持はギリギリである。

「利用者いつも多いですよね」

そんなことを訊いてみた相手はその日の警備指導役だった小牧である。新隊員は常に先任の防衛員と二人一組《バディ・システム》で指導を受けるが、新隊員全体の統括役として六名の主任教官も警備指導のローテーションを受け持つ。主任教官を任命される防衛員はやはり実力が抜きん出ているのか、戦闘力に劣る女性隊員は教官とバディを組むのが常だ。

小牧は苦笑しながら郁の質問に答えた。

「そうだね、こんなご時世だから」

メディア良化法が成立し、検閲が日常化してから、図書館の利用者数は年を追って増加する一方である。

「検閲で狩られる本がどんどん増えてるからね。市民が自由に本を入手できなくなったぶん、図書館の需要が高まってるんだよ。本が高価格化してることもあるし」

検閲にかかった違反本は通販すると法律違反になるので、出版社も販路を確保できずに版を重ねられない。版を重ねられない状況で没収される損失分も織り込まねばならないため、一冊当たりの単価は跳ね上がり、現在では良化法成立前の二倍以上が標準の価格となっている。

もちろん部数が少ないと更に価格は上がる。郁が防衛員を志すきっかけになったあの童話の本も小部数だったため五千円は下らず、当時の小遣いでは相当厳しかった。

その代わり、各自治体の法定外税で図書館税が導入されることが一般的になった。市民が本を自由に入手することが困難になった情勢下、資料収集権を持つ図書館に本の供給を期待する形である。

皮肉な話だが、メディア良化法が図書館の地位を相対的に押し上げているのだ。

そして「狩られた本が必ず読める」というその特性により、公共図書館は常にメディア良化委員会の執拗《しつよう》な検閲に狙われている。問題のある表現から市民を守るというのが良化委員会側の言い分だ。

「漫画とかってどうなってるんですか？　図書館では一部しか取り扱ってませんけど」

「漫画に関しては良化委員会のチェック機構が緩いんだよ。だから比較的流通しやすい。雑誌と雑誌扱いコミックは見本日の制度がないからね」

出版社から取次に本を卸すタイミングが書籍と雑誌では違う。書籍は従来から発売約五日前に見本誌を取次に提出する制度があり、メディア良化法施行後は見本誌とともに出版データを提出することが義務付けられた。提出された見本誌とデータは取次協会にて取りまとめられ、協会内に設置を強制されたメディア良化委員会分室が検閲を執り行う。

しかし雑誌と雑誌扱いコミックに関しては見本日は免除されており、発売約二日前の搬入日に流通する現物を納入する仕組みだ。書籍に比べて検閲期間が短いうえ、メディア良化委員会の最警戒対象は週刊誌なので、雑コミと漫画誌に関しては優先順位が下がる。

「それに漫画だと出版データ提出しても検閲効率にあんまり関係ないんだよ。台詞《せりふ》と絵と二重にチェックしないといけないから検閲はマンパワーに頼らざるを得ないし、出版点数も膨大で物理的に検閲が追いつかない。書籍扱いコミックに関しても、検閲に手間と時間がかかるのは変わらないしね。だから、世論で問題だと騒がれたものを後追いで取り締まるのが現実」

メディア良化委員会が漫画を軽視してるせいもあるけどね、と小牧は付け加えた。要するに良化委員会にとって漫画の優先順位は低いのだ。

「その点、書籍は見本日の制度があるし、制作が完全に電子データのやり取りになってるから検閲がラクなんだよね。データ上で違反語を検索するだけだからそれこそ一瞬で終わっちゃう。専用の検閲プログラムも持ってる筈《はず》だし。マスメディアとして一番警戒してる週刊誌が最優先になるのは当然だけど、次の優先順位が書籍になってるのは単純に『検閲しやすい』ってだけの理由だな。それに、メディア良化法反対派の識者はやっぱり活字で持論を展開するからね。漫画で展開するのが主流だったら監視の優先順位が入れ替わるだろうけど」

言葉を切った小牧が郁に向かって軽く顔をしかめた。

「……でも、この辺は座学でやってるはずだよ。笠原さん、ちゃんと講義聞いてた？」

「すみません、座学って苦手で……小牧教官くらいかみ砕いて説明してくれると分かりやすいんですけど」

練成訓練の合間に挟まれる座学は絶好の休憩タイムで、真面目に聞こうとは思うのだが疲れに負けてつい眠ってしまうのが常だった。小難しい言葉でオジサンが喋《しゃべ》っているのがほとんどとくればなおさらである。

「まあいいや、堂上には黙っててあげるよ」

笑った小牧と対照的に郁の顔は渋くなった。その顔を見て小牧が重ねて笑う。

「よっぽど嫌いだね、堂上のこと」

「向こうがあたしのことを嫌いだと思うんですけど」

「そんなことないよ」

小牧はあっさり断言したが、——根拠なさすぎ！　と郁は顔をしかめた。

「だってあたしだけ何であんな当たりきついんですか。他の女子と明らかに扱い違いますよ」

「期待してる分厳しくなるって解釈してやれない？」

柴崎も前に言った理屈だが、

「無理です」

それを納得するにはもう意固地になりすぎている。

「まぁ堂上も大人げないっちゃないんだけどね。じゃあ、どうして自分だけ叱られるか考えてみたらいいんじゃない？」

あくまで堂上を弁護するのではなくあっさり引き下がり——、いや違う。

引き下がったのではなく突き放したのだ。穏やかなことが個性のこの教官にそうされて、郁のキモチは微妙に怯《ひる》んだ。

小牧教官、怒ってる？

どうして自分だけ叱られるか考えてみたら？　——小牧は郁にその原因があると言っている。

それに気づかないのは甘えだと。

態度に出すまいと気を張ったが、それでもしょげたのは伝わったらしい。小牧は笑った。

「怒ってないよ、ただここが笠原さんのブレイクスルーポイントだから」

しょげた理由まで筒抜けなのが情けない。頭に軽く手が置かれた。

──あ。

高三のときの憧《あこが》れの図書隊員にもそうされた。手の優しさはちょっと似ているかもしれない。汚名を着てまで君が守った。小牧教官がそう言ったらあの人に似てるかしら。想像してみるが、小牧がそう言っている絵は上手《うま》く思い浮かばなかった。

「堂上も悪いのは確かだよ。あいつ、君には公正じゃないからな」

やっぱり不公平なんじゃない。むぅっと眉根《まゆね》が寄る。

「公正じゃないからヒントあげるよ。──笠原さん、ずっと陸上やってたんだってね？」

「ええ、まあ」

「陸上と訓練って似てる？」

一体いきなり何を訊《き》くんだろうこの人は。郁は戸惑いながら答えた。

「種目によっては似てるところもあるかもしれませんね。体動かすって基本は一緒だし」

小牧は言うだけ言わせて笑顔で聞き流す。放置かよ！　と内心突っ込む。でもまあこれは、ここを考えろということだろう。どこがどう似ているか、ということか。

「あ、」

玄関ホールのエレベーター前に、車椅子に乗った初老の紳士がいるのに気づいた。どうやらエレベーター待ちのようだ。

「要支援利用者を発見しましたので支援に向かいます！」

利用者の案内や手助けも防衛員の大切な業務だ。本の案内をするレファレンス・サービスは図書館員の受け持ちなので防衛員は関与しない。

「あ、ちょっと笠原さん！」

呼び止める小牧に敬礼を残して、郁は車椅子の男性に駆け寄った。仕立てのいいツィードを着た渋いオジサマである。

「おじさん、どこまでですか？」

笑顔で声をかけると、郁を見上げた男性は目をしばたたいた。

「……五階まで、ですかな」

「はぁい、すぐ呼びますねー」

言いつつエレベーターの上昇ボタンを押す。公民館も兼ねた巨大公共施設になっているこの図書館は、二階より上はレファレンス室や講義室などのフロアになっている。五階は最上階だ。

エレベーターが来てから郁は車椅子をゴンドラに押し入れた。自分も続いて乗ろうとすると、男性に「結構です」と止められた。

「行き先までお手伝いしますよ」

「いや、結構。車椅子も自走式ですし、一人で行けますのでお気持ちだけ」

遠慮しなくていいのに。首を傾げた郁を諭すように男性は笑った。

「利用者にもサービスを取捨選択する自由があります。お分かり頂けますかな」

「あ、はい……」

ちょっと押し付けがましかったかな。郁はぺこりと頭を下げた。

「すみませんでした」

お気をつけて、と言い添えると、エレベーターのドアが閉まる間際に男性が言った。

「良いサービスでした」

小牧のところに戻ると「どうだった?」と訊かれた。ちょっと押し付けすぎました、と率直に報告する。これは今日の反省点だ。

「でも、いいサービスだって言ってもらえました」

「ああそう。よかったね」

小牧はそう言って笑った。


次の警備のときは一番恐れていた事態が発生した。堂上とのバディである。

「……何だその不景気ヅラは」

「その言葉そっくりそのままお返しします」

何なら熨斗《のし》でもお付けしましょうか、と皮肉を吹いたら無視された。小牧教官、ムリです。やっぱり仲良くできません。

館内を巡回している間も一言も言葉を交わさず、堂上と郁とでそれぞれ見ている方向は違う。もちろん二人で同じところを見ていても意味はないからそれはそれで正しいが、目を合わせるのがイヤだという理由が根底にあるところが殺伐だ。

敢《あ》えて堂上と違うほうへ顔を逸《そ》らしていたから気がついたのかもしれない。閲覧室から出てきた若い男がきょろきょろしながらトイレに向かうのが目に入った。

何かが引っかかり、不本意ながら堂上の背をつつく。

「要注意利用者……でしょうか？」

「可能性はあるな」

職質かけてみろ、と指示を受けて男の後を追う。堂上は郁の後ろから監督する位置だ。実地訓練として手頃な案件だと判断したのだろう。

ええと職務質問の口上は「恐れ入りますが、少々お話を伺わせて頂けますでしょうか？」か。口の中で何度も練習しながら男が消えた男子トイレに向かう。

「ちょっとあんた何やってんの！」

練習していた口上が吹っ飛んだのは、男が洗面台で雑誌にカッターの刃を当てていたからだ。表紙がコーティングされているから蔵書であることは間違いない。

びくっと竦《すく》んだ男が郁に向かってカッターを突き出してきた。

うそ、マジ!?　いきなりこんなのあり!?　頭の中は大パニックで、しかし体が勝手に動いた。カッターを突き出してくる腕を反射で払う。びびるなあたし、こんな奴、堂上に比べたら全然遅い！　男の腕を取り、その勢いに任せて足を刈る。摑んだ感触も堂上に比べたら全然ヤワで、これなら教育隊の図書館員女子のほうがまだ手応《てごた》えがあるくらいだ。

「……らぁッ！」

男を床に転がし、舐《な》めんなと吐き捨てる。

「笠原！」

騒ぎを聞きつけたか堂上がトイレに飛び込んでくる。

「蔵書損壊容疑の現行犯です、確保しました！」

どうよ見たか！　堂上を振り向くと、

「アホか貴様！」

思い切り怒鳴られる。なんで。堂上の視線に背後を振り向くと、転がされた男が飛び起きて郁に殴りかかろうとしていた。

完全に不意を打たれ、今度はこっちが竦んで動けない。すると、堂上が郁の腕を力いっぱい引っこ抜いた。背の高い郁をそれより低い堂上が引き倒すように抱え込む。

ガッと鈍い音がしたのは、郁を庇《かば》いながら男の打撃を受けたのだと分かった。

ウソ、やだ。

「堂上教官ッ！」

悲鳴を上げると外に向かって突き飛ばされた。

尻餅《しりもち》をついて見上げると、堂上が男を殴り倒していた。派手にゴミ箱に突っ込みひしゃげた男を背中に返しながら容赦なく背骨に膝《ひざ》を乗せ、後ろ手にひねった腕に手早く手錠をかける。拘束用の標準装備だ。男は今度こそ反撃の意欲をなくして潰《つぶ》れたままである。

堂上が郁を振り向き、手を差し伸べた。促されるまま手を預けると一気に吊り上げられ、空いた手で頬をしたたか引っぱたかれた。

殴られた頬を手で押さえ、呆然《ぼうぜん》と立ち尽くす。痛くて熱い。

「これは男だからとか女だからとかお前だからとかお前じゃないからとか関係ない。この事態は俺は相手が誰であっても殴る。相手フリーのままで何が確保だバカが」

っ、と舌打ちした堂上が髪の中に手を突っ込んだ。殴られた箇所だ。引き出された指先にはわずかだが血がついていた。

あたしの代わりに。鼻の奥がツンとした。

「いつまで経ってもスポーツ気分なら辞めちまえ、お前は防衛員に向いてない」

冷たく吐き捨てる声に返す言葉もなかった。


「何かねーえ、あの雑誌の袋とじのグラビアが欲しかったんだってさ」

その晩、事情通の柴崎が部屋で事の顛末《てんまつ》を教えてくれた。

「ほらぁ、成人指定じゃないわりにはエッチ系の雑誌じゃない？　すぐに検閲がかかって手に入らなくなっちゃったんだけど、その袋とじが好きなアイドルの初脱ぎだったらしいのよね。

借り出したら足が付くからこっそり持ち出して袋とじを切り取って、雑誌だけ返そうと思ったんだって。世も末よね、たかが袋とじで警察引き渡しの書類送検よ」

コタツの天板にうつ伏せたまま顔も上げない郁を柴崎が横から揺する。

「ねえ、ちょっとぉ。顔上げなよ、一生沈没してるわけには行かないんだからさ」

郁が渋々顔を上げると、柴崎がブッと吹き出した。郁の顔にツバが飛ぶ勢いだ。

「顔上げろつったのアンタでしょー!?」

「いやーごめんごめん、それにしても遠慮なくやられたもんよね。ほっぺたに冷えピタ貼った女って初めて見たわ、あたし」

「うるせーわよバカ」

堂上に引っぱたかれた頬が帰寮してから腫《は》れ上がり、医務で発熱用の冷却シートを貼られたのである。

「元気出しな。堂上教官、報告書で損壊犯の確保者あんたにしてたわよ。ドジは踏んだけど、認めるべくは認めてくれたんじゃないの」

柴崎としては励ましだったのだろうが、その話にとどめを刺された。

情けをかけられたということだろうか？　確保を怠って反撃され、しかも堂上に庇われた。郁が確保者として評価される資格はない。

髪の中に手を突っ込んだ堂上のしかめ面を思い出す。カッターこそ郁が最初に払い落としていたから殴られただけで済んだが、もしカッターを持ったままだったら。――ぞっとする。

最悪の場合、堂上が郁の代わりに刺されていたのだ。

――やばい。

「ジュース買ってくる！」

言うなり郁は立ち上がり、部屋を飛び出した。

慰める柴崎も慰められる自分もキモチ悪くてまっぴらごめんだ。

バレバレよ、バカ。郁が部屋を出た後で柴崎がそう呟《つぶや》いたことを郁は知る由もない。


消灯後のロビーは非常灯のみの薄暗さだった。幸い誰ともすれ違わず、ロビーに来るまでの道すがらで涙は何とか引っ込んだ。しかし予断は許さない。――という状態で、
何であんたここにいんのよ！

ロビーのソファで缶ビールを傾けていたのは堂上だ。堂上のほうも郁に気づき、軽く眉根《まゆね》が寄せられる。

「何で今来るか、お前は」

「男女共同フロアです、文句言われる筋合いありません」

違う、こんなことが言いたいんじゃない。それなのに憎まれ口が止まらない。

「顔に間抜けなもん貼ってフラフラうろついてんじゃない。とっとと寝ろ」

「誰のせいだと思って……！」

嚙《か》みつきかけて途中で飲み込む。あたしに嚙みつく資格ない。

意を決してすみませんでしたと頭を下げようとした刹那《せつな》、堂上が「謝るな」と止めた。

「そっちに謝られたらこっちもその間抜けなもんを謝らんとバランスが取れん。俺が謝りたくないから謝るな」

くッ人が奇跡的に素直になったというのにどこまでも！　そこまであたしが憎いかアンタは。

謝らなくていいなら訊《き》いてやる。

「何で確保者あたしにしたんですか」

堂上は大きく顔を上げて郁を睨《にら》んだ。なんで知ってる、とその態度が訊いている。「柴崎に聞きました」そう答えると苦い顔で目を逸らした。

「教官の報告書にケチつけられるほどエライのか、お前は」

「そういうこと言ってんじゃありませんっ！」

叫んだ拍子に予断を許さなかった涙がこぼれた。やばい、こいつにだけは見られたくない！

慌てて顔を伏せるが、駄目だ。止まらない。

「あたしが確保者になる資格ないからっ」

陸上と訓練って似てる？　小牧の謎かけはもう解けた。

いつまで経ってもスポーツ気分なら辞めちまえ。――そういうことだ。

ハイポートでゴールと同時に潰れた。それでは訓練の意味などない。競技じゃないのだからゴールを切ったら上がりじゃないのだ。ゴールするまでに全力を使っていてはゴールを切った後をどうするのか。そこで気を抜いて油断して、その隙を突かれたら――

今日のようなことになる。

相手を倒して勝手に自分が完結した。倒したからあたしの勝ちだ。相手がそれに準じる義務はない。倒れてからでも逆襲はできるのだ。

男子に混じって上位に入ったからってそんなことに何の意味もない。郁より遅くてもゴールで潰れない男子のほうがえらい。彼らは順位を上げることが訓練の目的じゃないと知っていた。順位を上げることにむきになってはいなかった。

ちょっと体動かせるからっていい気になってあたしは一体何様だ。

頭に軽く手が置かれた。見ると堂上が立って郁の頭に手を伸ばしていた。

手が優しい。——その優しさが何かと被《かぶ》った。少し考えて、前の警備のときに小牧にも同じようにされたことを思い出した。ここぞというとき仕草が似るのはこの二人がトモダチだからだろうか。

ちょっと感覚が違うのはああそうか、

「……小牧教官よりチビなんだ」

悪気なくぽろっと漏らすと、手の優しさが吹き飛んだ。パンと頭をはたかれる。

「うわっ信じらんないこのうえ更にここで叩《たた》く⁉　それってどうなの男として上官として⁉」

「たまに人が優しくすりゃ調子に乗りやがって、貴様が無意味にでかいんだろう！」

くそ、酒が不味《まず》くなった。堂上が仏頂面で吐き捨てて、テーブルに置いてあったビールの缶を取り上げる。ぐいっと呷《あお》って缶入れに投げ込み、

「とっとと寝ろ！」

怒鳴って歩き去ろうとするのに郁は声で追いすがった。

「あたし、辞めませんから！」

堂上が真顔で振り向く。見定めるようなその厳しい眼差《まなざ》しを受けて立つ。

お前には向いてない。そう断言された痛みを撥《は》ね返す。

「あたし、高校のときに会った図書正みたいになりたくてここに来たんです。いつか会えたらあなたを追いかけてここに来ましたって言うんです。だからこんなところで辞めません」

面接のときのアレか、と堂上が呟いた。

「それほど大した男か、それが」

「ほっといてください、教官に言われる筋合いありません」

皮肉が来るのは読んでいたのでそれだけで流す。勝手にしろ、と堂上は吐いた。「俺に人事権はないからな」

「ありがとうございます勝手にします」

皮肉に昼間のお礼をキモチの上で半分混ぜる。伝わらなくても別にいい。

堂上は男子棟への通路へ消え、郁も自販機に向き直った。ジュースを買ってくるという建前で出てきた以上、何か買って戻らないと締まらない。——が、

「しまった財布忘れた……」

今日は何かと締まらない一日らしかった。

＊

三度目の警備実習のバディは小牧でも堂上でもなかった。

「おう、お前さんが笠原一士か！」

二人よりも十数歳上の四十歳越え、がっしりした強面《こわもて》は玄田竜助《げんだりゅうすけ》三等図書監《としょかん》だ。教官の中で唯一の図書監であり、練成教官の総責任者でもある。

「堂上から話は聞いてるぞ、この前ぶん殴られたそうだな。腫れはもう引いたのか」

性格が豪胆なのか大雑把なのか、警備控え室で顔合わせした初手から痛いところをガシガシ突きに来る。

「お陰様で……」

「災難だったが奴も融通の利かん男だからな。まあ勘弁してやれ」

引っぱたかれたことを言っているのだと分かったが、許すも許さないもない。

「私の全面的な過失です。堂上教官を危険にさらしました」

「過失なら奴も同じだ」

玄田はあっさり片付けた。

「新隊員がミスをするのは当たり前だ。お前もアホウだったが、フォローが危うくなったのは堂上の責任だ。本人も反省しとる」

意外な視点に郁は目をしばたたいた。

「堂上教官、気になさってたんですか」

「相当へこんでたな。うっかりするとお前が負傷するところだったんだから当然だろう、教官としては」

危うく堂上が身代わりで刺されるところだった、それと同じ視点で堂上の側もへこんでいたということが意外だった。怒っていると思っていたのに。

「しかしまぁ余計なことは言うなと釘《くぎ》を刺されてるんでな、これは独り言だ」

ここまでべらべら喋《しゃべ》っておいて今さら何を、と郁は吹き出した。直接の指導を受けたことはないが、好きになれそうだった。根が単純な郁は分かりやすいタイプとは気が合う。

「よし、哨戒《しょうかい》出るぞ」

市街哨戒に出るのは初めてだ。郁は張り切って玄田の後に続いた。

良化特務機関の検閲部隊は概《おおむ》ね十名前後の良化隊員で構成され、没収物を運搬する輸送車輛を連れている。

「だから二台以上で隊を組んでるバンがいたら要注意だな。必ず複数台が連なって移動してるからしばらく観察してりゃすぐに見分けがつく。全車が窓に偏光フィルター貼ってたら、まず間違いないと思っていい」

説明を聞きながら、郁は二車線道路の反対側を指差した。

「あれは違うんですか？」

玄田が説明したそのままの特徴の車列が路肩に停まっている。玄田も見て、

「おお。まさしくあれだ。――お前、目が利くな」

「や、何かたまたま目に入ったので」

玄田が腰のベルトに付けていたポータブルの無線機を取る。

「哨戒より本部、近隣路上に良化特務機関の車隊を発見。本日の襲撃確率は低いが警戒レベルは1上げられたし、どうぞ」

『本部より哨戒、了解しました、どうぞ』

そのやり取りを聞いて郁は首を傾げた。

「本日の襲撃確率が低いというのは何故ですか」

「ん？　ああ」

無線をベルトに戻しながら玄田が答える。「停車位置が図書館に近すぎるだろ」確かに哨戒は開始したばかりで図書館はまだそこに見え、図書基地に至っては真横に敷地が続いている。

「奴らの手口は騙《だま》し討ちだ。不意を打たねば意味がない以上、図書館の哨戒は当然想定済みで警戒してる。それをこんな近くに無造作に駐車してあるってことは、今日の目的は図書館じゃないってことだ」

なるほど、道理である。

「じゃあアレの目的は……」

「市政センターの近くにでかい書店ができたろう。多分そこだな。最近売り上げを伸ばしてるらしいから目をつけられたんだろう」

「えッ、なら早く行かないと！」

「どこへだ」

玄田が怪訝《けげん》な顔をする。郁も怪訝な顔を返した。

「どこって、その書店ですよ」

「何を言っとる、民間書店は非武装緩衝地帯だ。かち合ったならともかくわざわざ乗り込んで検閲を妨害することはできん」

「そんな！」

検閲がかかると分かっているのに――何もしないなんて。

「見過ごすんですか」

知らず詰《なじ》る口調になった郁に、玄田も厳しい顔になった。

「履き違えるな、笠原。俺たちは正義の味方じゃない」

言葉がガツンと脳に入った。

「図書隊の権限は図書館を守るためのものだ。適用範囲を考えなしに拡大していたら、三十年かけて成立した暗黙の交戦規定が崩壊しかねん。抗争範囲を市街にまで拡大する気か」

玄田の言うのは確かに道理だ。だがそれを飲み込めない自分がいる。

俺たちは正義の味方じゃない。図書隊員は正義の味方じゃない。――じゃあ、あの人は。

顔も覚えていない名前も知らない、五年前にたった一度関わっただけの図書正。汚名を着てまで君が守った、そう言って郁に本を取り戻してくれた。あの人が正義の味方じゃなかったとでもいうの。いつかあの人に会ったとき、狩られる本を見過ごしましたなんて、

そんなこと言えるわけないじゃないよ！

「——見計らい図書の制度があります！」

言うなり郁は駆け出した。

「おいこらッ！　それは……！」

玄田が止める声は背中で聞く。追いかけられても追いつかれない自信はあった。だてに十年も陸上をやっていない。

図書基地で練成訓練の監督中だった堂上の携帯がマナーモードで揺れた。確認すると玄田だ。嫌な予感がした。今日は郁が玄田のバディのはずである。

「——もしもし」

『お前の秘蔵っ子が暴走だ、すぐに来い！』

開口一番それだった。『追いかけたが無駄に速い！』と、玄田の息は上がっている。

指示された場所を復唱して堂上は電話を切った。隊員たちにメニューを残して訓練を抜ける。

「あのバカ！」

走りながら呟《つぶや》くと後ろから足音が追いついた。見ると小牧だ。堂上の様子に気づいて自分も抜けてきたらしい。

「何かあったろ、笠原さん？」

頷《うなず》いて手短に事情を説明すると、小牧が走りながら吹き出した。

「ああ――いつかやると思ってたよ俺。あの子はさ」

「笑い事じゃない」

基地内の車輛格納庫で手近なライトバンに飛び乗る。非常時に備えてキーが付きっぱなしの車輛がある。堂上がエンジンをかけると小牧が助手席に回った。

「楽しいねえ、彼女。無鉄砲でさ」

乗り込みながら歌うように呟いた小牧に、堂上は「楽しいわけあるか」と苦虫を嚙《か》み潰《つぶ》した。

「でもさ」

その次に何が来るか分かる。小牧の発言を封じるように堂上はバンを急発進させた。

書店に着くと検閲はもう始まっていた。

異様に静まり返った店内で、レジの店員が郁を見つめてから視線を奥へと泳がせた。剣呑《けんのん》に動き回る物音はそちらから聞こえてくる。

任せろ。フロアを移動すると、絵本のコーナーで子供の泣き声が上がった。抱えていた絵本を良化隊員にむしり取られたのだ。母親は子供を抱き寄せるが、子供の手は取り上げられた本に向かって泳ぐ。

その空しく泳ぐ手があの日の自分と重なった。

「ちょっと！」

怒鳴ると良化隊員たちが一斉に郁を振り向いた。

「子供に何やってんのよあんたたち！　返しなさい！」

つかつか歩み寄って良化隊員から本を引ったくる。虚を突かれた隊員は意外とあっさり本を手放した。

ええと身分証は。制服の胸ポケットから身分証を取り出して掲げる。

「こちらは関東図書隊よ！　そこの本は」良化隊員たちが本を投げ込んでいたコンテナを顎《あご》でしゃくる。

「図書館法第三十条に基づく資料収集権と、一等図書士の執行権限を以《もっ》て、図書館法施行令に定めるところの見計らい図書とすることを宣言します！」

爆笑が弾《はじ》けた。良化隊員たちだ。

え、何で。戸惑った郁に向こうの隊長が進み出る。

「図書士風情が吹いたものだな！　図書館法施行令に定める見計らい権限は図書正以上にしか認められていないはずだ！」

「えッウソ！　マジ!?」

素で訊《き》き返してしまう。そう言えばあの人は確か三等図書正だったが——ああっ、ちゃんと座学聞いときゃよかった！

「というわけで、これは返してもらおうか」

取り返した本に手をかけられ、郁は抗《あらが》った。

「何でこの本が駄目なのよっ」

「著者の経歴に問題がある。良化法反対集会の常連だ」

「何よそれ、書かれたもんに関係ないでしょ!?　どういう基準よあんたたち！」

とは言うものの、図書士である郁に検閲を阻止する権限はない。それでも本を手放しがたく揉《も》み合っている間に、バランスが崩れて後ろへ大きく突き飛ばされた。

あっ転ぶ。

衝撃に身構えて身を竦《すく》めた瞬間、力強い腕に背中を抱き止められた。この腕知ってる。振り向くと果たして視線が下がった。

堂上だ。

何よこのタイミング。まるで。——正義の味方。

「遅れたが、二等図書正二名に三等図書監一名だ。不足あるまい」

堂上の宣言に後ろを窺《うかが》うと、玄田と小牧もいた。玄田がわざとらしいほど目を怒らせて郁を威嚇し、小牧が顔を真っ赤にしてくつくつ笑っている。

特務機関の隊長が吐き捨てるような舌打ちをして、良化隊員たちは本を置いて去った。

「アホか貴様!」

お決まりの怒声に郁は身を竦めた。店の裏に引っ立てられて三人がかりで説教の嵐である。

一番声がでかいのはもちろん堂上だ。

「見計らい権限は図書正以上の持つ特別権限、こんなもん基本中の基本だろうが! 良化隊員ごときにツッコまれやがって情けない! これが俺の部下かと思うと情けなくて涙が出るわ! 座学で一体何を聞いてやがったか貴様!」

すみません、とここはもう謝る一手で縮こまる。しかし堂上の怒りは収まる気配を見せない。

「そもそも見計らい権限とは一隊員の一存で振りかざすもんじゃない! 図書隊員がおのおの勝手に予算外の本を見計らってたら図書隊の運営はどうなると思ってるんだ! 見計らった本は必ず一定部数購入しなきゃならないんだぞ!」

でも、と思わず抗弁する。

「あの人も同じことしました」

「そいつもバカなんだ、バカがバカの真似すんなバカ!」

……バカ⁉ バカって仰《おっしゃ》いましたか今あなた⁉ あたしの三正に向かって⁉ ——聞き捨てならない。郁は堂上を睨み返した。上背があるぶん睨み合いは有利だ。

「あたしはいいけどあの人勝手にバカ呼ばわりしないでください!」

「あの人あの人うるさいわ貴様！　いいかそいつは単なる規則無視の無鉄砲の増上慢のバカだ、図書隊員の風上にも置けん！　辞めたほうがマシだそいつも！」

「やめてよちょっとあたしの王子様にッ！」

思わず素で噛みつくと、迫力負けしたか堂上が声を飲み込んだ。しかし王子様とか口走ってしまった自分も相当恥ずかしいので痛み分けで黙り込む。

「あーもう限界！」

いきなり小牧が吹き出した。

「堂上ここまでキレさせる新人って初めてだよ、笠原さんすげえー！」

もういい、と堂上が不機嫌に溜息《ためいき》を吐《つ》いた。裏に引き上げてあった没収本の中から揉み合いの元になった絵本を取って郁に渡す。

「行ってこい」

「……いいんですか？」

「どうせそこまで真似したいんだろうが」

堂上教官、たまにいい人ですね——と口を滑らせそうになって、あわてて飲み込む。機嫌を損ねたら取り消されるかもしれない。

ありがとうございますと叫んで郁は売り場に飛び出した。

郁が出ていってから玄田が低く笑った。

「さすがにお前の秘蔵っ子だ」

「別にあんなもん秘蔵しちゃいません。指導不足でお恥ずかしい限りです」

返す声が頑《かたく》なになっているのは、たぶん玄田にも小牧にも見抜かれている。

王子様か、と小牧が呟いて笑う。

「ライバルはなかなか手強《てごわ》いね？」

「意味が分からん」

「取り敢えず上官として？　直属の上官としては王子様に人徳で勝って部下を掌握しなくちゃね」

知るか。堂上はまた不機嫌に息を吐いた。

「しかしまあ、あれはあれで決まりだろう」

玄田がそう言い、「異存はないな」と二人に尋ねる。もちろん、と明快に答えたのは小牧で、堂上はむっつり黙ったままだった。

「これ、返すね」

店の計らいだろう、泣かされた子供は作業カウンターの横でお菓子をもらって休んでいた。お菓子を放り出しそうになった子供から母親が慌ててお菓子を取り上げる。そして郁に会釈。子供は郁の渡した本を嬉《うれ》しそうに受け取った。

お礼はどうしたの、と母親に促され、はにかみながら「ありがとう」。ヘマをやった分だけ郁にはそのあどけないお礼が気恥ずかしい。

母親に向かって、

「すみません、ちょっと間抜けだったんですけど」

「いいえ、そんな」

母親が恐縮したように首を振る。

「今日、この子の誕生日で。好きな本を一冊買ってあげるって約束してたんです」

高くていつもは買ってあげられないから、と少し恥ずかしそうに俯《うつむ》く母親。まだ若く、子供を持っている家庭では絵本は贅沢品《ぜいたくひん》だろう。

「この子の欲しい本を買ってあげられてよかったです」

堂上たちが来てくれてよかった、と郁も心底思った。

本には求める人の気持ちがいつでも寄せられている。そして著す人の気持ちも。

図書隊員はただ本を守っているのじゃない。寄せられる人の気持ちを守っているのだ。――なんて、これはちょっと生意気かしら新米の分際で。

「おねえちゃん、ありがとう」

子供が笑う。本が好きだった幼い頃の自分がそこにいた。その頭をそっと撫《な》でたのは無意識だった。

その手はちゃんと優しいだろうか。あたしは少しはあの人に近づけたかしら。

追いかけたい王子様は遥《はる》かに遠く、しかしてその前に――

あの男は取り敢えず超えとかないとね！　軽く自分の頰を叩《たた》いて気合いを入れて、郁は当面の攻略対象の元へ戻った。

＊

教育期間が終わって、防衛員となるはずだった郁に辞令が下った。

人事に呼び出されて受け取った任命書は、郁の名前の下はたった一行の味気なさだ。

図書特殊部隊への配属を命ずる。

「え……ええええ――――――――――!?」

「静かに！」

叱られて慌てて声を飲む。

「え、これ、何かの間違いじゃないんですかっ」

訊くと銀縁眼鏡の真面目そうな事務員が手元の書類を確認する。

「間違いありません、教育隊から二名に辞令が下っています。笠原郁一等図書士と手塚光《てづかひかる》一等図書士」

手塚という新隊員の名前には覚えがあった。確か玄田の班だったたか、すべての訓練でトップを譲ったことがないとの評判である。

「三十分後に基地司令室へ出頭してください、任命があるそうです」

足元がふわふわと定まらないような感覚で郁は人事課を出た。

ちょっと待ってちょっと待ってちょっと待って。これって一体どういうことこの超展開。

図書特殊部隊って言ったら全防衛員の中でも指折りの精鋭で、ハイパーエリートで、防衛員の憧《あこが》れの的で――

「よっ、スーパーエリート！」

軽く肩が叩かれた。本を抱えた柴崎で、どうやら書庫へ向かう途中らしい。情報の速さには今さら驚かない。

「すごいじゃん、女子のタスクフォース入りって全国でもあんたが初だってよ」

その駄目押しがとどめのプレッシャーだ。

「ど――どどどうしようあたしどうすればいいの柴崎っ！」

思わずすがると柴崎は遠慮なく迷惑そうな顔をした。

「ちょっとぉ、こちとら仕事中よ。あんたの泣き言聞いてる暇ないんだけど」

「だってぇ！」

まったく変なとこへタレなんだから、と柴崎は呆《あき》れ顔だ。

「だから言ったでしょ、堂上教官あんたに期待してるって」

含んだ言い方は、――こいつの情報網って一体どこまでのものなんだ。

「背中に飛《と》び蹴《げ》り入れたときは大した女だって舌巻いてたみたいよぉ、実は。よかったわねー、センセイのお・気・に・入・り！」

「そんなんじゃ……！」

「まー余裕かましちゃってチョーむかつく！　今んところちょーっと分が悪いけど、あたしもまだまだ負けないわよ」

言いつつ柴崎がウィンクした。美人がキレイに決めると同性でも見とれる。……って、

「柴崎いまのどういう」

「さあどういう意味でしょぉー。そんじゃね！」

はぐらかした柴崎は律動的な足取りで書庫のほうへ去った。

指定の時刻に基地司令室に向かった。基本的にエライ人しか出入りしない棟で、すれ違う人の階級章は図書正やさらに上の図書監ばかりだ。図書士なんて郁一人で気が引けると言ったらない。

そんな中を司令室までたどり着くと、扉の前で背の高い若い男性隊員とかち合った。階級章は郁と同じ図書士で、

「もしかして手塚一士？」

「そうだけど……あんたは笠原一士だな」

涼しいを通り越して冷たそうな雰囲気の手塚は、わずかな視線の運びで郁を品定めしている

かのようだった。

「よかったぁ、あたし一人じゃなくて！　もう緊張しちゃって……タスクフォースに選ばれたなんて信じられないよね」

同じ階級の気安さで話しかけると、手塚が薄く笑った。

「そうだね、そっちに関しては」

あ？　何だその微妙に挑戦的な応対は。何か文句でもあるのか——と表情で喧嘩《けんか》を買おうとすると、手塚がドアを叩いた。

「手塚一等図書士、入ります」

あ、くそ。「笠原一等図書士です！」声を追いすがらせて手塚の隣に並ぶ。

二人並んで一礼し、室内へ。——と、

「あれっ⁉　えっ、何で」

郁はデスクに座っている人物を見て呆気《あっけ》に取られた。こちらを見て微笑んでいるのは車椅子に乗った初老の男性だ。品のいいツィードは季節柄素材が変わっているが、

「おじさん何でここに」

「アホか貴様！」

飛んだ罵声《ばせい》にそちらを振り向くと、壁際に堂上が立っていて恐い顔で郁を睨んでいる。玄田と小牧もいた。

「基地司令だぞ、慎め！」

小牧がククと赤い顔で笑う。どうやら意外と笑い上戸だ。

ああ、そうか。そういうことか——要支援利用者の支援に向かおうとしたあのとき、小牧は何故か呼び止めた。つまり要支援利用者ではなかったわけだ。

「先日は良いサービスをありがとう」

うわ、やっちゃった！　郁は肩を縮めた。いくら顔の覚えが悪いとはいえ、基地司令の顔を覚えていなかったなんて。でも確か、入隊式のときは杖突《つえ》いてたけど歩いてたはず。

「式典のときはできるだけ歩くようにしています」

内心の疑問をずばりと言い当てられてますます肩が縮む。

隣から失笑のような笑みが聞こえた。うわカンジ悪。郁は手塚を横目で睨んだ。

基地司令がデスクの上に置いてあった書類を取り上げる。

「正化三十一年六月二十五日付で笠原郁一等図書士、手塚光一等図書士を図書特殊部隊に配属す。推薦者は玄田竜助三等図書監、小牧幹久二等図書正、堂上篤二等図書正」

郁は思わず堂上のほうを見た。見られたのが分かったはずだが、堂上は生真面目な顔で正面を向いたまま郁のほうを決して見ようとしない。

……でも、あたしを推薦してくれたんだ。

「任命者は関東図書基地司令、稲嶺和市《いなみねかずいち》」

「手塚光一等図書士、拝命します」

言いつつ敬礼を決めた手塚に続き、郁も慌てて敬礼した。

「笠原郁一等図書士、拝命します！」

玄田が二人に向かってニヤリと笑った。

「図書特殊部隊《ライブラリー・タスクフォース》として諸君を歓迎する。励めよ」

「えっ……」

郁はまた声を固まらせた。

「まさか三人とも……？」

これほど何も知らないとはな、と手塚のバカにしたような呟き。こいつのことは嫌いになるとこの時点で決定だ。

「何か文句でもあるのか」

恐い声は堂上である。「いえそんな文句とか」ごにょごにょ答えると堂上が睨んだ。

「俺の指導不足は先日の件で思い知った。これからとことん鍛え直してやる」

うえっと思わず肩をすくめる。

超える前にまだまだしごかれることが確定し、先行きはかなりげんなりだった。

二、図書館は資料提供の自由を有する。

＊

図書特殊部隊《ライブラリー・タスクフォース》に特殊防衛員として配属された郁《いく》と手塚《てづか》の訓練期間は一ヶ月半ほど延長されることになり、奥多摩《おくたま》に確保されている訓練場で各種射撃や野営などをメインとしたメニューが組まれている。

図書館攻防といえば市街戦がメインのはずがナゼ野営。と隊長であるところの玄田《げんだ》に訊《き》くと、明快に「気分だ！」と言い切られた。小牧《こまき》がまた笑い上戸のツボに入ってフォローどころではなく、堂上《どうじょう》が例によって苦虫を嚙《か》んだような顔で「あらゆる想定の訓練で多角的な技術の練成を目指すとともに、厳しい訓練に耐えたことで隊員に自信を育《はぐく》む」などともっともらしい説明を入れたが、

かなり苦しくないかソレ。なんて突っ込むとまた堂上が怒るので郁は胸に収めている。あぁ、あたし大人になったー。

「へえー、特別訓練？　奥多摩で？　タスクフォース饅頭《まんじゅう》とかあったら買ってきてよ」などと投げやりに送り出してくれたのは柴崎《しばさき》だが、

――売ってねえよそんなもん。

ひたすら大雑把な自然しかない奥多摩山中に拓《ひら》いた訓練場に、人工物は射撃場とグラウンドと屋内訓練用隊舎と宿舎しかない。それも訓練場のごく一部で、その他は野外訓練用にイヤに

なるほど濃い山野を残してある。田舎育ちの郁には見慣れた景色だ。

関東図書隊の図書特殊部隊は、新隊員の郁と手塚を含めて総勢五十名弱。関東全域をカバーするにしては小規模だが、特殊部隊が総員出動するような事態がそうあっても困るので、この規模で事が足りているのはある意味正しい。

隊は五名前後の小班で編成され、三ヶ月に一度、二班ずつ二週間の特殊訓練を奥多摩訓練場で受ける。新隊員が入ったときは新隊員を受け入れた班を含めた三班が一ヶ月半の集中訓練に従事するが、今年は堂上が小牧を補佐として郁と手塚を受け入れた四人編成の新しい班の班長に就任し、訓練教官役も堂上が受け持っている。

郁にしてみると玄田に堂上、小牧と指導役の顔ぶれがまったく変わらないのであまり新鮮味がない。

訓練用隊舎で屋内訓練も行うがそれは基地でも可能な訓練なので、特徴的なのはやはり射撃と野営である。防衛員の射撃訓練は屋内射撃場で拳銃《けんじゅう》とサブマシンガン《SMG》のみだが、特殊防衛員は自動小銃やライフルの取り扱いも仕込まれる。特にライフルによる長距離射撃は適性を見て狙撃手《そげきしゅ》を育成する目的もあるので重要視されている。

「特殊部隊には狙撃手まで必要なんですか？」

野外射撃場でライフルを受け取って唖然《あぜん》とした郁に、堂上が事もなげに答えた。

「日野の悪夢の再来に備えてだ」

「日野の悪夢？」

言った瞬間、堂上が目を剝《む》いた。「お前、座学……」と言いかけて険のある溜息《ためいき》。「聞いてるわけがなかったな」

郁は反射で抗弁した。

「日野図書館は知ってます！」

昭和四十年に移動図書館から出発し、当時としては驚異的な貸出し数を達成した東京日野市の日野市立図書館を知らない図書隊員など存在しない。地域住民に図書館サービスを提供することを第一義とする中小公共図書館こそ公共図書館の真髄である、と謳《うた》った『中小レポート』の理念を初めて実現した伝説の図書館だ。

「日野図書館を知らんとか吐《ぬ》かしたら俺は自分のクビを賭《か》けて司令にお前の免職を認めさせるぞ、当たり前のことでいばるな！」

周囲の隊員たちが爆笑する。そんな中、小ばかにしたような失笑の声。隣に立った手塚だ。うわもうコイツ癇《かん》に障るったら。初対面の印象が最悪だった手塚とはこの訓練で険悪になる一方だ。手塚のほうも何が気に食わないのか知らないが、訓練中やたらと郁に張り合ってくる。

「手塚、説明してやれ」

堂上の指名に郁は顔をしかめた。手塚に説明されるくらいなら、叱り飛ばされてでも堂上に説明されたほうがマシだ。しかし堂上はじろりと郁を睨んで、

「悔しかったら同期に説明されずに済むようになれ」

手塚と影に日向《ひなた》にいがみ合っているのは見抜かれている。つまりこれはお仕置きだ。

うわー相変わらず性格の悪いこと！

手塚が片頬に勝ち誇った笑みを浮かべて郁をチラ見、そして口を開く。

「二十年前、正化十一年二月七日にメディア良化委員会に同調する政治結社が日野市立図書館を襲撃した事件を指して『日野の悪夢』と呼びます。『中小レポート』の実現を果たし、現代公共図書館のシンボル的存在となった日野図書館を蹂躙《じゅうりん》することによって、図書館の自由法に基づく図書防衛意志を挫《くじ》く狙いの下に強行された暴挙です。

当時は図書隊が組織として確立していなかったために周辺図書館との協力連携がもたつき、日野図書館側は死者十二名を出し、蔵書の被害も甚大な大惨事となりました。襲撃者の武装があまりにも強力だったことから、当時すでに合法武装組織となっていた良化特務機関の関与も疑われ、警察の捜査が入りましたが証拠は見つかっていません。メディア良化委員会は現在に至るも関与を否定しています。

この事件をきっかけに複数の地方自治体にまたがる広域行政機関となる図書隊が全国十地区に設立され、現在の図書隊制度が確立されました」

澱《よど》みない説明に周囲の隊員たちからもおおーっと感嘆の声が上がる。

「お前がそのまま座学の教鞭《きょうべん》を取れるな」

堂上のこれは多分最大級の誉め言葉だ。それを受けて手塚は「恐れ入ります」と敬礼した。

「しかし、この程度のことを知らないような者が図書特殊部隊に存在すること自体が自分には信じられませんが」

あっクソそこまで言うか。郁はむぅっと唇を尖《とが》らせた。そういう事件があったのは知ってたわよ——ただ事件の名称とか詳細とか知らなかっただけで、などと内心ブツブツ言い訳を組み立てても、ここまで差をつけられては言い返しようもない。

「前言撤回だ」

唐突な堂上の言葉に、手塚が目をしばたたいた。

「お前は優秀な生徒だが、教える側にはまだまだだ。笠原《かさはら》は笠原なりに選抜された理由がお前とは別にある。それはお前の物差しで判断することじゃない」

カッと手塚の頬に朱が昇った。不本意そうに表情を歪《ゆが》めて黙り込む。

その様子を見ながら郁は首を傾げた。この流れは何となくあたしを庇《かば》ってくれたような感じもするけどもしかして庇ってくれたのかしら？　別に頼んでないんだけど——とか思った瞬間、

「お前が教える側に回るのはまだまだどころか現状あり得ないから調子に乗るなよ」

堂上がガツンと郁にも食らわす。郁のほうはいいかげん慣れているので屁《へ》でもない。むしろ、

「あーよかった」

ほぅっと息を吐いた郁に堂上が怪訝《けげん》な顔をする。

「庇われてたりしたらどうしようかと思いました。堂上教官に庇われるとか、気味が悪くってあり得ませんから」

「口の減らん……」

吐き捨てた堂上は射撃位置についていた隊員たちに開始の合図を告げた。

堂上が監督位置に立ち去ってから手塚が郁を振り返る。

「いい気になるなよ」

「はぁ!?」

行きがかり上、郁も手塚を睨《にら》み返した。

「あんたの顔の両脇に付いてるもんは飾りか？　今のやり取り聞いててどこにあたしがいい気になれる余地があったと思うわけ？　ナニ気に食わないか知らないけどいちいち突っかかるのやめてよね！」

郁がまくし立てると、手塚はそれを無視して射撃の順列に並んだ。

お前らほんとソリ合わねーなぁ、と周囲の先輩隊員たちが呆《あき》れ顔で呟《つぶや》くが、郁としては自分のせいではないと思っている。

「どうも駄目だな、笠原さん」

郁の撃った的を双眼鏡で確認しながらそう言ったのは小牧である。「的描いた板に辛うじて当たったのが半分ってとこだねえ」

「ちゃんと狙ってるつもりなんですけど……」

視力を訊かれて2・0と答えると小牧が舌を巻いた。

「俺よりいいかー。じゃあ的は見えてるんだよね。引き金ガク引きしてない？」

「一応絞ってるつもりですけど」

「腕力足りてないのかな。それじゃ笠原さんは訓練期間中に全弾が的に当たるようになることを目標にしようか。命中部位は問わないから」

随分と目標レベルを下げられたその横で、手塚の結果を見た隊員が全弾命中を告げた。小牧も手塚の的を見るが、こちらは双眼鏡を使うまでもない。狙いとして指示された頭部に弾痕《だんこん》が集中して板がぶち抜かれている。

「やっぱり大したもんだな、手塚一士は。狙撃手の目もありかな？」

何気ない小牧の呟きが郁に火を点《つ》けた。

「訓練時間増やしてください、あたしもやれます！」

「駄目」

小牧はにべもない。

「適性のない方面伸ばすために弾を使わせられるほど隊に予算が潤沢なわけじゃありません。適材適所、これ貧乏軍隊の基本です。笠原さんを狙撃手に育てるよりも手塚一士を育てるほうが安いし全員が狙撃手である必要もない」

まさか熱意の前に経済が立ちはだかるとは思わなかった。撃沈した郁に小牧が続ける。

「笠原さん、筋力それほどないからな。ライフルだと保持しきれなくて持て余すんだ。リーチは足りてるんだけど惜しいなぁ」

「え、でも」

小さい頃から女子としてはでかいことが特徴だった郁は、力が弱いという論評だけは受けたことがない。

「ああ、笠原さんバネがあるからね。バネを上手《うま》く使ってることで筋力不足をある程度カバーしてるんだと思うよ」

言いつつ小牧が郁の頭を軽く小突いた。

「笠原さんは笠原さんの適性を伸ばしなさい、手塚一士と張り合っても意味ないから」

底意は完全に見透かされていて肩をすくめるしかなかったが、

——手塚に勝てるあたしの適性って一体何だ。

それを思うと仏頂面にならざるを得ない郁だった。

笠原郁という女子隊員を手塚が知ったのは、教育期間も終盤に差しかかってからである。

既に玄田から図書特殊部隊への内示を受けていたところに、もう一人新隊員から選抜されるかもしれない特殊防衛員候補として聞かされたのが笠原郁の名前だ。

正直、今年選抜されるのは自分だけだと思っていたので興味が湧いた。どういう奴なのかと観察しはじめて、——失望した。

何しろ頭が悪くて感情的だ。女子としては体力があることは認めざるを得ないが座学の成績は目も当てられないし、指導教官の堂上ともくだらないことでよく衝突しているという話だ。

上官としての堂上が有能であることを手塚は認めていたので、それと角突き合わせている笠原郁への評価は相対的に下がった。

有能な人間と相容《あいい》れないアホウ。手塚の最も嫌う種類の人間である。

しかしこれがタスクフォースへの選抜候補ということは、これと手塚が同等の評価を受けているということで、──どうして俺とこいつが同列だ。それを思うと笠原郁への反感は募った。

一度も交流がないにも拘《かか》わらず。

あまつさえ警備実習中の不手際で軽症とはいえ堂上を負傷させたという。これで笠原の選抜は消えたろうと思ったら、結果として今年の特殊防衛員選抜は二名となった。

司令室前で初対面となった笠原ときたら、同じ新隊員だからと親近感でも湧いたのか、初手から気安く話しかけてきてこれも気に食わない。

お前と一緒にするな。

『タスクフォースに選ばれたなんて信じられないよね』

ますます一緒にするな、である。あまりにもこの女は意識が低い。身体能力の高さにしても持って生まれた素質に寄りかかっているだけの状態で、考えれば考えるほど笠原が特殊防衛員に選ばれたことが納得いかない。

だから、

「どうだ笠原は」

訓練後、わざわざ隊長室に呼び出されてこんなことを訊かれても答えようがない。玄田への返事は自然と紋切り型になった。

「別に」

「素っ気ないな」

「興味ありませんから」

さっさと切り上げようと投げた台詞《せりふ》は一笑に付された。「それは嘘だな」

何を、と相手が隊長であることを忘れて眉間《みけん》に険のある皺《しわ》が寄る。

「気になって仕方ないはずだ、何で俺たちがお前と同時にアレを選んだかってな」

取り繕う暇もなく表情が強張《こわば》った。感覚としては弄《なぶ》られたに近い。

「――俺の物差しで測ることではないようですから」

義務付けられているわけではないが、上官の前では心がけて自称を『自分』としている習慣が外れた。

お前の物差しで判断することじゃない――刺さった痛さがその言葉を皮肉として投げ返していた。それは完全な反射で、言い放つと同時に片頬が一瞬攣《つ》ったのは僻《ひが》んだ子供のような自分の言い草が忌々しかったからだ。

「お前ほど優秀な奴は稀《まれ》だが、優秀な奴に特有の悪い癖もよく出てるようだな。自分のレベルに達しない奴を弾《はじ》いてたらお前のそばに残るのは何人だ？」

手塚にはその理屈は馴《な》れ合いにしか聞こえない。無能な大勢より有能な少数のほうがモラルも高いし戦力にもなる。それに、

「お言葉ですが、自分が取り立てて優秀とは思いません。するべき努力をしているだけです」

「そう来たか」

玄田が苦笑する。典型的だな、という呟きが引っかかったが聞こえなかったことにする。

「まぁ一人しかいない同期だ。少しは打ち解けてみたらどうだ」

上官たちがそれを望んでいることは承知だが、当面それに応じる必要性は感じなかった。

郁のライフル射撃が何とか様になってきた頃、ようやく郁が手塚に勝てる適性が一つ見えた。

関東図書隊虎の子の汎用《はんよう》ヘリによる緊急出動に備えての降下訓練《リペリング》だ。まさか訓練の度に運用の高価なヘリをいちいち駆り出すわけにもいかないので、基礎訓練の段階では高さ十メートル程の訓練塔から降下を行うが、その段階で手塚は精彩を欠いた。

もちろん水準に達していない訳ではない。ただ、水準以上を恒常的に出している手塚が水準の結果を出すと精彩を欠いて見える、それだけだ。

リペリングで姿勢を確保するコツは後ろ向きに飛び出すときに思い切って飛び出すことだが、これは元・山ザルの郁にはもってこいの課目だった。似たような遊びなら子供の頃、スリングの座席も作らない素のままの一本ロープで見たちと明け暮れている。

初回から思い切りよく飛び出して姿勢を確保した郁に、地上から大きくどよめきが上がった。着地してから聞いたところによると、逆さ吊りになるのを全員期待していたらしい。初降下のときは見えない背後へと飛び出す恐怖を克服できず、飛び出しが中途半端になって逆さ吊りになる隊員が多いという。

「多いっていうかむしろお約束？　新隊員が来たらそのザマ見るのが楽しみだったのに」

「何か失敗しなかったのが悪いみたいですね」

「だって手塚じゃ醜態さらしてくれそうにないからなぁ」

「何ですか、醜態さらすのは何事につけあたしのほうだってのは既定の事実ですか！」

ぶんむくれた郁に、堂上がやってきて端的に述べた。

「言うことなしだ」

おお？　郁は思わず目をしばたたいた。いいかげん叱られ慣れているので分かるが、これは堂上としては手放しに近い評価である。

「強いて言うならもっとスリングに体重預けていい。——大したもんだ」

「……何か企《たくら》んだりしてますか」

疑う口調になった郁に、堂上も怪訝《けげん》な顔をする。郁はその怪訝な表情に答えた。

「堂上教官が普通にあたしを誉めるなんてあり得ないですよね、今度はどういうネタで落とす気ですか」

堂上の怪訝な顔がそのまま不機嫌な顔にスイッチした。

「リペリングだけ巧《うま》くてもそもそもヘリ出動自体が少ないから実戦でお前が優秀になれる機会が少ないことに変わりはない。だが評価すべきを評価しないのは公正じゃない。それだけの話だ、素直に評価されておけ。どうせ滅多にあることじゃないからな」

わぁ、立て板に水ってこのことですか。郁が鼻の頭にシワを寄せると同時に堂上も郁に背を向けた。

手塚だ、と呟く声が周囲から聞こえて郁も訓練塔を見上げた。どうせこれも鮮やかに決めるんだろう、と半ばやっかんで下から眺める。

スリングに腰を固定し、塔のてっぺんから腰溜《こしだ》めの姿勢で後ろへ思い切りよく——よく？

手塚の降下した軌道は郁のイメージした軌道と微妙に食い違った。もちろん逆さ吊りになるような醜態はさらさないまでも飛び出しは弱く姿勢も硬い。降下速度が微妙に遅いのは無意識のうちに握力で過剰なブレーキをかけているのだろう。

先輩隊員からは「こんなもんだろうな」と郁のときのようなどよめきは上がらない。総じて初めてとしては無難、というレベルのようだ。

その後の訓練でも手塚のリペリングは見違えて上達することはなく、練度に応じた及第水準を頑《かたく》なに維持したままでヘリ訓練の日を迎えた。

関東一円に一機のみという輸送の懐刀であるＵＨ60ＪＡが関東図書隊に配備された背景には色々なウルトラＣがあったらしい。飛び交う諸説の中で一番もっともらしいのは、防衛施設庁からの補助金を現物支給で受け取ったというものだ。自衛隊施設周辺地域の民生安定化のために防衛施設庁が支給するその補助金は対象となる地区と施設が広範で、図書館運営予算としてかなりの割合を占める。関東全域で補助対象となる図書館を総合し、図書隊で補助金を一本化して受け取ると、払い下げ金額ゼロでＵＨ60ＪＡを受領できる程度にはなるらしい。

携行火器などの各種装備も自衛隊もしくは警察からの払い下げなので、供給経路として最もあり得る線である。

多くの汎用ヘリに共通の構造だが、UH60JAのキャビンも天井が低く、中腰でもうっかりすると頭を打つ。リペリング訓練は定員限度の環境で行うので、一度に搭乗する隊員は十五名。キャビンを広く設計してあるUH60JAでもさすがに窮屈だ。

その狭い中で郁がふと横を見ると、手塚が険しい顔でスリングロープの確認をしている。

心なしか顔色が悪く見えるのは多分気のせいではない。おそらく高いところがあまり得意でないということは今までの訓練で察しがついている。

さしもの手塚にも死角があったわけだが、だからといって勝ち誇るつもりもない。たまたま郁は高いところが平気だったとそれだけの話である。そもそもほかの訓練課目では大抵手塚に上を行かれているのだ。手塚のほうは何故か郁を過剰なまでに敵視しているが、自分が手塚にとって本来意識するまでもない力量であることは自覚している。

思い切って飛び出したほうが却《かえ》って安定するわよ、と声をかけようとして郁は口をつぐんだ。手塚は自分の苦手を悟られるのは不本意だろうし、中でも郁に悟られるのは最も不本意だろう。

そしてそもそも手塚のリペリングがおぼつかないわけではないのだ。

UH60JAがグラウンドの地上十数メートルでホバリングし、全開になったキャビンのドアから次々と隊員が滑り出る。

郁も自分の順番が来て降下した。手塚が降りたのはそれから三人ほど後で、緊張した様子は拭《ぬぐ》えないまでも堅実に降下し、着地した。

集中訓練の最後を飾るのは野外行程である。隊を二つに分けてそれぞれを玄田と堂上が監督、座標で渡された目的地にコンパス移動でたどり着くというものだ。行程には二日ないし三日が見込まれる。

ミーティングルームで説明を終えた玄田が質問を許可したので郁は手を挙げた。

「図書隊員にこの訓練が必要な意味って一体何ですか」

武蔵野第一図書館から練馬《ねりま》区立図書館までをコンパス移動しなくてはならない事態でも発生するのか、と言いたい。

「気分だ！」

例によって明快に言い放った玄田に隊員たちが爆笑する。玄田がさらに付け加えるに「それ以上の説明が聞きたい場合は堂上が返答する」。これでこらえていた小牧が吹いた。

堂上をちらりと窺《うかが》うと、堂上も郁に投げやりな視線を寄越した。

「聞くか？」

「……結構です」

気分を理由に三日にわたって奥多摩をさまよわされるというのも大概げんなりだが、堂上の説明にしても所詮《しょせん》後付けである。

「訊《き》かなきゃ訓練の意義を見出《みいだ》せない時点で意識が低いんだよ」

あからさまに聞かせるための呟《つぶや》きは隣の席の手塚である。郁に売られた喧嘩《けんか》を躊躇《ちゅうちょ》する習慣はない。

「さっすが優等生は高い意識でご立派ですこと。先生のお気に入りは違うわねーっ」

弾かれたように手塚が郁に剣呑《けんのん》な視線を投げた。やるか？　郁が受けて立つように顎《あご》を煽《あお》ると、手塚は吐き捨てるように息を吐いて目を逸《そ》らした。

「お気に入りならそっちだろうが。いい気になるなよ」

「はぁ!?　だっからいつあたしがいい気になったとか、」

「笠原！」

堂上に一喝されて郁は渋々押し黙った。あたしだけかよどっちが贔屓されてんだ！　と郁にとっては手塚の言いがかりが甚だ不本意である。

玄田が「そうそう」と思い出したように付け加えた。

「なお、近郊の林業関係者からクマの目撃例が多数報告されているので気をつけるように」

「ってそれどうやって気をつけるんですかッ！」

思わず食ってかかった郁の横で、さすがの手塚も度肝を抜かれた様子である。

「気をつけたからってクマ避《よ》けられるんですか、クマが出てすら強行しなきゃならないんですか野外行程って!?　――って先輩方も！　笑うとこじゃないですよねここ！」

含み笑いの隊員たちは「いつものことだし」と歯牙《しが》にもかけない。玄田も事もなげに続けた。

「まぁ本州だしクマとは言ってもせいぜいツキノワだ。基本的には臆病《おくびょう》な性質だし、この人数で行動してたら向こうのほうが勝手に避ける。万一格闘になったとしても一対一で勝てん獲物じゃないしな」

「クマを相手に戦おうとかいう選択が出てくること自体が尋常じゃないんですけど普通は！

それにクマに勝てる人類なんて図書隊では玄田隊長くらいしか、」

「いやいや、そうでもないぞ」

言いつつ玄田がニヤニヤ笑うが、——まったくもって嘘臭い。

「実弾の支給はありますか」

手塚の質問はさすがに現実的だ。

「訓練場外での行程になるため、銃器自体を携行しない。いざというときは各人独力で対処のこと」

わあ何の荒行だそれ。もはや反駁《はんばく》する気力もなくした郁は溜息《ためいき》混じりで肩を落とした。手塚のほうもさすがに表情が硬い。

「以上でミーティング終了。笠原は連絡事項があるから残れ」

そう締めたのは堂上で、解散してから郁が出頭すると体調の都合を訊かれた。今までも野営のときなどは訊かれている。

「今回は大丈夫ですけど……むしろ」

問題はクマだ。

「ああ」

堂上も難しい顔で頭を掻《か》く。

「まぁその、何だ。隊長も言ってたように大人数で行動してたらそうは出くわすもんじゃない。

登山客が襲われたとかも滅多にないからこそニュース性があるわけで、俺が知る限り野外行程で実際にクマが出たことなんか一回もない」

訥々《とつとつ》と語るのは安心させようとしてくれているらしく、――感謝しとくべきかしらこれ。

日頃が日頃なだけにあまりすんなりと笑顔が出てこないが、一応笑ってみる。

「ありがとうございます、ちょっとだけほっとしました。キモチですけど」

キモチの度合いを指で作ったスケールで表してみる。気休め程度しか安心できていないので指で作った隙間は狭い。

堂上も苦笑した。

「ともかく単独行じゃないからな」

郁は思わず堂上の顔に見入った。――もしかしてこの人があたしに普通に笑いかけるのって初めてじゃないの。

えーでもあたしあの人結構スキかも。入隊当初から随分堂上を気に入っている柴崎の言い分がふと思い返された。なるほど、目の敵にされてなくて普通にこういう顔見られるんだったら普通にちょっといいなぁと思ったりはするかも、と納得してみたり。

「お前は中々の根性だから大丈夫だろうが、野外行程はキツイぞ。出るかどうか分からんクマを心配するよりゆっくり休んで体力を温存しとけ」

うわぁ待ってそれ反則！　いつも怒ってばっかの上官がたまに優しいとかってちょっと！

郁はしどろもどろになって堂上の前を逃げ出した。

当然のことながら新隊員は二人まとめて堂上の隊に入れられ、野外行程は開始された。二隊がそれぞれ別の方角に出発したのが夜明けである。

クマを気にしてるどころじゃなかった——というのが正直なところである。重装備で夏山、しかも道なき道を掻き分けての行程だ。登山道を歩けるなら楽だが、道のほとんどはそもそも登山ルート自体が存在しないような山々である。

「しかも何て山よコレ、藤だらけじゃん」

どうしても男性隊員に比べて体力的に劣る郁は隊の最後尾になってしまう。しんがりは監督役の堂上がつくので置いて行かれることだけはないが、それにしてもそうは遅れられない。

「藤があったら何か悪いのか」

郁の呟きが聞こえたのか、堂上が尋ねた。

「手入れが行き届いてる山には藤はこんなに蔓延《はびこ》ってないんですよ。荒れ放題でしょう、この山。まあ自然に返ってるって言い方もできますけど。持ち主が管理しきれてないんだわ、お陰で歩きにくいったら」

「詳しいな」

「田舎育ちですからね。堂上教官は都会ッ子ですか」

「育ちはずっと東京だな。図書隊に入ってからは研修で関東区内を多少回ったが」

へえ、と相槌《あいづち》を打ったつもりだったが声が出ない。「すまん」堂上の詫《わ》びは余計に喋《しゃべ》らせたことだろう。

悪い人じゃないのよね絶対。それは認める、と郁は足元を見ながら黙々と歩いた。

しばらく歩いてから堂上が手塚を呼んだ。

「笠原のスコップ持ってやれ」

手塚は口で文句を言わなかったが、表情だけで不満を表明した。郁も手塚の手を借りるのは不本意なので眉《まゆ》をしかめるが、郁の後ろから堂上に見えるのは手塚の顔だけである。

「隊活動は自分だけ基準をクリアしたらそれで合格ってもんじゃない。分かってるだろう」

「……了解」

手塚はいかにも渋々という態《てい》で頷《うなず》き、郁としてはこれに借りを作るなど不本意にも程がある。

だが堂上が先手を打った。

「同じ説教をさせるなよ、笠原」

さすがに教育隊からの付き合いだけあってごねるタイミングは読まれている。郁が渋々背嚢《はいのう》を下ろそうとすると、堂上が背後からスコップを取り外して郁に手渡した。荷物を背負い直すだけで消耗するからだろう。監督役は隊の活動を一切援助してはならないことになっているが、これはお目こぼしということらしい。

お願いします、と郁が渡したスコップを手塚は返事もせずに受け取り、さっさと歩き出した。

藪《やぶ》こぎにテント設営時の地ならし、トイレの穴掘り埋め戻しなどなくてはならないスコップだが、重量もかさむのでやはり預けると多少は楽だ。

荷物を預けた借りは隊の進行を遅らせないことで返す。郁は歩調を上げて手塚の背を追った。

日が落ちる間際にたどり着いた座標ポイントは八〇〇mほどの標高の山の頂上だった。小牧も加わっていた玄田の隊は先に到着している。

「日暮れギリギリとはいえ当日中に到着か。女子が混じった条件でよくやった」

上官陣の予想としては到着に一日半、合流して帰還に一日の二日半を見込んでいたらしい。

休む間もなくテントの設営を開始、郁は女子ということで一人用だ。設営を終えるともう日は落ちていて、携行食で夕飯を流し込む。

「笠原トイレです、こっち来ないよう願いまーす！」

……とか嫁入り前の娘がそんなん平気になっちゃって。親が知ったらショックで死ねるかも、とあながち冗談でもなく郁は溜息を吐《つ》いた。相変わらず両親には配属の真実を伏せたままで、切り出すタイミングはさっぱり掴《つか》めない。

日中の強行軍、特に夕方のラストスパートが堪《こた》えて寝袋に潜り込んだ途端に泥のような眠りに落ちた。

妙な夢を見た。何だか知らないが手塚が悲鳴を上げていた。うわぁとかなり素で焦った声で、あの優等生が泡食ってるのがザマーミロである。

あんたはあたしに一々突っかかってウザいからバチが当たったのよ、と夢うつつにいい気分に浸っていると――

「出たぞッ！」

いきなりの肉声に叩《たた》き起こされ、テントの中に何か飛び込んできた。

意識のチャンネルがいきなり夢から覚醒《かくせい》に切り替えられ、一瞬激しい目眩《めまい》に似た混乱が襲う。

出た？　何がだ。

……林業関係者からクマの目撃例が多数報告されているので気をつけるように、

「クマか⁉」

飛び込んできた固まりに殴りかかる。ずぼっと固まりに腕が貫通し、

「えっ違ッ⁉」

固まりから慌てて腕を引き抜く。そしてテントの外からカンテラの明かりが入った。

＊

「あっはははは何ソレー！　笠原あんた、クマ、クマ殴ったわけ⁉」

「笑い事じゃない！」

笑い転げる柴崎を郁は怒鳴りつけた。だが柴崎はますます絨毯《じゅうたん》の上を転げ回る。

「信じらんない、ふつうドッキリつってもクマ殴るー⁉　女がー⁉」

「クマじゃないっ！　ダミーよっ！」

テントに投げ込まれたのは先着していた隊員たちが下生えを刈って作った巨大な草束だった。手塚と郁用にわざわざ二つ用意したというから恐れ入る。――その馬鹿さ加減に。

新隊員をクマ話でびびらせ、夜中テントにダミーを投げ込むのがタスクフォースの恒例行事だということは騒ぎの後で知らされた。

「ダミーっつってもあんた、『クマか』って叫んで殴ったわけでしょ？　あんたの中ではクマって認識したうえで殴ったってことよね。いやーあり得ない、女としてあり得ないわあんた。面白すぎる」

「あんたね、人が愚痴ってんのに笑うってどういうこと⁉　ひどい目に遭ったわねとか慰めるとこでしょここ！　あるいは一緒に憤るとか！」

「いやいやあり得ない、笑う以外あり得ないから」

柴崎がようやく起き上がってテーブルの上のティッシュを取った。笑いすぎでにじんだ涙を拭《ふ》くためである。

「普通さぁ、クマって認識したうえで戦いに行かないわよね。戦って勝てると思わないもんね。いきなり殴ったってことはあんた倒す気でいたわけでしょ」

また柴崎の喉《のど》がカエルのような異音を立てる。吹くのをようやくこらえているらしい。

「あり得ないよね、人として。人類として」

「――あたしだけじゃないわよ」

むくれて呟《つぶや》いた郁に柴崎が「何何どういうこと」と食いついてくるが、「教えてやらない」と郁はそっぽを向いた。どうせ知りたかったらどこからでも聞き出してくるのだ、柴崎は。

「ねえねえ、それよりおみやげ。タスクフォース饅頭《まんじゅう》は」

「あるか、そんなもん。一番近いコンビニまで五キロよ、要るもんあったら給食のおばちゃんに頼んで買ってきてもらわないといけないんだから!」

「へー。そんな環境で一ヶ月半もよく頑張ったわねー。えらいじゃん」

まあね、と鼻を高くした郁は柴崎に問い返した。

「あたしがいなかった間、何か変わったことあった?」

そうした情報を取るには柴崎という女は非常に便利だ。一ヶ月半も基地を離れていると話題にも置いていかれる。

「二週間くらい前に館長が入院した」

「えっマジ!?　とうとう!?」

柴崎の言う館長とは、図書基地付属の武蔵野第一図書館の館長である。潰瘍《かいよう》だポリープだと健康状態が常に黄色信号で、食後に大量の薬を飲んでいる姿は一種の名物だった。柴崎の話によると緊急入院して胃を切ったらしい。

「そんでしばらく入院なんだけど、その間の館長代理ってのが行政側から派遣されてきて……これがちょっと問題」

「え、代理って……副館長じゃ駄目なの?」

「んー、何かいろいろ上のほうで微妙な押し引きがあったみたいよ」

図書館人事権は基本的には図書隊が持っているが、行政の影響を完全に排しているわけではない。また、行政側も図書隊制度に関しては賛成派と反対派に分かれているので、その両派の軋轢《あつれき》が図書隊へ横滑りしてくることもよくある。突き詰めればそれは地方分権派と中央集権派の対立にも繋《つな》がっているのだが、それにしても両陣営の主張を明確に白黒で割れる訳ではなく、様々な思惑が様々に絡み合っているのが政治の常である以上問題は複雑だ。——つまり、郁のような下っ端にはよく分からない。

ともかく図書館にとって今回はあまり歓迎できる人事ではなかったようだ。

「館長が早く復帰してくれたらいいんだけどねぇ……」

柴崎のぼやきも珍しく深刻だ。

「具体的にはどういう感じに問題なの」

「教育委員会の言いなりって感じね。推薦図書入れろの望ましくない図書外せの。教育委員会に限ったことじゃなくて、とにかく権威のあるとこからの要請に逆らえないっぽい」

「何それウザー！　何でそんなのわざわざねじ込んで来るわけェー⁉」

「そんなのだからねじ込んで来たって説もあるんじゃないの」

柴崎の意見はなかなか穿《うが》っている。

「まぁあんたも帰ってきたんだったら第一図書館の館内業務に就くでしょ、新任特殊防衛員の館内業務研修始まるから。実物見て判断するといいわ」

「……だから何であんたは他部署の内部スケジュールまで把握してんのか」

「んー、強いて言えば趣味？」

　そう答えながら柴崎は悪びれず笑った。

　奥多摩から帰っての初出勤ですでに図書隊中に『クマ殺し笠原』の異名が流布していたのはある意味当然の成り行きだろう。集中訓練に同行した隊員たちが先を争って言いふらしたのは想像に難くないが、恐らく柴崎もかなり貢献している。

　始業前の第一図書館の事務室で郁は堂上と落ち合った。図書館業務なので今日はお互い警備の制服ではなく私服だ。堂上は夏スーツの上着抜き、郁もパンツスタイルである。

　顔を合わすや郁から引き金を引いた。

「どうも役に立たない注意を頂きまして。おかげさまで要らん二つ名がつきました」

「……俺はちゃんと言っただろうが」

　堂上も喧嘩《けんか》上等の仏頂面である。

「俺の知る限り野外行程でクマが出たことなんか一回もない、そう言ったはずだ」

　確かに堂上はそう言った、だが。

「てゆーか、もっと分かりやすく教えてくれたらどうなんですか!?　あれで引っ掛けに気づけとかムリですよね!?　むしろ鬼教官がなまじ親切にフォローしてくれる分だけ信憑性《しんぴょうせい》倍増！小さな親切激しく逆効果！」

「じゃあお前なら隊長があれだけ毎回執心してる引っ掛け事前でネタ割れるのか!?」

堂上の言い分は逆ギレに近いが、郁はとっさに返す言葉に詰まった。更に堂上が畳みかける。

「俺だって下らないと思っとるわ、だけど勝手にネタをばらしてみろ！　次の新隊員が入ってくるまで延々根に持たれるんだぞ！」

どうやらやったことがあるらしい。

「今年は女子もいることだしって俺が何回中止を進言したと思ってるんだ、万策尽きてせめてヒントなりとも与えてやろうとしたんだろうが！」

「ええーっじゃああたしが悪いんですか気づかなかったあたしが悪いんですか⁉　そもそも事の発端は堂上教官じゃないですか！」

「……朝っぱらからテンション高いなぁ、『クマ殺し』ご両人」

声をかけたのはやってきた小牧だ。ご両人、の呼びかけに郁も堂上も痛み分けで沈黙した。

そもそもクマドッキリがタスクフォースの恒例行事になったのは、堂上と小牧が配属された年に初めて玄田が仕掛けたのが元だそうだ。

小牧はごく常識的に肝を潰《つぶ》したというが、堂上は投げ込まれたダミーに「クマだ！」と叫び、摑みかかったという。これに大ウケした玄田が新隊員配属時の永世恒例行事としたというから、遡れば堂上のせいだという郁の主張はあながち間違いではない。

「まさか第二の堂上が出るとは思わなかったね。ホント二人ともよく似てるよ」

ますます痛恨だ。ちらりと目線を下げて堂上を窺《うかが》うと、仏頂面の堂上の耳が赤い。さすがに昔の失態がいたたまれないらしく、そのばつの悪そうな様子が郁としては小気味いい。

「手塚は」

　生真面目な口調で話を変えるのも逃げを打っていることが明白で、そんなところは気がつくとちょっと愉快だ。

「先に書庫に入ってもらってるよ、来るのが早かったから」

「じゃあ書庫出納から始めるか」

　言いつつ堂上が郁に視線を上げる。

「俺は一回しか教えない、その後分からんところがあれば手塚に訊《き》け」

　要するに手塚に頼りたくなければ一回で覚えろということで、更には手塚は一回で覚えるという信頼があるということだ。

　癪《しゃく》だがそれが現状の郁に対する評価である。そして堂上に読まれているとおり、分類などの座学は図書館史と並んで郁が苦手としていたところだ。

　書庫で合流したとき、手塚から『クマ殺し』の一件で何か揶揄《やゆ》されるかと思ったが、手塚は何も言わなかった。

　手塚は先に小牧から書庫の配置を教えられていたので、郁は堂上から教わる。

　図書基地設立時の移転で規模を拡大した武蔵野第一図書館は、公共としては都内で最大級の図書館となる。その分蔵書数も膨大であり、地下の書庫も広大だ。書架の配置を覚えるだけで一苦労である。

「基本的には奥の一番書架から日本十進分類法に従って格納されてる。一番書架から四番書架が総記、うち一番の半分までが010図書館、そこから二番一段目までが020図書・書誌学、その次が030飛ばして040……」

怒濤《どとう》のように始まった説明に郁は慌てて図書手帳をパンツのポケットから引っ張り出した。

「待って待って二番一段目までが……」

郁が筆記するのを見て、堂上が言った内容をもう一度繰り返した。――心持ちゆっくりした口調で。

あら優しい。意外な思いで郁はその声をメモに取った。思い返してみると、ついて行こうとしている限りは堂上がそれを突き放したことはない。

「ええと、四段目で030飛ばして040になるのはどうしてですか」

「030は百科事典だからだ。判が大きくて重量があるから一番下の段に配置されてる。書架の配置が前後している場合は判の大きな図書が挟まっていると思っていい」

メモを取る郁の手を待ちながら堂上が不意に尋ねた。

「見づらくないか」

身分証を兼ねた図書手帳は手のひらサイズだ。必然として細かい字で書き連ねることになり、そのことを言っているらしい。

「でも図書手帳なら必携義務あるから絶対持ち歩くし、分類一覧も付録で載ってるし」

「考えたな」

と、一応誉めてくれたらしい直後に「まあ、見る暇があればの話だが」と続いて郁の不安を煽《あお》る。

「それってどういう……」

「始まれば分かる。──書庫内開架書架は比較的動きの多いものが配置されてるが、動かない蔵書は倉庫の移動式閉架書架だ。たまに収蔵ミスで開架と閉架の蔵書が混乱してることがあるから、開架収蔵のものが見つからない場合は閉架確認のこと」

次の書架へと歩き出しながら堂上の説明は続き、郁もその後を追いかけながら懸命にメモを取った。

結果としてメモを繰っているような暇はほとんどなかった。

閲覧室のカウンター端末から発信されるリクエストは、アラームと共に書庫の端末から帳票印刷されて吐き出される。

帳票を一枚ずつ取って本を探すわけだが、一件の出納に十分はかけられない。利用者の苦情に繋がるので理想を言えば五分、ベテランからするとそれでも遅い。

リクエストの入るタイミングには当然ばらつきがあるが、リクエストが詰まっていなくても一冊の探索に時間をかけられるわけではない。そして、基本的にリクエストは詰まっていないことのほうが稀《まれ》だ。武蔵野第一図書館の利用率は関東全域でもトップクラスである。そのうえ時期的には夏休みの終盤で、児童や学生の利用が集中してリクエストも倍増している。

堂上以下四人しか書庫に入っていない状況で、分類を把握していない郁は足手まといにも程があった。二次区分までは朧《おぼろ》げながら見当がつくが、三次区分ともなると完全にお手上げで、該当分野を頭から舐《な》めていくしかない。

書架の配置の目安になる書庫番号を分類記号と関連付けて把握していたら探索の助けになるが、郁にとっては現状よけいな番号でしかない。

「ごめん手塚、756って何番書架!?」

「工芸30番台！　お前いい加減にしろよ、工芸さっきも訊いただろう!?」

書庫内に飛び交うのは郁の質問の声と手塚が苛立《いらだ》って怒鳴る声だけである。

リクエストが切れたタイミングで小牧が集合の声をかけた。時計を見ると十二時で、一般的な昼飯時は利用客も食事時なのでリクエストの波も一旦《いったん》止む。次の波が来るのは昼過ぎだ。

書庫端末の前に集まると、小牧と堂上は冷房が効いた書庫内にも関わらず汗をかいていた。痛い。郁の視線は思わず下がった。郁が戦力にならない分、そして手塚に尋ねて手塚の能率を下げる分、この二人がカバーしているのだ。

そのうえ、書庫に返ってくる本のチェックや配架、電算処理は完全に止まっている。

「この三冊」

小牧が書籍用エレベーターの脇に置いてあった本を取り上げた。背表紙を全員に見せる。郁が探して閲覧室へ上げたはずの本だった。

「差し戻された」

小牧の声は静かだったが、怒鳴られたように郁は肩を縮めた。

利用者が待てずに出庫をキャンセルしたのだ。確かにその三冊は探すのにかなり手間取った覚えがある。

「カウンターからも苦情が来てる、ちょっと考えよう」

「お前の責任だよな」

待ちかねていたように手塚が郁を詰《なじ》った。

「分類法も把握してない特殊防衛員って何だよ！　図書館業務研修始まるって分かってんのに何で最低限の知識も飲み込んできてないんだ!?」

「え、だって……」

責められた勢いに思わず反射で弁解してしまう。

「あたし最初は防衛員配属だったし……図書館業務に関わるはずじゃなかったから」

「タスクフォースの配属受けたのどれだけ前だと思ってるんだよ！　いくらでも勉強する時間はあっただろうが！」

「でも配属受けてすぐ集中訓練だったし、帰ってきてすぐ図書館業務始まっちゃったし」

「訓練後に休日二日挟んであったよな、その間に分類の復習くらいできなかったのか!?」

でも、という抗弁はついに声に出せなくなった。下がった顔がもう上がらない。

二日間の休日の間、柴崎とバカ話をする暇ならあったのだ。――恥ずかしい。穴があったら入りたいってこんな感じだ。

意識が低いと事あるごとに手塚が揶揄する言葉が突き刺さる。教えてもらえるつもりで自分で何もしなかった。高い意識でご立派ですこと、それは揶揄するところじゃない。実際立派だ。

「書架配置だって一回言っても覚えないし、覚えが悪い自覚があるならもっと朝早く来て自力で予習すりゃいいだろ！　無能なくせに努力もしないバカは一番迷惑なんだよ！　さんざん人の足引っ張っといて『だって』と『でも』だけ一人前か、無能な奴はいっそ喋《しゃべ》るな！」

「手塚！」

堂上の強い声に手塚の声が息を飲んだように止まった。小牧が後を続ける。

「言いすぎ。正しかったら何を言ってもいいわけじゃないよ」

手塚が不本意そうに黙り込む。

「とにかくこのメンツで書庫をどう回すかだ」

堂上の現実的な懸案に救われる。郁は小さく息を吐いた。

「ちょっと早いが、他館取り寄せリクエストを回してもらう。笠原はそれを担当しろ。夜便に乗せる分だから時間は気にしなくていい、その代わり書庫の配置をきちんと覚えろ」

はい、と答えた声が少し潤んだ。

「当館リクエストとその他業務は三人で回すぞ。やれるな」

「はい！」

手塚の声は堂々として揺らぎはない。当然だ、恥じるべき要件が手塚には存在しない。

堂上が閲覧室へのインターフォンに向かった。

「もしもし、こちら書庫……ああ、お前か。他館リクエストをあるだけこっちに回してくれ、それから……」

話しながら堂上が全員に微妙に背を向け、声が低くなって途中から聞き取れなくなった。

堂上がやり取りを終えてしばらくすると、書庫の扉がノックされて柴崎が顔を出した。

「ちわーっす、伝票お届けに上がりましたぁ」

言いつつ帳票の束を軽く振る。

「いやーん、堂上教官お久しぶりでぇーす！　訓練終わったのに一回も会いに来てくれないいんだもん、寂しかったぁ！」

どこから声を出してんのかと疑うような猫かぶり声に、郁もだが手塚も度肝を抜かれたようだ。堂上はと言えば微妙に表情が渋い。柴崎のこのモードは大抵の男には効果覿面《てきめん》だが、堂上は苦手なようだ。

「何か書庫大変みたいですね、今日。よかったらあたし手伝いますけど」

「いい。カウンターも戦場だろう、今日は」

「やっだぁ、堂上教官のためだったら向こうなんか打ち捨ててきますって！」

「いい……本気で要らん」

完全に引いている堂上に小牧が吹き出した。柴崎がむうっと唇を尖《とが》らせる。美人だとそんな顔をしてもコケティッシュでかわいかったりするから得だ。

「不本意ー、小牧教官ウケさすためにやってんじゃないんですけどー？」

「ごめん、ちょっと堂上が珍しくて」

笑いこけながら詫《わ》びる小牧の横で堂上が怒鳴った。

「もういい、用事が済んだらさっさと戻れ！」

はぁい、と悪びれず肩をすくめた柴崎が郁のほうへ駆け寄った。え、何。戸惑う郁に構わずするりと腕を組み、

「ついでだからコイツちょっと借りますねー」

「え、ちょっと柴崎！」

「昼ごはんまだでしょ？　付き合いなさいよ」

「あたしまだ仕事がっ……」

助けを求めるように堂上のほうを見ると、堂上は渋い顔で追い払うように手を振った。手塚も完全に毒気を抜かれている。

「ついでに俺たちの分の昼飯何か買ってきて」

小牧の声を背に受け、柴崎に半ば引きずられるように郁は書庫を出た。

書庫の扉が閉まった途端、柴崎は素に戻ったように組んでいた腕をほどいた。

「さ、行くわよ」

「……何なのそのテンションの落差は」

「しゃーないじゃないのよ、堂上教官に頼まれたら。あたしあの人のファンだしさ」

柴崎がつまらなさそうに肩をすくめる。

「相変わらずあの人はあんたに甘いったら……」

「え、何、どういうこと」

「電話で頼まれたのよ、伝票持ってくるついでに笠原を昼に連れ出してくれって。あんた手塚にやられて半泣きだったんだって？　空気も相当悪かったみたいだし？」

柴崎登場で一旦引っ込んでいた涙が復活した。

「柴崎〜〜〜〜〜〜！」

抱きつくと「うわびっくりした取って食われるかと思った！」と柴崎も口が悪い。

「来てくれてありがと、自業自得なんだけどすごいみっともなくて辛《つら》かったー！」

「だーかーらぁ、あたしじゃないってば。……ああいうタイプにかわいがられるにはちょっとくらい出来が悪いほうがいいのかしらねー」

言いつつ柴崎が沈思黙考の表情になる。やがて、

「……無理！　あり得ない！　せっかくこんなにデキる女なのにあんたのレベルに落とすとかって……！」

「そこまで言うー!?」

泣きながら思わず吹き出してしまう。

「ほら、食堂行くわよ。手塚が出てきたら気まずいでしょ」

促した柴崎に続き、郁も早足に階段を上がった。

「まあ何が一番悪いかっつーともちろんヘボなくせに手ェ抜いたあんたが一番悪いんだけど」

言いつつ柴崎が箸《はし》を振る。

柴崎の論評は手厳しいが、郁も反省しているうえに柴崎の言い方はあっけらかんとしていて毒がないので刺さらない。これは手塚とのキャラの違いだろう。

「手塚も言い方ってもんがあるわよね」

「でも、あたしが悪かったから」

甘ったれていたのも意識が低いのも手塚の言うとおりで、優秀なのに努力を怠らない手塚にとって郁がどれほど腹立たしかったかはもう想像がつく。

「何を言われても当然ってのと何を言っても当然ってのは違うのよー」

「やめてよ甘やかさないでー！」

「うどんすすりながら頭振らないでよ、汁が飛ぶでしょ！」

大袈裟《おおげさ》にのけぞった柴崎がまた姿勢を戻す。

「まあ、ここで調子に乗って『でしょーむかつくでしょー』とか言い出すような奴なら慰めてやらないけどね」

「……今の慰めてたのか。柴崎語って難しい」

あら、あたしは結構カンタンよ、と柴崎が澄ます。ひねくれ具合の角度が決まっているから簡単という意味だろうか、と郁は真剣に考え込んだ。

定食の柴崎より早く食べ終わり、柴崎が終わるのを待ちながら郁は切り出した。

「ねえ柴崎。あたしに図書館業務教えて」

もうこれ以上は足を引っ張りたくない。三冊差し戻しを食らってその苦情の矢面に立つのは責任者である堂上だ。手塚のように責めてくれればいっそ気が楽だが、黙って被《かぶ》られるほうが辛い。

いつもはすぐに怒るのに何でこんなときだけ怒ってくれない。

「そう来ると思ったわ」

柴崎はしたり顔で頷《うなず》いた。

「今よりちょっとはマシにしてやるわ。今晩からしごくわよ」

恩に着る、と柴崎を拝むと、柴崎は郁の後ろを眺めて軽く眉《まゆ》をひそめた。釣られて郁も後ろを見ると、柴崎が見ていたのは二つ後ろのテーブルに座った中年男性である。

「誰？」

「館長代理」

へえ、あれが。郁は最後にちらりとその中年を見て目を戻した。目を戻した瞬間に忘れそうな凡庸な風体の男である。

問題ありという話は聞いていたが当面直接の関わりはないので、その場ではそれ以上の興味は湧かなかった。

堂上の采配《さいはい》が功を奏して、午後からは差し戻しを食らうような無様なことはもうなかった。慌しくはあるが、男性陣もリクエストの合間に郁が買って戻った昼食をかき込めるくらいには探索の回転も早まった。

自分が抜けたほうが効率が上がるということが郁としては情けなさひとしおだったが、自分のツケだから仕方がない。

トイレで書庫を抜けたときに、表のベンチで食事中の堂上に行き会った。

昼に抜け出させてくれたことにお礼を言おうかと一瞬思ったが、堂上はそれを知られることは本意ではないように思えたのでそれについて言うのはやめる。

「ありがとうございました」

言いつつ頭を下げると堂上が怪訝《けげん》な顔で郁を見上げた。その顔に「采配のこと」と言い足す。

「早く覚えるように頑張ります」

「ああ。励め」

堂上の声はいつもどおり無愛想で、郁がトイレから戻ったときにはもう書庫に戻っていた。

十九時の閉館時間を迎えると、郁が受け持っていた百件余りの他館リクエストは出庫率三割といったところだった。

「六時間もかけて半分以上残すなんてな」

さっそく皮肉な口調を飛ばしたのは手塚だ。言い返す余地はなく郁は黙り込んだ。

「残った分出すぞ」

堂上が残った帳票を大雑把に四人に分けた。何気なく分けたように見えて郁の手元に来た分が少ないのは、たぶん気のせいではないだろう。それは堂上のフォローだろうが、フォローが必要であることにまた力の足りなさを思い知らされる。

「見つからない分はどうしたらいいですか」

全員が書庫に散る前に郁は問いかけた。

「どうしても見つからない本が何冊かあって、それ後回しにしてたんです。だから残った伝票の中に何冊か見つからない本があるはずなんですが」

「探したのがお前じゃ本当に見つからなかったかどうか怪しいもんだけどな」

郁は揶揄《やゆ》する手塚を睨《にら》んだ。さすがにそこまで言われる筋合いはないが、自分がヘボなせいで見つけられなかったという説には我がことながらイヤな信憑性《しんぴょうせい》があり、ひとまずは腹の中で毒づくにとどめる。――見つからなかったら見てろよてめえ。

「見つからなかった蔵書は所在不明図書として伝票をカウンターに差し戻す。その捜索はまた図書館業務部で行うはずだ」

堂上が答え、改めて全員が出庫作業に移る。

結果として所在不明図書は四冊出た。

「どうよ、あったでしょうが所在不明図書」

勝ち誇る郁に手塚は舌打ちでもしかねないような顔だ。本当は郁が見つからないものとして後回しにした伝票はもう少し多かったのだが、それは別に言う必要はない。

「自分の功でもないのに勝ち誇るな、笠原。所在不明図書が出たことは図書館として喜ぶべき事態じゃないぞ」

すかさず堂上に叱責《しっせき》され、郁は渋々口をつぐんだ。何よ、厭味《いやみ》言われた分くらい返したっていいじゃない。さっきあたしが厭味言われたときは庇《かば》わなかったくせに。——と内心で不平を漏らしてふと気づく。堂上も小牧も庇わなかったということは、二人とも手塚の揶揄に信憑性があることを認めていたということか。ショックが鳩尾《みぞおち》に入ってがくりとうなだれる。

「四冊ってのはちょっと多いね。由々しいなぁ」

小牧が難しい顔で首を傾げる。

「多いんですか？」

訊《き》いた郁に小牧は頷いた。

「夏休みに先駆けて館内整理があったからね」

郁たちがタスクフォースの集中訓練で不在の間、武蔵野第一図書館を二週間にわたって閉館しての大規模な蔵書整理が行われている。

「たった一ヶ月ちょいでこんなに行方不明になるわけないんだけどなぁ……」

「整理が行き届かなかったのかもしれない。ともあれ、こっちは手続きに従って差し戻すしかない」

言いつつ堂上が集めた図書をコンテナに詰めはじめた。その手つきは当然ながら教育期間中に遭遇した良化特務機関などとは比べ物にならず、郁は思わずその手元に見とれた。

動作の端々に本を大事にしていることが窺《うかが》えて感じがいい。——あくまで手を見ていればの話だが。ひねくれた前提が付くのは、手塚の揶揄に納得したことを多少根に持っている。

よし、あたしも！　郁も張り切って荷造りに加わった。専門知識が要らない作業ではせめて置いて行かれたくない。

そして発送までの作業では、郁も何とか他の三人の足を引っ張らずに済んだ。

「そんで所在不明図書が今日だけで四冊出て。堂上教官が今年は館内整理が行き届かなかったのかもって……」

柴崎にその話をしたのは寮に戻って約束の指導を受けていた最中である。柴崎は聞いた途端に猛反発した。

「そんなわけないでしょー！　いくら堂上教官でもそれは聞き捨てならないわ、業務部総出で閉架書庫まで総ざらえしたんだから！　あたしたちが手ぇ抜いたとでも⁉」

「じゃあ何で一ヶ月ちょっとで四冊も所在不明図書が出るわけ？」

うっと言葉に詰まった柴崎が悩んだ挙句に、

「あんたが探してたから見つからなかったとかじゃないの？」

「お前もか！」

堂上、小牧に手塚の揶揄を無言で納得されたココロの傷はまだ深い。そこへ持ってきて柴崎にまで当たり前のように疑われ、郁はフグみたいに膨れた。

「確かにあたしが見つけられなかっただけって本もあったけど！　でもその四冊は教官や手塚が探しても見つからなかったわよ！」

「そっかー、じゃあホントに行方不明なのねぇ」

何の気なしの柴崎の相槌《あいづち》がまた刺さる。

「くっそーどいつもこいつも何気なくあたしのココロの傷を捏ね回しやがって……」

「悔しかったら信頼は自力で勝ち取るもんよ。今のあんたじゃとてもとても」

それにしても、と柴崎が難しい顔をした。

「館内整理から一ヶ月ちょいでこんなに所在不明図書が出るわけないんだけど」

「小牧教官も言ってた、おかしいって」

「配架が雑になってんのかしら。ちょっと会議で提案してみるわ」

その話題はひとまず幕となり、柴崎はまた分類法の講義に戻った。

一区切りついたところで柴崎が徳用の袋入りチョコレートを持ち出してくる。

「今までのとこおさらいね。一問間違うごとにチョコ一個食べてもらうわよ」

「げぇっ⁉」

時間はもう十一時を回っており、寝る前のチョコレートの暴食は美容にも体重にも被害甚大だ。さすが女同士だけあって思いつく罰ゲームがえげつない。

「やめてよちょっと、あたし寝る前チョコ食べるとてきめんにニキビがっ……！」

「知ってるわよ、実害あったら必死になれるでしょ？」

「待って一体何問出すつもり⁉」

「えーとね……」

と柴崎が持ち出してきたのは教育期間中に座学で使われたプリントだ。柴崎がアレンジしたのか虫食い箇所が作ってあるが、ざっと二、三十ヶ所ほど抜けがある。

「寝る前にチョコ二十個とかあんた鬼⁉」

「まさか全問間違うつもりじゃないでしょうね、あんた。んなこと言ってると明日っから問い増やすわよ」

今晩からしごくわよ。確かに柴崎の宣言に偽りはなかった。

新人（主に郁）が書庫の仕事を一通り覚えるまでは、堂上の隊で書庫業務を受け持つことになる。まだ戦力としておぼつかない郁に他館リクエストを任せ、当館リクエストは堂上たちが処理することが基本体制となった。

メディア良化法の施行以前は書庫出納がこれほど殺到することはなかったというが、昨今はメディア良化委員会の検閲対策で書庫に収蔵してある本も多いため、書庫を閲覧室並みに簡便に利用できることが図書館に課せられたサービス項目になっている。

教育期間中から座学全般に壊滅的な成績を示し初日の手際も壊滅的だった郁だが、数日経つと他館リクエストを閉館時間までにかなり出庫できるようになり、少しずつではあるが合間に返納図書の配架などその他業務もこなせるようになった。

「……は、いいものの。

「あいつは顔をどうしたんだ。皮膚病か？」

堂上は遠くでばたばた走り回っている郁を眺めながら小牧に尋ねた。書庫業務を始めてからというもの、郁の額や顎には大きなニキビが出たり消えたりである。見るからに痛そうなのでやけに目につく。

小牧がククッと喉《のど》を鳴らした。

「特訓の弊害らしいよ」

「何だそりゃ」

「柴崎さんに分類法や書庫業務のコツを教えてもらってるらしいんだけど、おさらいテストで間違えると罰ゲームで一問につきチョコレート一個食わされるんだって。寝る前に食わされるからニキビに直結するみたいだね」

不意を打たれてこらえきれず、堂上も吹き出す。——何やってんだ奴らは。

「ていうかどれほど間違えてんだ、あいつは」

「現状、アベレージ十個前後らしいよ。いつニキビが引くか見ものだね」

そんな話をしてから一週間ほどで、郁が勤務前に意を決した様子で堂上のところへ来た。

「今日から私も当館リクエストやらせてください」

堂上は反射で郁の顔を見た。わずかに視線を上げる位置にある郁の顔には、額にニキビの痕《あと》が根強く残っていたがそれ以降新しいものはできていないようだ。

「チョコレートは食わずに済むようになったのか」

「何故それを⁉」

郁がぎくりと固まりながら額を隠す。

「小牧に聞いた」

「小牧教官クチ軽いーっ！」

「俺が訊いたんだ、奴の顔はどうしたって」

それはそれでショックなようで、郁は恐る恐る尋ねてきた。

「そんなに目立ってましたか」

「相当痛々しかったな、何しろ俺が気になったくらいだ」

「うわーみっともなー……」

そのへこんだ様子に思わず笑いがこみ上げる。

「よし、当館リクエスト入ってみろ。ついていけなかったらまたシフト戻すから言え」

「はい！」

そのキアイの入った返事に決意のほどが窺える。まるで形状記憶合金だな、などという感想が浮かんだ。落ち込んでも僻《ひが》んでもそのままへこたれていることだけはない。

当館リクエストの出納に加わった郁は、手塚に比べるとまだまだ手際は悪いが一応は使える水準に達していた。そもそも手塚を基準にするのは一般的でない。

「そろそろ認めるべくは認めてやったらどうだ」

手塚に何気なく声をかけると、整った顔が瞬時に頑《かたく》なになった。

「もともと努力すればやれたのに努力しなかったのは怠惰じゃないんですか」

何故そんな奴を認めねばならない、とその表情が言っている。

手塚は正しい。真面目で優秀で努力家で、言うことは常に正論だ。――しかし。

「お前は笠原を一体どうしてほしいんだ？」

そう訊くと、手塚の頑なな表情は強張《こわば》った。その頑なさはそろそろ折られどころだろう。

「正論は正しい、だが正論を武器にする奴は正しくない。お前が使ってるのはどっちだ？」

手塚を真っ向見据えながらゆっくりと折る。確実に折らねば意味がない。

手塚の顔は見る間に紅潮した。羞恥《しゅうち》ではない。怒りでだ。

その日、手塚は堂上に一度も自分から話しかけてこようとはしなかった。

＊

「おっかしいなぁ……」

柴崎は端末を叩《たた》きながら首を傾げた。もう閉館後の業務も終わっているが、事務室でひとり自主残業である。

呼び出したデータは所在不明図書だ。郁から話を聞いて調べてみたのだが、館内整理の後に登録された所在不明図書は十五冊に上っていた。書庫だけでなく閲覧室の開架書架の物も所在不明となっている。前年度の所在不明図書は、館内整理で発見されなかったら紛失図書として処理されるが、図書隊制度の成立以降、武蔵野第一図書館では貸出し手続きを済ませていない図書の館外持ち出しを防止する探知機が導入されているので、年間の紛失図書は規模の割りに非常に少ない。

その状態で、館内整理後わずか一ヶ月余りでこれだけの所在不明図書が出るのは稀《まれ》だ。

「不自然な物事には作為が働いてるのが定石としたもんだけど」

この十五冊の作為は何だ。一冊ずつ情報を呼び出していくと、そのほとんどが児童書である。タイトルや作者名、そしてジャンルや対象年齢にも何ら共通点はない。

あれ、でも……

柴崎は眉をひそめた。何故かそのタイトル群に覚えがある。自分が読んだことがあるというわけではなく。読んだことがあるのは十五冊中数冊だ。

しかし柴崎の記憶は、一見何の共通点もないその十五冊を貫く法則があると告げている。

「んー……何だったろ、何かあるのよ確か……」

考え込んでいたとき、廊下からドアの閉まる音がした。事務室の向かいの書庫だ。ひと気がなく静まり返っているので開《あ》け閉《た》ての音がよく響く。

警備かな、と柴崎は席を立った。夜間の見回りには少し早いが、通用口を閉めるのも早まるなら居残りを申告しておかねばならない。

だが、ドアを開けて廊下でかち合ったのは防衛員ではなかった。

「——鳥羽《とば》代理」

鳥羽敏雄《としお》館長代理である。鳥羽は柴崎と出くわして一瞬ぎくりと表情を固まらせた。

「残業か、君は。一人かね？」

「——いえ？」

柴崎はしれっと笑った。

「遅くなっちゃったんで、残ってた子と夜食入れてから帰ろうかって。買いに行ってくれてるんで待ってるところです。そろそろ帰ってくると思いますけど」

敢《あ》えて鳥羽のほうには残っていた理由を訊かない。

「そうか、早く帰りたまえよ」

鳥羽はそう言い残してせかせか階段を上がっていった。

そして柴崎は所在不明図書に共通する法則を思い出していた。

「……教育委員会の推薦図書通達じゃないの」

推薦図書とともに参考通達される『望ましくない図書』リストだ。小学校低学年から高校生までに対して数冊ずつの図書が指定されている。

館長代理がそれらに貸出制限をつけろとごねていたことは記憶に新しい。副館長以下、職員たちは図書館法第三十一条の『図書館は資料提供の自由を有する』に基づく資料提供権を盾にしてあっさり否決したが——

「もしかしてもしかするかしら」

所在不明図書の一覧をプリントアウトし、柴崎は書庫へ向かった。人が戻ってくるという話を聞いて鳥羽がまた戻るはずはない。

この時間、書庫に出入りしていたことを鳥羽は必要以上の人間に知られたくないはずだった。

手塚はその日の晩、寮内の小牧の部屋を訪ねた。昼間の堂上との一件を思いあぐねてのことである。

二正以上は一人部屋なので、部屋に入ってしまうと人目の気兼ねはない。手塚を招き入れた小牧は小型の冷蔵庫を開けながら尋ねた。

「何か飲む？　ビールくらいあるけど」

「頂きます」

缶を受け取ってプルタブを引き開け、呷《あお》る。酒でも入れないと勢いがつかない。

「笠原一士のことなんですが」

「お、直球だね」

小牧の合いの手は無視して一息に言い切る。

「自分は笠原一士を受け入れるべきですか」

お前は笠原を一体どうしてほしいんだ。堂上の言葉は笠原郁を受け入れろと言っているようにしか解釈できない。

小牧はすぐに答えず、考え込む風情を見せた。やがて困惑した様子で顔を上げる。

「質問の意図がちょっとよく分からないんだけど……」

堂上とのやり取りを話すべきだろうかと口を開きかけたところへ、意外な角度の返答が来た。

「例えば俺なり堂上なりが『受け入れろ』って命令したら、手塚は受け入れるわけ？」

答える言葉がなくなった。質問の意図を的確に言葉にまとめられると、それはひどく甘えた理屈に聞こえた。

「そういうところの判断をこっちに振られても困るよ。受け入れるって定義も曖昧《あいまい》だし」

小牧も率直にそこを切った。

「俺の見立てで感情の問題とするけど、ぶっちゃけたところ別に嫌いな奴とでも仕事はできるんだよね。人間関係が良好なほうが仕事は巧《うま》く回るとしたもんだけど、好きなタイプとばかり仕事ができるわけじゃないし。感情で能率下げなきゃ笠原さんを敢えて好きになる必要はないと思うけど。好きじゃなくても能力を信頼することは可能なわけだし」

小牧の言葉は意外なものとして手塚に届いた。常から温厚な小牧は、ここぞとばかりに二人の関係が良好になるフォローを加えるような気がしていた。

そしてフォローされなかったことを不満に思っている自分に気づいて苦々しさがこみ上げる。要するに笠原郁を感情的に受け入れるための示唆を求めていたわけで、それもやはり甘えだ。

小牧が不意に苦笑した。

「俺、無条件に優しいわけじゃないよ。けっこう正論好きだしね」

勝手に失望したことを読まれたようで手塚は顔を伏せた。正論好きということが優しくない条件として語られたことがやけに耳に残った。

正論を正しく使う奴というのは小牧のようなタイプのことだろうかとふと思った。

「手塚に笠原さんと打ち解けろなんて、誰も強制できないんだよ。もちろん笠原さんにもね。でも手塚は多分それじゃ気持ちが悪いんだろうから」

気持ち悪さの所以《ゆえん》は、手塚と上官たちの笠原郁に対する評価の違いだ。上官たちが笠原郁を評価する理由が分からない。有能な人々の判断を自分が理解できないことが手塚を苛立《いらだ》たせ、焦らせてもいる。

「能力的には俺たちは笠原さんを評価してないよ。特に事務系の能力は低いよね、不器用だし要領悪いし。それはもう手塚とは比べ物にならない」

だったら何故、と内心で反発したタイミングで小牧が笑った。

「でも面白いんだよ、あの子。無鉄砲で血が熱くてね。堂上にそっくりで、そこらへんが俺や隊長がウケてる所以」

「堂上二正はあんな奴に似てなんか……」

「うん、君が堂上に憧《あこが》れてるのは知ってるけどさ」

あっさり言われて手塚はぎょっとした。上官たちはそれぞれに優秀だが、その中でも堂上は手塚にとって最も分かりやすく目指しやすい完成形であり、その意味で「理想の上官」だった。それだけに堂上と衝突してばかりだった郁が腹立たしかったとも言える。見事に見透かされていたことに尻《しり》の座りが悪くなった。

「手塚から見て堂上のイメージって、冷静にして果断とかそんな感じ？　でもあいつの本質は多分手塚よりも笠原さんと似てるよ。クマ殺しの一件だって聞いたでしょ」

「似てるから肩入れするんですか」

その問いはほとんど口から滑り出たに近い。

「そういう単純なことじゃないと思うよ、堂上は」

当たり前のように堂上のことを答えられて、それがまた刺さった。

「いたたまれなかったり恥ずかしかったり色々大変らしいけど。バランス取るのに苦労してるね。でも、堂上が君に何か言ったとしたらそれは笠原さんを贔屓《ひいき》してってことじゃない。君にそれを言う必要があったからだ。そういうところで公正を欠く奴じゃないと俺は信じてる」

こういうことを衒《てら》いなく言い放てることが小牧の凄《すご》さかもしれない。手塚は思い出したように缶ビールに口をつけた。手の熱でだいぶ温《ぬく》もってしまい、喉越《のどご》しの爽快《そうかい》さは消えていた。

「ちょっと話が逸れたけど、俺個人の意見としては手塚は笠原さんから得るものがあると思うよ。でもそれを得ようとするかどうかは手塚の自由だ」

「……得たとしたら自分はどうなると思いますか」

「今より面白くなると思う」

それは一体メリットなのかと激しく謎だが、小牧の表情は冗談とも本気ともつかない。

部屋が突然ノックされ、小牧が返事をするとドアが開いた。顔を覗《のぞ》かせたのは堂上だ。

手塚は気まずさで目を泳がせたが、堂上は「何だ、こっちにいたのか」と軽く応じただけだ。

疚《やま》しさがない者の強みだろう。

「集会室来い、二人とも」

「何、召集？　俺たちもう酒入っちゃってるんだけど」

「まだ一本しか空いてないじゃないか、手塚もそこそこ行けたろう。先行ってるぞ」

返事は聞かずに堂上がドアを閉める。やれやれ、と小牧が腰を上げた。立ち上がりしなに缶を空けたのに倣い、手塚も残った分を飲み干した。

男女共有区画の集会室に集まったのは、堂上班の四人の他に玄田と柴崎だった。

召集を要請したのは郁を経由して柴崎である。仲介を頼まれた郁としては若干落ち着かない。

柴崎は仲介を頼んだくせにその理由は言わなかったからだ。

「非公式に報告したいってことだったな、柴崎一士」

玄田に水を向けられ、柴崎が頷《うなず》いた。

「問題が重大なので上の階級の方に判断して頂きたいと思います」

「異議あり」

生真面目な口調で異議を挟んだのは手塚だ。

「柴崎一士は業務部です、業務部側で報告するべきじゃないんですか」

「聞きしに勝る頭の固さね」

柴崎は鼻で笑った。

「業務部じゃ上に上がるまでに報告が歪《ゆが》むか圧力がかかる可能性が高いから、って言わないと分かんないかしら。せっかくここにこういう人脈がいるんだから」と郁の肩を叩いて「使えるバイパスは有効に使うべきでしょう？　そもそも図書特殊部隊ってのは、組織内の遊撃性にもその本領があるはずだけど？」

手塚が不本意そうに押し黙る。郁はほとんど感動の態《てい》で柴崎を見つめた。もともと弁の立つ女だが、あの手塚をあっさりやっつけるとは。

「で、その歪むか圧力がかかる可能性の高い報告の内容は」

促した玄田に柴崎は答えた。

「館長代理が図書館法第三十一条に抵触する行為を行っている可能性があります」

全員が真顔になった。

館内整理からわずか一ヶ月余りで十五冊の所在不明図書が発生し、その十五冊はすべて教育委員会から『望ましくない図書』の指定を受けている。そして鳥羽館長代理はこれらの図書に関して貸出し制限をつけることを主張していたという。

「で、これです」

柴崎がテーブルの下から紙袋を取り出した。中に入っていたのはコーティングされた蔵書だ。

「書庫から館長代理が出てきた後に閉架書架を探したら出てきました。問題の所在不明図書、十五冊すべてありました」

「多くない？　十八冊あるけど」

尋ねたのは小牧だ。目で数えたようだが早い。

「念のため『望ましくない図書』指定を受けたすべての本を複本まで調べたんですが、それも貸出記録がないのに所定の場所になくて所在不明だったんです。その分も閉架から見つかったので持ってきました」

さすがに柴崎の仕事には隙がない。

「……要するに、館長代理が蔵書隠蔽《いんぺい》してたってこと⁉」

郁が声を荒げると玄田が難しい顔で呟《つぶや》いた。

「状況としてはグレーだな……」

難しい顔で呟いた玄田に郁は声を上げた。

「グレーって何ですかグレーって！　真っ黒じゃないですか、第三十一条違反でしょう⁉」

「落ち着け」

堂上が割って入る。

「証拠がある訳じゃないし、そもそも三十条と三十一条に関しては保障されてるのは図書館の権利だ。部外者がこの権利を侵害した場合はこの条文を根拠に抵抗権を行使できるが、図書館が権利を行使しないことについての罰則規定はない」

「それに手口も巧妙だしね。館長代理がやったと判明しても故意とは断定しがたいよ」

小牧も口を添えた。

「配架を間違えたって言えば通る話だ。館長代理は着任して日が浅いしね」

「図書館法第四章は施行令に内部監査規定がないのが弱点ですからね」

手塚の発言に思わず「あ、そうなの？」と口に出してしまい、郁はしまったと眉をひそめた。また厭味《いやみ》が来るかと思ったが、手塚は郁をじろりと睨んだだけで何も言わなかった。

「それにあの館長代理は素性がちょっと面倒でな」

玄田の発言に誰も疑問を出さず、郁がちらりと周囲を窺うと堂上が口を開いた。

「図書隊制度反対派の都議の人脈だ。証拠もないのにうっかり問題にしたら、図書隊の偏向を逆に攻撃されるだろうな。柴崎が業務部で問題にしなかったのは正しい」

「この案件は俺が預かったうえで司令に報告する。柴崎は回収した所在不明図書を所定の場所に戻しておけ。後日、堂上班が発見して戻した態で業務部に通達する。そのとき牽制《けんせい》くらいはできるように計らう」

言いつつ玄田が腰を上げた。

「なお、この案件はこの場の六名以外への他言を禁ずる。以上解散！」

それから数日後、鳥羽館長代理宛てに図書特殊部隊から通達が出た。

所在不明図書の発生率が例年と比べて非常に高いことと、発生した所在不明図書を特殊部隊が発見したことを報告し、配架ミスが原因と考えられるので必要に応じ部内に注意を促すよう勧告したものだった。

館長代理からは、配架ミスの報告があるので各員注意するようにという訓示が朝礼時に出たらしい。柴崎からの報告だ。

所在不明図書について触れずじまいの訓示は牽制が効いたものと思われ、案件に関わった者が安心したころ——特殊部隊は見事に足元をすくわれた。

＊

「柴崎くん、教育委員会から指定のあった『望ましくない図書』を館長室に届けてくれないか。貸出し中でないものは複本まで全部」

副館長から柴崎がそう頼まれたのはその日の閉館時間も近い頃である。

「何かあったんですか？」

副館長には館長代理の蔵書隠蔽の一件は伝わっていないはずなので、柴崎の口調は探るものになった。

「いや、館長代理に教育委員会からの来客があってね。『望ましくない図書』の貸出し制限をしていないことについての説明を聞きたいそうで、現物を見ながら話したいとのことだ。僕もそれに立ち会おうと思って」

あの人ひとりで話させたら教育委員会の要望を丸呑《まるの》みにしかねないからな、と副館長は苦笑した。まだ四十歳そこそこで館長代理より十歳以上は若いはずだが、その口調は不出来な部下に対するものであるかのようだ。

「へえ、こんな時間に行政関係が来るなんて珍しいですね」

各種行政委員会が図書館を訪問することは珍しくないが、来訪時間は大抵夕方までである。十九時の閉館間近という遅い時間はかなり珍しい。

「でも複本までは必要ですか？　参照しながら話すだけなら一冊で充分かと思いますけど」

「いや、複本まで見たいって要望でね。大変だろうが頼むよ」

館長室はレファレンス室のある二階より更に上、全五階中の四階だ。確かに多少は手間だが、

「エレベーター使えるし大丈夫ですよ。すぐ届けます」

副館長は柴崎を拝む仕草を残して階段を上っていった。

指定の図書を館長室へ届けて、閉館時刻を迎えたときである。館内に非常ベルが鳴り響いた。

次いで切迫した館内放送が響く。

『哨戒《しょうかい》中の警備より入電、良化特務機関が当館周辺に展開中！　総員、至急警戒態勢に着け！　館内に残っている利用者は至急館外へ退去してください！』

柴崎が実務に携わるようになってから初めて遭遇する良化特務機関の襲撃である。今までも何度かあったらしいがそれは閉館中の夜中が主で、柴崎が直接居合わせたことはなかった。

さすがに一瞬思考が停止したところへ、「端末ロックしろ！」上司の怒号が響いて我に返る。占拠に備えて書籍検索端末を全てロックするのが図書館員の最優先防衛事項だ。データベースから読み込んだ情報を一定時間保存しておく形式の端末はメインサーバーを停止するだけでは情報の流出を止められない。柴崎も自分の使っていた端末にパスワードを叩き込んだ。

非常時のパスワードは、それぞれが使用中だった端末について館員が任意に設定することになっている。パスワードを決めてしまうと情報が漏洩《ろうえい》する恐れがあるからだ。柴崎はとっさに生年月日を逆打ちで入力した。

「書庫封鎖します!」一人が叫んで階下の書庫へ駆け出していく。柴崎も利用者端末のロックに走った。自分がロックした端末は覚えておかねばならない。触れた順に家族の生年月日を父から逆打ちで入れた。

「全員退避!」

上司の命令が飛んだとき柴崎はふと気づいた。こんなとき指示を下すはずの副館長がいない。気づくと同時に叫んだ。

「館長室で教育委員会が会談中です!」

「副館長が避難誘導する! 退避!」

指示されて走り出したが、脳の片隅に何か引っかかった。だがそれを考えている暇はない。

避難する先は二階の防護室だ。交戦規定で防護室は攻撃されないことが決まっている。

もう玄関と裏口でそれぞれに小競り合いが始まっていた。銃撃の音が内外で響く。このために全館防弾ガラス仕様だが、それでも館内を移動するのは恐かった。もともと柴崎は戦闘訓練の成績はあまりよくなかったし、荒事が苦手な自覚もある。

渡り廊下から見るともなく中庭を見下ろすと、非常階段を数人の良化隊員が上っていくのが見えた。狙いのはずの閲覧室と書庫は一階と地下なのに何故、と思った瞬間、全部が解けた。

「柴崎！　どこへ行く気だ！」

「すぐ戻ります！」

上司の制止を振り切って柴崎は非常ベルに向かった。館内のすべての非常ベルには館内放送に繋《つな》がるインターフォンが設置されている。

館長室に教育委員会指定の問題図書を運び込んだ。突然の襲撃で図書まで持って避難する暇はないだろうから館長室に問題図書は置き去られているはずだ。

恐らく問題図書の中に良化委員会の検閲対象図書と合致するものがあった筈《はず》で、良化委員会と教育委員会の間で取り決めがあったに違いない。

館長室で問題図書を参照しての会談を持ち、そこへ良化特務機関が検閲を仕掛けて館長室に残された図書を根こそぎ没収する手筈だろう。

だとすれば、複本を要望した教育委員会の意図も領《うなず》ける。特務機関に問題図書すべてを回収させるためだ。

非常ベルにたどり着いた柴崎はインターフォンを上げた。館内放送へ回線を繋ぎ、

「業務部より、敵の本命は館長室です！」

それだけ怒鳴るやインターフォンを切り、柴崎は今度こそ防護室へ避難した。

非常呼集で駆けつけていた郁はぎょっとして館内放送のスピーカーを見上げた。柴崎の声だ。どういうことか考える前に体が動いた。

手近な窓を開けて中庭に飛び出し、非常階段に向かう。外から館長室まで上れるはずだ。

「おい！」

手塚の声が咎《とが》めた。

「命令と違うだろう！」

堂上からは正門の防衛に合流する指示が出ている。特殊防衛員とはいえ新人なので最も防御が固い地点への采配《さいはい》だった。

「柴崎が館長室だっつってんのよ！」

「何をバカな……図書館員の一士と堂上二正の指示とどっちが優先だ！」

「この場合は柴崎よ！　あいつはこんなときに意味のないこと言わないのよ、絶対！」

「根拠がないだろうが！」

「あたしは柴崎って女をよくを知ってるわ、それが根拠よ！」

それ以上は聞かずに郁は非常階段に走った。背後でくそっと悪態が聞こえ、窓を飛び出す音がした。

「あんたは来なくていいわよ！」

追いついた手塚に怒鳴ると、手塚も怒鳴り返した。

「お前の単独行動を見過ごすほうが問題なんだよ！」

走りながら手塚が無線を手探りで操作する。「手塚一士より堂上二正へ、館内職員の警告を入れ持ち場を変更！　館長室へ向かいます！」

非常階段を駆け上り、非常扉の前で手塚が拳銃《けんじゅう》を抜く。「お前が開けろ」その分担は正しい。郁が扉を開けると手塚が飛び込んだ。油断なく銃を構えるが待ち伏せはない。

四階の館長室に着くと内側からドアが開いた。鉢合わせだ。相手は四人、躊躇《ちゅうちょ》なく撃つのは敵のほうが慣れていた。とっさに物陰へ飛び込むとその隙に屋内階段のほうへ逃げられる。

が、すぐに階段から銃撃の音が響いた。防衛員が階下で待ち受けていたらしく、撃ち合いになる。柴崎の警告を入れた隊がいたのだろう。

良化隊員のうち、背嚢《はいのう》を背負っていた一人が上へ逃れた。逃げた一人を追うべきか、残った良化隊員の背後を衝《つ》くべきか。

『手塚、笠原！　そこにいるか！』

無線に入った堂上の声に返事をしながら郁は背筋を伸ばした。階下で良化隊員を迎え撃ったのは堂上の隊だったらしい。独断で持ち場を替えた部下のフォローに回ったのだろう。何かと厳しい上官だがこうした采配はさすがに抜かりがない。

『逃げた奴を追え、図書を持ち去るつもりだ！』

「非常階段から屋上回るぞ！」

手塚が言いながらもう駆け出している。

「五階から非常階段で逃げられたら入れ違いにならない!?」

「俺たちと絶対かち合うタイミングだ！　それに背嚢にザイルが結わえてあった、リペリングの準備してきてるなら屋上のほうが早い！」

確かに手塚の言うとおり、非常階段では敵とかち合わなかった。屋上に出ると、柵《さく》のそばに屈《かが》んでいた良化隊員がこちらを向いた。ザイルを手すりに結んでいる。

今度は手塚が躊躇しなかった。銃声が響き、膝《ひざ》が砕けたように良化隊員がくずおれる。流石《さすが》は優等生さまさまだ。だが良化隊員も往生際が悪かった。

「——待てッ！」

郁が駆け寄るが間に合わない。良化隊員は背嚢を下ろし柵の外に投げ捨てた。「こいつ！」良化隊員に一発くれて後ろ手に手錠をかける。教育期間中の轍《てつ》は踏まない。

暮れかけた中、柵から地面を見下ろすと背嚢はほぼ真下の裏庭、植え込みの中に落ちていた。

手塚が無線で堂上へ状況報告し、回収を要請する。

と、手すりに銃弾が弾《はじ》けた。地上からだ。あわてて伏せると銃撃は止み、地上に配置されていた良化部隊が背嚢を回収しに来る気配だ。堂上の回収は間に合わない。

「あたしが降りる、援護して」

「駄目だ！」

手塚が怒鳴った。

「的にされる、行くなら俺が」

「あんた高いとこ苦手でしょ⁉」

郁が言い放つと手塚はぎょっとしたような顔をした。だがすぐに反駁《はんばく》する。

「お前なんかに気遣われる謂《いわ》れはない、俺が行く！　女を的にさせられるか！」

「いいかげんにしなさいよ、全部あんたが一番じゃないと気が済まないの⁉　適材適所は貧乏軍隊の基本なのよ！」

小牧の台詞《せりふ》を引きながら郁は自分の銃と予備弾倉を手塚に渡した。

「あたしどうせ当たんないから任せるわ。あんたが撃ち切る前に降下する。背嚢拾ったら右に飛ぶから。よろしくね」

手塚はそれ以上はごねず、良化隊員からも銃を取り上げた。郁も良化隊員の結んだザイルを確認する。敵ながら信頼できる結びだ。グローブは射撃用だが耐久性には問題ないだろう。

「一、二の、三！」

手塚に取らせたカウントで柵を乗り越え、最初の銃声が聞こえる前に窓が一つ上に流れた。ほとんどノーブレーキで窓を三つまで数え、減速。勢いを殺しきる前に植え込みへ突っ込むが怪我はない。起き上がりながら背嚢を探し、摑《つか》むや約束どおり右へ飛んだ。

目星をつけていた木の陰に身を隠して息を整える。さすがに心臓に悪かったか、動悸《どうき》が中々治まらない。

落ち着いてからふと気づくに、

「どーしよ、こっから先考えてなかった……」

手塚も撃ち切ったようで屋上からの銃声はやんでいる。

「ちっくしょう、もうひとっ走りか」

郁は背嚢を背負い、腰を上げた。と、

「アホか貴様！　そこにいろ！」

館内から聞き慣れた怒声が聞こえた。そして出入り口から防衛員が裏庭に飛び出して展開し、迎撃が始まる。

激しい銃撃は短時間で終息し、良化特務機関は目標達成を放棄して撤退した。

座り込んで事が終わるのを待っていた郁のところへ堂上が歩み寄った。労《ねぎら》いの一言もあるかと思って立ち上がったら、いきなり沈痛な溜息《ためいき》を吐《つ》かれた。

「お前は脊髄《せきずい》で物を考えるクセをどうにかしろ、案件は脳まで持っていけ」

「開口一番失礼千万なんですが！」

「頼むから！」

堂上が怒鳴って郁の片襟を摑んだ。

「銃撃に包囲されて援護もなしに走って突破しようとか考えるな！　手塚が回収要請入れたんだからおっつけ俺が到着することくらいは織り込め！」

その険しい眼差《まなざ》しに、反駁しようとした声が立ち消える。やばい、本気で怒らせた。本気で怒ったということはつまり本気で——心配させた。その事実に怯《ひる》む。

「——すみません」

郁は堂上をまっすぐ見つめた。

「堂上教官の存在自体を忘れてました」

「……お前という奴はッ！」

「えぇっ何で⁉　すごい真面目に謝ったのに⁉」

真面目な謝罪が仇《あだ》となり、小言は随分と長引いた。事後処理をする隊員たちがくすくす笑う声が遠く近く行き交う。いたたまれなくて郁は身を縮めた。歯向かっても素直になっても結局ダメ、一体何て難しいんだこの人。

もういいかげん気が済んでくれと思った頃に、ようやく堂上の小言が止んだ。しかし、顔は相変わらず不機嫌なままだ。

その不機嫌な顔のまま、

「……しかしまあ、館長室に回った判断は上出来だ」

怒った顔のまま誉められても表情の選択に困る。郁は微妙な表情のまま訊いた。

「命令、無視しましたけど……」

「お前たちが正門の防御に回っても大勢に影響はなかったからな。結果として図書が守れたんだから柔軟な判断だった」

他の隊員に呼ばれて堂上が立ち去りながら指示を残す。

「図書を閲覧室に戻しとけ。業務部が事後処理を始めてるはずだ。ついでに柴崎に声をかけておいてくれ、話が聞きたい」

警告の根拠を聞くのだろう。警告に従った郁たちの動きは後で報告書を出すことになる。

取り返した図書を閲覧室に戻し、柴崎と話すついでに戦闘後の状況を訊いた。

結果、味方には軽傷者しか出なかったようだ。手塚の撃った良化隊員が最も深手で、そちらは救急車を呼んで引き渡したらしい。搬送先の病院で良化特務機関が回収するだろう。

閲覧室を出ると、そこに手塚が待っていた。とっくに出動室に戻って装備を解いているものと思っていたので郁は怪訝《けげん》な顔になった。

お疲れとか何とか微妙な挨拶《あいさつ》を交わしながら基地へ戻る道すがら、手塚は恐いような難しい顔をしていた。

「……何なのよ、その仏頂面は。まだ何か文句があるわけ」

屋上で押し切ったことが気に食わないのかと思って問いかけると、手塚が急に立ち止まった。

「提案なんだけど」

唐突な切り出しに郁が更に怪訝な顔をすると、手塚は真剣な面持ちで言った。

「お前、俺と付き合わないか」

「……………………………は？」

からかっているのか気がふれたのかどっちだと眉をひそめるが、どうやらそれは正気の提案のようだった。――双方にとって救いがたいことに。

三、図書館は利用者の秘密を守る。

＊

良化特務機関襲撃の事後処理を終えて、郁《いく》と柴崎《しばさき》が寮に戻ったのは夜の十時も回ってからだ。シャワーは二十四時間使えるものの食堂はとっくに閉まっているので、夕食は帰りがけに調達したコンビニ飯である。

「戦闘後のゴハンがこれってちょっと侘《わび》しすぎんじゃないのー？」

ぼやきながら郁はインスタント味噌汁《みそしる》のパッケージを開けた。

「給湯室行ってくるからあたしの分もお味噌汁開けといて」

柴崎が電気ポットを抱えて部屋を出て行く。柴崎の分のレジ袋を開けていると携帯が鳴った。着信は堂上《どうじょう》だ。

ついさっきまで戦闘後のミーティングで一緒だったのに何の用かと訝りながら出る。まさか追加のお説教じゃないわよね、と若干の警戒態勢。

「はいもしもし？」

『今テレビ観《み》られるか？　どこでもいいから民放のニュース観とけ』

唐突な命令に郁は首を傾げた。民放という指定も謎だ。

「民放ですか？　ＮＨＫじゃなくて？」

『この場合は野次馬性の高い局がいい』

と、堂上はそうした特色の強い局をいくつか挙げてさっさと電話を切った。その愛想のなさがまったく堂上らしい。

取《と》り敢《あ》えずテレビを点《つ》けると、いくつかの報道番組で同じ事件を扱っている。

連続通り魔殺人事件の容疑者逮捕。

容疑者は杉並区在住の高校生。

垣間《かいま》見える少年の異常性。


春先から話題になっていた事件である。主に若い女性を狙った連続通り魔事件で、その手口が猟奇的なことから犯人の異常性が取り沙汰《ざた》されていたが、春先の新隊員は教育隊でボロボロにされていたので各局がプロファイリング合戦を行っていた頃の話はよく知らない。

「あらぁ、捕まったのね犯人」

戻ってきた柴崎がポットのコンセントを差し込んで保温に設定する。

「珍しいわね、帰ってくるなりあんたがテレビ点けるなんて」

「何かねー、堂上教官から電話あって観とけって」

「えっ教官から電話あったの!?　あたしにしてくれたらいいのにー！」

柴崎って一体どこまで本気なんだろ、これ。内心首を傾げながら郁は味噌汁のカップにお湯を注いだ。

テレビでは容疑者の少年の自室が映されている。パソコン周りや本棚をカメラが舐《な》めるようにパンしていく中、本棚に並んだ背表紙の中に覚えのあるタイトルがあった。

柴崎がテレビを観ながら頷《うなず》く。「なるほど、これね観とけって」

高校生向けの『望ましくない図書』として教育委員会リストに挙がっていたもので、戦闘後の確認作業でメディア良化委員会の検閲対象にも入っていることが判明したホラー作品である。検閲事由は『行き過ぎた残酷描写』だ。

柴崎がつまらなさそうに呟《つぶや》く。「教育委員会も焦るわけね」

このような事件が起こると世論はメディア作品の影響を述べたがるものであり、教育委員会としては犯罪を誘発する危険性の高い図書への対策がなかったと批判されるのが恐いのだろう。保身の理屈は分からないでもない。

「ホラーで殺人犯が増えるなら十三日の金曜日は東京都下ジェイソンそぞろ歩き状態になってるわよねー」

郁が挙げたのはここ数年リバイバルブームが来ているホラー映画のシリーズである。最初のブームのときに異常犯罪が増えたなんて話は聞いていない。

「メディア作品が犯罪を助長するってんなら、男は老いも若きも総性犯罪者予備軍よ。AVにしろエロ本にしろ調教だの陵辱だの性犯罪願望のオンパレードじゃないの。メディア真似して犯罪が起こるってんならまず真っ先に女性に銃の携行許可が下りるべきだわ」

「し、柴崎。ちょっとはっちゃけすぎ……」

郁は思わず顔を赤くした。柴崎の物言いはたまにあけすけ過ぎる。「あらごめんね」と柴崎はあまり頓着《とんちゃく》した様子はない。

「結局のところ何かのせいにして落ち着きたいのよね、こういうのって。犯人はあの本のせいで歪《ゆが》んだ、この映画に影響されて犯行に及んだって。理由付けして原因を取り除いたら子供を監督する側は安心できるって仕組みね。気持ちは分からないでもないけど、」

読書嫌いでもないのに親や学校の勧める優良図書しか読んだことない奴なんかイイ子すぎて逆に恐いけどね。とこれは郁も同意だ。優良図書が悪いという問題ではない。

だが、こういう事件が起こると検閲を正当化する動きが高まるのが図書館やメディア関係者としては頭の痛いところである。

「でもこのニュースが解禁された日に教育委員会が検閲仕組んだってタイミング良すぎない？問題図書と少年の蔵書が被《かぶ》ってたのも事前に分かってたみたい」

「教育委員会はいろんなところに繋《つな》がり持ってるからねぇ。公安委からでも報道からでも情報入ってくるルートはあるんじゃない？　都議会との繋がりも強いし……」

不意に柴崎が口を閉ざし、テレビに耳を澄ました。ナレーションが少年の生い立ちに触れ、少年の父親が都内公立高校の校長であることを告げる。

あーなるほど、という声は郁と柴崎できれいにハモった。半ば身内が起こしたような事件であれば何をおいても周辺事情を取り繕いたいところだろう。

「ところで館長代理の処置ってどうなるの？」

事情を知っている六名で先ほど持たれたミーティングでは、基地司令に報告のうえで判断を待つというところまでで話が終わっている。

察し悪いわね、と柴崎が呆《あき》れた顔をした。郁に言わせれば他の連中の察しが良すぎるのだ。郁だけ飲み込めない話などしょっちゅうである。

「たぶん何にもなし。前の一件と同様、証拠がないからね。それ以前に教育委員会とメディア良化委員会の連携そのものが立証できないし」

メディア良化委員会がほかの行政組織と連携すること自体に法的規制はないが、その連携が公表されることは滅多にない。質問状を送ったところで無視されるだけだろう。教育委員会側に後ろ暗い事情があっての連携であれば余計だ。

「うわー何かもう歯痒《はがゆ》いなぁ」

いくら図書館法第四章に内部監査規定がないとしても、良化委員会の検閲に図書館が自主的に協力していたとなれば図書館の理念と信用を揺るがす大問題である。館長代理の関与が立証されれば関東図書隊の議事にかけて更迭人事も可能だが、現状では知らぬ存ぜぬで押し通せる状況が成立している。

「もしかしたら教育委員会側でも館長代理には事情を教えてないかもしれないしね」

そんなのだからねじ込んで来たって説もあるんじゃないの――以前、権威に弱いという館長代理を郁がこき下ろしたときの柴崎の論評である。事情を教えないまま使える弱腰の男は使うほうには使い勝手がいいコマである。

「館長ってまだ戻って来ないの」

館長さえ戻ってきたら代理など用なしだ。だが柴崎は首を横に振った。

「何か術後の経過が悪いみたいでね。合併症がどうたら言ってたかなぁ」

「うわ、長引きそう。大丈夫かな」

郁が顔をしかめたタイミングで柴崎が話題を変えた。

「そーいやあんた、聞いてほしいことって何だったの」

ぎくり、と郁の肩は固まった。ミーティングの前の空き時間で柴崎に振っておいた話だが、いざ話す段になると慄《おのの》く。

だってあたし自身がギャグとしか思えないのよ、こんなの。——手《て》塚《づか》があたしに付き合ってくれとか。

「……え、何。手塚はそれ新手の嫌がらせ？」

わぁギャグ以外にも解釈があった。しかもより辛辣《しんらつ》に。柴崎の素の質問を郁も否定する自信はない。

「分かんない……一応正気だったみたいだけど」

正気の嫌がらせという説は充分考えられる。

「だってあり得ないよね⁉ 自慢じゃないけどあたし、奴に嫌われてる自信は人一倍あるけど好かれてる自信はカケラもないわよ！」

初見から訳も分からず突っかかられて、敵愾心《てきがい》だけはありありと分かった。それが一体何をどうアクロバットして交際の申し込みか。

何か手塚の意識が方向転換するようなことでもあっただろうかと出会った頃からのやり取りを記憶の中でさらえていくが、

「……あり得ない！」

思い返した記憶に郁は思わず頭を掻《か》きむしった。

「あいつあたしに無能な奴はいっそ喋《しゃべ》るなとまで言ったのよ——ッ!?」

「うっわーそこまで言ったか手塚。エリート意識の固まりね」

なかなかそこまで言えないわよね、と柴崎は半ば感心した様子だ。

「まあ、ある意味あんたのこと意識しまくってるのは確かなんだろうけど」

郁が怪訝《けげん》な顔をすると柴崎は笑った。

「意識するって恋愛沙汰だけじゃないでしょ。反感だって対抗意識だって意識は意識だもの。そういう意味じゃあんた関心持たれまくりでしょ」

確かに恋愛感情と言われるよりはそちらのほうがまだ納得できる。

「手塚って実は他の同期にはそれほど態度悪くないのよ。特別誰かと親しいって話も聞かないけど誰とでもそこそこうまくやるっていうか。そういう意味じゃ確かに手塚っていろんな意味で有能なのよ、敵作らない立ち回りとかね」

そういうところは柴崎と少し似ているかもしれない、と聞きながら郁は思った。

「逆に言えば他の奴らは眼中にないんでしょうね。職場でお友達作って仲良くってタイプじゃないし、そこらへんはしっかり割り切ってる感じよね。本人も自分がやっかみ買いやすい立場だって分かってるみたいだし」

やっかみを買いやすい立場というのは出来がいいからかと思ったら違った。

「あら、知らなかった？　あいつ父親が図書館協会の会長なのよ」

良化法の成立後、急激に組織が拡大した図書館協会は、全国の各種図書館の協議機関として法人ながら図書隊の運営に強い影響力を持つ。設立を遡《さかのぼ》れば戦前にまで至るこの組織は、日本の図書館史とは切っても切り離せない存在である。

「とにかく、そんだけ立ち回りを割り切ってる奴があんたのことだけ毛嫌いするっていうのは、やっぱりあんた同期の中で凄《すさ》まじく意識されてるってことよ」

「そんな生え抜きエリートの恨み買うような覚えないわよ！」

「何でこんな女が俺と同じ特殊防衛員なんだ」

声を低く作った柴崎の台詞《せりふ》に郁は思わず声を飲んだ。

「……とか、思われてそうな気がしない？」

手塚の台詞として聞くとその説はもっともらしく思えた。

「あの完璧《かんぺき》主義な性格で父親の影響を免れない図書館業界に入ってきたってことは、特殊部隊入りくらいは最初から目指してただろうしね。新隊員からの抜擢《ばってき》だったら親父と関係なく自分の能力を顕示するには充分だわ」

父親の存在が常に意識される図書館界を手塚が目指した理由は何だろうかとふと気になった。少なくとも郁のように『王子様』を追いかけて、などという能天気な理由ではないだろう。

「見事に特殊部隊入りを果たして実力を証明したと思ったら、一緒に抜擢されたのがあんた。……うわぁ、」

柴崎が沈痛な面持ちになる。

「いま手塚の立場で想像したらすっごくイヤだったー」

「うーむ我が事ながら否定できないのが一際むかつくわね。オッケー、あたしが手塚に嫌われてる理由はよく分かったとしようじゃないの」

あんたが性格悪いのもね、とこれはココロの中で付け足す。

「そこから何がどう転がったらあたしと付き合おうってことになるわけよ？」

「えーそれは憎しみがいつしか愛に」

「ねえそれ本気？　本気で言ってる？　頭脳派の看板下ろすか？」

「知らないわよ他人の色恋沙汰《ざた》なんて」

柴崎の口調は投げやりだったが、色恋沙汰という単語が鳩尾《みぞおち》に入った。あり得ない！　その単語はあたしと奴から最も遠い地平の言葉だ！

「ていうか、あんたは何て返事したのよ」

訊かれて郁は口ごもった。

「……しばらく考えさせてって」

「だって！　何て答えたもんなの、ああいうのって⁉　断るときってごめんでいいの⁉　理由はつけるの⁉　あたし昔から玉砕専門で自分がこんなの言われたことなんてないのよぉ！」

「玉砕専門だったら断り文句なんかそれこそ色々聞いてるでしょ。適当にアレンジすれば」

「だって『俺より背の高い女はちょっと』とかばっかりよ！　どうアレンジすんのよ、あたしより背の高い男はちょっと、か⁉　変だろ！」

「断る理由が百発百中で背丈のみってのはあんたの男を見る目があまりになさすぎるんじゃ」

「だって中学まではあたしより背の高い男子なんてそんなにいなかったんだもの！」

「待って、今の話を総合するとあんたの恋愛沙汰って中学が最後ってことに」

「ヘタレ」

一蹴《いっしゅう》されて抗弁に走る。

「だから何よ？」

「わぁ珍獣がここにいる！」

素で慄く柴崎というのも珍しい。どうせ、と郁はむくれた。

「ていうか付き合うっていう選択肢はまったくないわけ？」

その問いかけは完全に郁の虚を突いた。

「いや、本気で付き合いたいって話なら検討の余地はあるんじゃないの？　頭が固いってことは付き合い方も真面目だろうし、見てくれもいいし、背もあんたより高いわよ。付き合ったら意外な面白みも出てくるかもしれないしね」

対象が手塚であることを横に置いて、条件だけを並べられるとそれほど悪い話じゃないような気がしてくるから不思議だ。

「で……でも」

微妙に混乱して言葉が巧《うま》く出てこないが、郁は口を開いた。

「付き合う付き合わないって、条件で決めることじゃないと思うし……そういうのは好きな人じゃないと……」

「乙女が！　乙女がここにいます軍曹ー！」

「うるさい茶化すな！」

怒鳴りつつも顔が火照った。恋愛慣れしていないだけに自分がいろいろと夢見がちなことは自覚している。そうでなければ高三のとき会った三正をよりにもよって堂上の前で王子様とか口走ってしまうわけがないのだ。

「あんた誰か好きな人いるわけ？」

その質問も虚を突いた。訊かれた反射で脳が勝手に走った。記憶の中から誰か探そうとして、探し当てる前に走った脳を強引に止める。待て待て待て。

ほっといたらあたしは一体ダレ探すつもりだったんだ？

「別にいない」

微妙な動揺を押し隠すために声が微妙につっけんどんになる。

「だったら試しに付き合ってみるって手もあるかもよ。それでうまくいく場合もあるし」

柴崎は完全に興味本位の顔で笑った。

「個人的にはあんたたちが付き合ったらどんなカップルになるのかすっごい興味津々」

あんたの興味に付き合ってられるか、と郁は仏頂面をした。

＊

研修のシフトは書庫業務を終えて閲覧室業務に移っている。

業務部の朝礼に先駆けて行われる班内の朝礼時、郁のほうは手塚と顔を合わせてぎこちなくなったが、手塚のほうは顔色ひとつ変わらなかった。昨日付き合ってくれと言われたキオクを疑うほどにいつもと変わりない。

それでも顔を合わせるのはやはり気まずく、何となく手塚を避けがちな動線になる。同じく閲覧室シフトの柴崎がたまににやにや笑ってこちらを窺《うかが》うのも業腹だ。

気持ちの乱れは業務にも如実に反映した。もう覚えたと思っていた端末操作でもミスが多い。くっそどこまで祟《たた》るか手塚は、などと逆恨みしつつ。

「あっ」

指を止めたときは間違えた操作を確定してしまっていた。書庫へ送るリクエストを他館へのリクエストにして請求してしまった。

「しまったぁ……」

請求の取り消しはまだ覚えていない。ちらりと辺りの様子を窺うとカウンターの図書館員は皆慌しそうである。業務を覚えるためにわざわざ端末を一つ利用者応対から隔離してもらっているので、このうえ手を煩わせるのは気が引ける。

身内で一番訊きやすい小牧《こまき》は手近に姿が見当たらず、近くには堂上と手塚がいた。小牧教官もこんなときにいないなんて使えない、と勝手な理屈でぶうたれつつ、郁は席を立って堂上に小走りに駆け寄った。今手塚に声をかけるという選択肢はない。

「すみません、端末操作見てほしいんですが」

「ん？」

蔵書を配架していた堂上は手を止めて郁の使っていた端末まで一緒に来た。

「何した」

どうした、ではなく何した、と来るところが完全に読まれている。

「ええと、間違って他館にリクエストかけちゃって」

ああ、と答えかけた堂上が途中で首を傾げた。

「確か一回教えたはずだぞ」

「すみません、まだ覚えきれてなくて」

「一回聞いて覚えられなかったことは手塚に訊けって言っただろう」

え、と腰の退《ひ》けた気配が伝わったのか堂上が顔をしかめる。まだ諍《いさか》ってるのかお前らは、と呆《あき》れた様子で呟《つぶや》き、手塚に声をかける。

「や、待って……！」

とっさに郁は堂上の袖《そで》を引いた。驚いたように堂上が振り向く。その表情に答えられない。どうして袖を引いてしまったのかは自分でも分からない。どうしようこの微妙な空気。

堂上が怪訝な表情で窺うが、手塚はこちらに歩み寄ってくるところだ。郁はおずおずと堂上の袖を手放した。「何でもないです。手塚に訊きます」堂上はまだ不審そうな様子だったが、黙って立ち去った。

手塚はごく事務的に郁に操作方法を教えた。取り立てて愛想はないものの、今までのように険を見せることもない。角を立てない手塚は郁にとってはかなり珍しい。だが、背後に立った手塚を振り向くことはできなかった。

「ありがと、助かった」

画面を見つめたままで礼を言ったとき、手塚が軽く画面のほうに背を屈《かが》めた。

「返事、いつ聞ける」

不意打ちの問いかけに振り向きそうになるが、力尽くでこらえる。顔が赤くなっているのが自分で分かるが照れたり恥ずかしかったりということではなく、困ったあまりだ。どうしようこっちが意識してると思われたら。いやもちろん意識はせざるを得ないんだけど、それは好きとかそういうことじゃなくて。

ただひたすら困惑している。

「ごめん、……いつまでとか今はちょっと。混乱してて」

「分かった」

手塚はそれだけ答えてまた立ち去った。どっと疲れて郁はキーボードの上にうなだれた。

おかしい。何故に動揺するのが告白された側だけか。普通告白した側が上ずったり焦ったりするものじゃないのか。手塚はあまりに淡白すぎる。

経験がないなりに郁の思う恋愛の形とはあまりにかけ離れすぎていて、戸惑いが助長されるばかりだった。


「付き合ってくれって言ったんですって」

書庫に下りる途中で降った声を見上げると、階段の上にいたのは柴崎である。内側の手すりに肘《ひじ》をかけて身を乗り出し、にこりと笑って堂上を見下ろしていた。

「手塚が、笠原《かさはら》に」

どうして自分にわざわざそれを言いに来たのか、柴崎の意図を掴みかねて見上げる堂上の顔は却《かえ》って無表情になった。

「知りたいかなと思って」

柴崎がまた笑う。入隊してきたときから男子隊員に騒がれていただけあって、そうした表情がいちいち絵になる。

「笠原はすごく困ってるみたいですね。あいつ男に免疫ないから。それも相手が手塚ですからね。ちょっと予想外ですよね」

確かにあれだけ郁を敵視していた手塚が突然その挙に出たのは意外だった。

笠原を一体どうしてほしいんだ——手塚を折った自分の言葉だが、まさか折られてこう出るとは思わなかった。

ふと堂上は郁に掴まれた袖を見下ろした。もう長袖になったワイシャツには強く引かれた跡がシワになっている。椅子から自分を見上げた途方に暮れたような顔を思い出し、すがろうとした手を振り払ってしまったかのような居心地の悪さがこみ上げた。

いつものように諍っているだけだと思ったからいいかげんにしろという意味も含めて手塚にフォローを振ったが、もし知っていたら——

知っていたからといってどうするつもりだったのか、と我に返る。職場恋愛を禁止する規則はないし、郁が直接助けてほしいと言ったわけでもない。知っていたとしても、堂上はやはり手塚に質問を振っただろう。一度教えた後は同期同士でフォローさせるというルールを作ったのは堂上だ。

「手塚がどういうつもりなのか微妙に分かんないけど」

柴崎の口調は完全に他人事《ひとごと》を面白がっている。

「でも奴の性格上、付き合うんなら真面目に付き合うだろうし、付き合ってるうちにキモチも育ってくるかもしれないし、試しに付き合ってみるのもありじゃない？　って言っときました。教官はどう思います？」

知るか、と堂上は呟いた。

「そんなことは当事者同士が決めるもんだろう。上官だからって口出す余地があるか」

「あ、そうなんですか。それじゃあ、」

柴崎が階段から更に身を乗り出す。

「堂上教官はあたしにしときません？　付き合うとけっこう尽くすタイプですよ、あたし」

しれっとそんなことを言える辺りが柴崎は堂上の理解を超える。随分と懐く様子は見せるが、それがどこまで本気かはかなり怪しい。

「やめておく。若い奴らのやっかみを引き受ける自信もないしな」

「そっかー、それでも奪えるほどにはあたしに興味がないかぁ」

わざとらしく考え込む素振りの柴崎に、堂上はバカと苦笑した。

「さっさと業務に戻れ」

階段を下りると、柴崎がつまらなさそうに「はぁい」と返事をし、階段を軽い足取りで駆け上がっていった。

＊

テーブルに四脚のソファがセットになっているはずの応接セットは、男と部下が座った反対側のソファが一脚欠けていた。

本来揃っているはずのものが欠落していると、その欠落の空間がやけに目につく。傷めたか何かで一脚処分したのだろうか、などと待ち時間の暇に任せて勝手な推測をしていると、ドアノブがかちゃりと回った。

腰を上げつつドアを見ると、男が視線を向けた高さに待ち人の頭はなかった。小学生の子供の背丈くらいの高さに、初老の紳士の穏やかな顔がある。

男の脳裏では記憶の中に埋もれていた情報がいくつか結びついて納得したが、部下のほうは悪気なく──そして遠慮なく驚いた顔をした。

とっさの動揺を押し隠せない若さに男は隣に聞こえない程度の軽い舌打ちをした。ガキめ。

車椅子の紳士は男の部下に向かってにこりと笑った。

「昔、足を片方失くしまして。歩くのが多少難儀なものですからご勘弁願います」

部下はこの男が足を失くした経緯《いきさつ》を直接には知らない世代だった。

関東図書基地司令、稲嶺和市《いなみねかずいち》はソファが一脚欠けていた──否、欠けさせてあったその空間へ特注らしい自走式の車椅子を収めた。

中途半端な姿勢で立ったままその様子を眺めていた二人に、稲嶺がまた笑う。

「どうぞお掛けください。できれば視線を合わせて頂けるとありがたい」

相手のほうが一枚上手だ。男は会釈をしながら腰を下ろした。部下も倣う。

「警視庁の方でしたね」

稲嶺の問いかけは質問ではなく確認であり、男も頷《うなず》いた。

「ご存知かと思いますが、例の連続通り魔殺人事件の捜査本部の者です」

男が訪ねてきた時点で稲嶺はそれも察しているはずだった。実際、稲嶺は男が名乗った所属に特別驚いた様子も見せない。

ということは、捜査本部が何を要求するかも既に分かっているということだ。

「単刀直入に申し上げます。容疑者の少年の都下における貸出記録を提供して頂きたい」

良化法成立以後、貸出記録は一定期間保存されることが全図書館に義務付けられている。

稲嶺は答えない。相手の反応がない以上、男は説明せざるを得ない。お互い無反応で根比べをすればどうせ時間のないほうが負けるのだ。

「少年は逮捕されてから黙秘を続けています。自供を促すための材料が欲しいのです。少年は図書館をよく利用していたそうで、読書傾向から何らかの揺さぶりをかけることができるかもしれません」

「犯行には専門知識がないと不可能な種類のものがありました。そうした専門書を少年がもし借り出していれば検察側の判断材料に……」

気を利かせたつもりで部下が口を添え、男は今度こそ舌打ちした。余計なことを！

稲嶺が静かに口を開いた。

「図書館法第三十二条に基づく守秘義務により、ご要望にお応えすることはできかねます」

特別に頑《かたく》なになったとも思えない穏やかな声の色に、覆すことが途方もなく困難な強い意志が見える。

「いやしかし……」

部下が食い下がる。無駄だからやめろとはさすがに言えず、男は黙って喋《しゃべ》らせた。どうせ元々成功する目のなかった交渉であり、その中で更に手を間違えた以上は何を言おうと大勢に影響はない。

「昭和の無差別生化学テロでは国立国会図書館から利用者情報の提供があったはずですが」

昭和最終年となったその年に、大喪の礼に合わせたかのようなタイミングで、とある狂信的な団体が国際条約で禁止されている神経ガスを用いたテロを起こした事件である。

ガスの精製には高度な専門知識が必要であり、団体関係者が国立国会図書館で専門書を閲覧していた可能性が浮上した。捜査当局は令状に基づいて被疑者の閲覧記録を国立国会図書館に要求し、その際に約五十万人分の無関係な利用者記録を持ち去ったが、図書館側はこれを看過した。無差別テロ憎しで過熱した当時の風潮は、それをほとんど問題視しなかったという。

部下が生まれる前に起こったような事件だが、類似の事例として調べていたのだろう。部下は若いなりに優秀で熱心だったが、稲嶺は説得を静かに拒絶した。

「図書館法第三十二条にはその反省も籠められているのですよ」

図書館は利用者の秘密を守る。当時は『図書館の自由に関する宣言』という日本図書館協会で採択された宣言の第三項だった。この章題が立法化され、図書館法第三十二条になっている。元の宣言では令状のない情報提供命令には応じないとなっており、今回は警察に令状はない。

「たとえ犯罪捜査のためとはいえ、利用者のプライバシーを守るという原則を捻《ね》じ曲げたことは図書館界の汚点です。我々は当時の過熱した風潮に引きずられるべきではなかった」

「しかし、当時国民からは批判の声はほとんど上がらなかったと聞いています。今回も容疑者は未成年者とはいえ重大かつ残忍な犯罪を犯していますし、国民の怒りの声も高い。図書館の協力は評価されると思いますが」

「私はかかる残虐な事件において犯人が未成年者だから罪が減じられるべきだとは思いません。一市民として自分が協力できることがあれば捜査にも喜んで協力するでしょう。しかし同時に、図書館が自らの戴《いただ》く法を捻じ曲げてまで捜査に協力するべきだとも思いません」

原則は状況によって左右されるべきではない——と稲嶺は静かに結んだ。それが図書館から警察への痛烈な皮肉にもなっていることは、部下には通じていないだろう。

警察が原則を状況によって揺るがした結果が二十年前の『日野の悪夢』だ。

「そもそも読書というものは思想の一部であり、図書館は利用者の思想を守る義務があります。そして個人の思想が犯罪の証拠として取り扱われるべきではありません」

稲嶺が正しく、警察が正しくないということは残念ながら明白だった。要するに警察は自分たちの便宜のため法を曲げろと暗に要求しているのであり、法を遵守すると主張する図書館のほうが筋が通っている。

「しかし、容疑者は三人もの人間を殺しているんですよ。人道的にも協力は妥当では」

「犯罪者に対して法を守る必要はない、と仰《おっしゃ》いますか？」

核心を突いた稲嶺が薄く笑う。下がった目尻《めじり》と眉《まゆ》の角度、上がった唇の角度ともにその笑みは穏やかとしか表現のしようがないのだが、何故か見る者を怯《ひる》ませる凄《すご》みがあった。

「それが許されるものならそうしたいと思う人はこの世に多いでしょうな。個人に対して法が守られないという状態は、犯罪者にとって最も苛烈《かれつ》な罰でしょうから。法治国家としての日本がそれを許すのなら私は喜んで情報提供を関東図書隊の議事にかけましょう」

部下は怪訝《けげん》な顔で首を傾げるばかりだ。自分たちが一体何を突きつけられたのか理解できていないらしい。

稲嶺は要するに、司法が法を犯せと命令するなら従うと言っている。融通を利かせろと要求している警察に対し真っ向から正論を返した形だ。無茶な正論を返す稲嶺はしかし清廉であり、対して自分たちの組織はどうかと顧みれば稲嶺に対峙《たいじ》するには性根が足りない。

しかし、それでも男が属しているのはその煮え切らない性根の組織であり、その省益を思うことが男の義務である。

「分かりました。それでは図書隊は捜査協力を拒否すると解釈させて頂きます」

稲嶺はその紋切り口調に苦笑した。やや哀しげにも見える笑みだった。

関東図書基地を出るなり、男は部下を叱りつけた。

非合法な情報の提供を要求しているところへ、提供した情報を公に取り扱うことを匂わせるなど、仮に交渉相手が協力的であっても逃げ腰にさせる下策だ。

小言で部下を萎《しお》れさせたところで男は追撃をやめた。

「次から気をつけろ。もっとも今回ばかりは権威で協力を引き出せる相手でもなかったがな」

「と言いますと？」

「お前も話くらいは聞いたことがあるだろう。二十年前の『日野の悪夢』」

部下はああ、と頷いて「自分が小学校に入ったばかりの頃です」。中告された世代差に目眩《めまい》がしたが、男も「俺は警察に入ったばかりの頃だ」と答えた。

「あの稲嶺という男は『日野の悪夢』の生き残りだ。あの足も事件で失くしてる」

メディア良化法を支持する政治結社が日野市立図書館を襲撃し、図書館員に十二名の死者を出した大惨事である。稲嶺は当時の日野図書館長だった。

現在の図書隊制度が確立したのはこの事件の後で、稲嶺は設立の中心人物となっている。

図書隊の設立は、メディア良化委員会とその周辺組織に対する図書館の自衛権の主張であり、また図書館が警察に一切の援助を期待しないという宣言でもあった。

それまでも警察の図書館に対する対応は微妙であった。良化特務機関の検閲に対し、図書館は各自で警備隊を組織して自衛に当たっていたが、警察への通報が省略されたことはなかった。

しかし、警察がその通報に応えたことはほとんどない。――良化特務機関の襲撃が明らかに治安上ふさわしくない規模のものであるにも関わらず。

法務省組織であるメディア良化委員会の権限を尊重する、という建前ではあったが、それが省庁間のバランスゲームの結果であることは明白であり、中央省庁に組織が属さない図書館にとっては不公平な対応だった。

そして『日野の悪夢』である。襲撃は良化特務機関によるものではなく、当然警察は図書館の出動要請に応えるべきであった。

「べきだった、というのは……」

部下がやや慄《おのの》いた調子で尋ねる。男は頷《うなず》いた。

「警察の出動は大幅に遅れた。——何故とは訊《き》くな」

後日の警察発表では、出動の見合わせは襲撃が良化特務機関によるという誤報のためと説明が為《な》されているが、日野図書館は所属不明者の襲撃として通報したと強く主張している。通報内容をどこで取り違えたかの追及は途中でうやむやになった。

また、襲撃者の武装があまりに強力だったことから良化特務機関の関与も疑われたが、これの捜査も途中で打ち切られている。

当時その捜査に関わっていた男にとってもその打ち切られ方はあまりに不自然であり、公正でない何らかの圧力がかかったことは想像に難くなかった。

原則は状況によって左右されるべきではない。それは当時を知っている警察関係者にとって、図書館からのこれ以上はないほどの手厳しい批判であり、皮肉であった。警察は当時、図書館に対して司法の原則を曲げたのである。

そして図書館は自衛の道を突き進んだ。現在では実戦経験率で警察を超え、もはや図書館は警察の援助を必要としない。

警察を見限ってそのような組織になった図書館に、警察への便宜を図れなどとどの面下げて言えたものか。それも当時の日野図書館長であった男に。

「まさかまだ最前線にいたとはな……」

呟《つぶや》きはまるで愚痴のような調子になった。

それは、清廉なその人に厚顔な者として会うという貧乏くじを引かされたことへの愚痴かもしれなかった。

＊

図書館は俄《にわ》かに風当たりがきつくなった。

連続通り魔殺人事件への図書隊の協力拒否が警察の公式発表で報じられたからである。

発表の一部談話ではあったが、そのニュースは報道で大々的に取り上げられた。警察からの何らかの示唆があったのではと思わせるほど足並みを揃えた論調であった。

『図書隊、警察への捜査協力を拒否』

『容疑者少年を擁護する図書隊』

『犯罪者を利する図書館法の歪《ゆが》み』

少年犯罪が増加している折から未成年容疑者を擁護する世論は少なく、捜査協力を拒否した図書隊を非難する意見が圧倒的だった。少年が黙秘を続けて取り調べが停滞していることへの苛立《いらだ》ちもあっただろう。

少年の読書履歴が分かったところでそれは心証のわずかな一部にしかならず、捜査の大勢に影響しないという客観的な事実は無意識にか故意的にか無視された。また、犯罪者であろうと法の原則が歪められるべきではないという図書隊の公式見解は、稲嶺が『日野の悪夢』関係者であったことが判明してからは、当時の不明瞭《ふめいりょう》な警察対応への意趣返しではないかとの憶測が飛び交った。

図書館と警察の間にどのような因縁があろうと、その遺恨を別の事件で晴らすべきではない。事件の被害者や遺族がどのような思いで解決を待ちわびているかを図書館関係者は考えたことがあるのだろうか。

「……ってふざけんな三流ブンヤがぁ！」

読み終わるなり郁は新聞を机に叩《たた》きつけた。

「アホか貴様！」

間髪を入れず怒鳴ったのは堂上である。「新聞も利用者への提供資料だぞ、粗雑に扱う奴がいるか！」

十数紙を取っている新聞も図書館資料の一部であり、毎朝すべてを新聞バインダーに綴《と》じてラックに展示している。郁が投げたのはバインダーに綴じ終えた一紙である。

「だ、だって……！　なんでこんな偏った記事が載るんですか、新聞なのに！　こんな記事が載ってる媒体を提供しなくちゃいけないなんてっ」

「物に八つ当たりしたいなら寮で取ってる新聞で済ませておけ。ここで扱うのは図書館財産だ、たとえ図書館に不利な記述があるとしてもな」

堂上はにべもないが、八つ当たり自体をするなと言わない辺り郁の怒りを否定しているわけでもないらしい。「どうだ?」と訊いた相手は郁の投げつけた新聞をすかさず拾って検分していた手塚である。

「駄目ですね、破れました」

「笠原弁償。買ってこい」

駄々を捏《こ》ねる隙もなく断固として外を指差され、郁は渋々作業台から立ち上がった。

「……ていうかこれ、バインダーもやられましたが……」

手塚の余計な報告に堂上の怒った声が出かける郁を追いすがった。「次からは壊した装備も弁償させるぞ！」

ああもう、手塚は余計なことを！ としかめた顔は振り向かずに「すみませんでした！」と返事だけ歯切れよく残して郁は表に逃げ出した。

「相変わらず理性的じゃありませんね」

名前は挙げないまでも手塚が郁のことを言っているのは明らかだった。返事はせずに曖昧《あいまい》に頷く。

付き合ってくれって言ったんですって。手塚が、笠原に。

そんな話を柴崎に聞いた（というより一方的に聞かされた）のはつい三日ほど前で、それを聞いてから手塚と差し向かいになったのはこれが初めてである。

相変わらず郁に批判的な口ぶりだが、だったらどうして郁と付き合おうなどという話になるのだろうかと内心首を傾げる。しかし、言った内容は批判的だが口調そのものは以前より険がないような気もする。だとすれば認めるべくは認めつつあるということだろうか。

柴崎から余計な話を聞いたせいでつい余計なことを考えてしまう、それが我ながら忌々しい。こいつらが付き合おうが付き合うまいが俺が知るか。

「笠原と付き合うかもしれません」

タイミングがタイミングだったので内心で吐いたはずが口に出ていたかと一瞬焦った。だが、手塚は手塚で勝手に切り出していただけらしい。

「笠原が了承すればの話ですが」

手塚の口調で言われると微妙に話題が恋愛沙汰《ざた》のように思えない。了承というのは一体何だ、事務手続きでもあるまいに。郁への申し込みも申請とか言い出しそうだ。

そもそも何でそんなことを堂上に報告してくるのかも謎だった。

「別に恋愛ごとまで俺に報告する必要はないぞ。良識の範囲で自由に付き合え」

手塚の表情があまりにも打って響かないので微妙に心配になり、

「……ただ、付き合うならいい加減なことはするな」

そんなことを付け加えてしまい、余計なことを言ったと言い終わる前に顔をしかめる。

「それは相手が笠原だからですか」

手塚の切り返しは完全に想像の範囲外で、思わずバカと怒鳴り返しそうになった。だが手塚の言動に何らか落ち度があったわけでもない。一瞬で溜《た》めた息を咳《せ》き込んでごまかしながら、残っている新聞をバインダーに挟み込む。

「笠原だからとかいうことは関係ない。仮に柴崎だろうが、……」

何人か女子隊員の名前でも挙げようと思ったが、こんなときとっさに名前が出てくる知った女子がほとんどいないことに気づいてまた咳《せき》払いでごまかす。

「とにかく遊びで女と付き合う奴は俺は好きじゃない、それだけだ」

しまったこれだと単に自分の主義を押しつけているだけだ。ということに気づいてまた言葉を探す。

「笠原のことが好きなのか」

違う、この場面でこの問いは絶対違う。喋《しゃべ》れば喋るほど泥沼だ。手塚が律儀に答える気配がしたので堂上は慌てて押しとどめた。

「いや違う、いい。答えるな」

上官だからといってそんなことを訊く権利はないし手塚に答える義務もない。自分はこんなに間抜けだっただろうかと自己嫌悪が襲う。

どうやってこの場を畳もうかと悩んだとき――

「あれ、笠原さんは」

外していた小牧が戻ってきて、助かったと内心で安堵《あんど》した。今日装備する週刊誌各種を取りに行っていたのである。だが、

「まさか外出てないよね」

そう続けた小牧に堂上の顔は険しくなった。

「何かあったのか」

「いや、正規の取材申請をしてない報道が外に詰めかけててね。警備が館内には入らせてないけど出入りする職員にしつこく群がってるみたいだから」

小牧が言い終わるより先に堂上は閲覧室を飛び出していた。


一番近くで新聞を扱っている店は通用門から出てしばらく行ったコンビニだ。セキュリティゲートを身分証のICチップで開け、表の歩道に出る。と、いくらも行かないうちに郁は人垣に囲まれた。どこにこれだけ隠れていたのかと呆《あき》れるほどの人数だ。

「図書館の方ですね？　——ですがちょっとお話伺いたいんですが」

名乗った誌名や媒体名は、その連中が我先に声をかけてきたので重なり合って聞き取れない。とにかく相手が報道だということだけは分かった。

「や、ちょっと、困ります」

人垣を抜けようとするが、記者たちはまるで示し合わせてスクラムでも組んでいるかのように壁を崩さない。

「図書館が犯罪者擁護をしていることをあなたはどう思われますか！」

いきなり悪意剝《む》き出しの声がかかって郁は思わずその場に凍りついた。

「答えてください！」「三人もの人間を殺した犯罪者を図書館は何故庇《かば》うんですか！」

「か……庇ってるわけじゃありませんっ」

押し寄せてくる声の圧力に思わず反駁《はんばく》してしまう。ええと図書館の公式見解ってどうだったっけ、そうだ、

「法はすべての人に平等であるべきという原則に図書館は従ってるだけです！」

と、即座に噛み付くような反論があった。

「その原則は犯罪者に対しても守られるべきなんですか⁉」

そんなこと訊かれても知るか。すべての国民は法の下に平等、それを謳《うた》っているのは図書館ではなく日本国憲法だ。犯罪者から法を剝奪《はくだつ》してもいいとは書かれていない。

しかし声はまるでそれを問い詰めているかのようで、もしここで郁がその問いを肯定したら常識を常識に基づいて肯定しただけのことが一体どのように書き立てられるのか恐ろしいほどの剣幕だった。

「あなた自身はどうなんですか、自分と同じ年代の女性が三人も殺されてるのに何も感じないんですか⁉」

何にも感じないわけないでしょう⁉　と怒鳴り返しそうになったのを必死で飲み込む。相手は怒らせて反応を引き出そうとしているのだから怒ったら思う壺《つぼ》だ。

しかし挑発されて怒らないでいることは一体何て難しいのだろう。郁の性格だと余計である。責め立てる声は故意に歪《ゆが》めた理屈を語り、その理屈を一方的に浴びせられることが苦痛だった。彼らが一様に正義を語っているような顔をしていることもまた理不尽で苛立《いらだ》つ。

「すみません通してください、取材だったら図書隊の広報へお願いします！」

「逃げるんですか！」

何でこんなピンポイントに人の気持ちを逆撫《さかな》でするのが巧《うま》いんだろうこの人たちは。駄目だ何も喋るな何を喋っても図書館の不利になる。郁は歯を食いしばってこらえた。

「そもそも図書隊の協力拒否は稲嶺司令の報復だという見方も出ていますが、それについてはどう思われますか⁉」

「稲嶺司令は『日野の悪夢』の被害者でもあり、対応に不備があった警察には恨みがあるはずですが！」

そんなわけがあるかと叫びたくなった。郁の知っている稲嶺は、足の不自由な稲嶺に過剰なサービスを押しつけた郁を「利用者にもサービスを取捨選択する自由がある」と諭した稲嶺であり、それを詫《わ》びた郁に「良いサービスでした」と笑った稲嶺だ。

『日野の悪夢』の関係者だったことはこの報道騒ぎで初めて知ったし、詳しい事情は訊いてはいけないような気がして上官にも訊きそびれたままだが、それでも稲嶺が私怨《しえん》をこんなところで晴らそうとするような人間ではないことはぺーぺーの郁にだって確信できた。

「基地司令の公私混同にあなたは従うんですか⁉」

――こんなことまで言われて耐えなきゃいけないのかあたしたちは！

何も喋るな何を喋っても図書館の不利に、――もう無理だ。

うるさい黙れ。怒りに任せて怒鳴りつけようとした刹那《せつな》、

「郁ッ!!」

喧騒《けんそう》を突き抜けるほど鋭く名前を呼ばれて飲み込むように声が止まった。その声に苗字《みょうじ》ではなく名前を呼ばれたことに驚いて。振り向きかけると人垣の後ろが崩れ、背中から回された手に口を塞《ふさ》がれた。その手がそのまま郁を抱え込み、「いい子だ喋るな」低い声が耳打ちする。

「取材なら図書隊広報でお引き受けします！」

郁を抱え込んだ堂上が人垣に頓着《とんちゃく》なく突っ込んで壁を割った。歩いている体裁だが、実態は体当たりしているに近い。なるほどこれくらいしないと彼らは突破できないらしい。

「逃げるんですか！」

郁のときと同じように詰《なじ》る声が追いすがるが、堂上は単に周囲がうるさいからやむなく声を張っているというような調子で「広報でお引き受けします」と繰り返す。

通用門をくぐりつつ「こちらの入り口は関係者のみですので！　すみませんが！」取りつくしまもなく後ろ手に門扉を閉め、出入り口を手早く開ける。

中に入ってようやく追いすがる声は聞こえなくなった。

「すみません、新聞買えませんでした」

何か喋ろうと口を開くと出てきたのはそんなことだった。

「いい。後で俺が買ってくる。それまでは破れた分を修繕して閲覧に出しとけばいい」

堂上の返事もそんなことだった。

「さっき驚きました。名前で呼ばれたから」

それも言ってみると、堂上は苦ったように顔をしかめた。

「仕方ないだろう、あの状況で苗字が呼べるか。何に使われるか分かったもんじゃない」

稲嶺の壮絶な過去さえあげつらうネタにする輩《やから》だ。

「堂上教官来てくれてよかった、あたしもう少しで……」

取り返しのつかない暴言を怒鳴るところだった。そのことが今さら恐くなる。うるさい黙れ、彼らにそう怒鳴りつけていたらそれは一体どのように書き立てられていたのか。

「タイミングが悪かったが間に合ってよかった。報道が周辺に張りついてるって聞いて慌てて追いかけたんだ、あの手合いにお前ぶつけて揉《も》めないわけがないからな」

「すみません、あたし短気で」

「ていうか、まっすぐだからな」

堂上の口ぶりは何の気なしで、特別に言葉を選んだわけでもなくこぼれたその様子が、逆に強張《こわば》っていた気持ちに入った。

嚙み殺せない嗚咽《おえつ》が喉《のど》から漏れた。なんでこんなときに限って不意打ちみたいに優しくなるのかと半ば八つ当たりのような気持ちがこみ上げる。

すぐに怒鳴るし怒るし小言は多いし、すっかり目をつけられている郁としては苦手意識が先に立つ上官なのに、何かあると決まって堂上に助けられていることが気まずく情けない。

拭《ぬぐ》うと泣いていることを認めるようでかまわず放置していたが、涙は結局止まらなかった。

堂上はしばらく黙って郁の前に立っていたが、やがて投げやりに自分の右肩を二、三度叩《たた》いた。

「使いたかったら使え」

使いたくないので結構と意地を張る余裕はもうなかった。叩かれた肩に頭を落とし、目元を押しつける。この際だから鼻水も拭《ふ》いてやろうかと思ったら「鼻水拭くなよ」と釘《くぎ》を刺された。おかしくてふっと喉が緩んだ瞬間、子供のような泣き声が出た。慌ててこらえると、

「笑わないから安心しろ。こらえて動物みたいに唸《うな》られるほうがよっぽど恐い」

「ひっど、……」

詰ろうとするが声にならない。諦《あきら》めて郁は動物の唸りにならない程度に泣き声をこらえた。


仕方のない部分もあるんだ、国家権力を批判する論調は目をつけられやすいから。そうした話題はメディア良化委員会の監視も厳しいし、省庁間で警戒網を張られる可能性もある。報道の世界じゃ一日活動規制を食らったら情勢に置いていかれるし客も他社に流れる。一日の損失じゃ済まない。大勢に乗ることが自衛でもあるし、自己規制せざるを得ない社会になっていることも事実だ。何が悪いかと言えばそんな社会にした国民が悪いとも言える。メディア良化法を黙って通過させてしまうほど政治に無頓着だったという意味でな。

郁を落ち着かせるためか、堂上はしばらく郁を泣かせてから何やら堅苦しい話をした。

しかし、メディア良化法が通過したときは報道がほとんど問題提起をしなかったという話だ。堂上に文句を言っても仕方がないのだがそれを言い返すと、「戦おうとしてるところもある」と返された。

数が少なく監視の目を潜って微妙な表現でやりくりしているから目立たないが、大勢だけで見切ることは早計だと諭される。あんな目に遭ったばかりなので納得するのがどうにも悔しく、潔癖さばかりが先に立つ中学生のような理屈でぐじぐじと言い返した。堂上が突っかからせてくれていることには気づいていたが、反論は止められなかった。「だって」と「でも」が話の接ぎ穂にやたらと多く、だってとでもだけ一人前かと手塚にあげつらわれたことを思い出した。

確かに子供は「だって」と「でも」が多いのだ。

堂上の側が根気強いやり取りで郁に言い返す理屈が尽きた頃、

「よし、それだけ文句が言えたら大丈夫だろう。戻るぞ」

そう言って堂上が郁の頭を軽く叩いた。

先に歩き出した自分より肩の線が低い背中を見ながら無意識のうちに唇を軽く噛んでいた。

くそ。でかい。

王子様を追いかける前に堂上を超える。そう息巻いたのは春先だが、超えるべき背中は益々《ますます》大きくなっていくばかりだった。

＊

そのアンケートは都内の全図書館に配られたという。郁と柴崎が受け取ったのは寮で、男子のほうにも同様に配られたらしい。

タイトルは直球で「高校生連続通り魔殺人事件への情報提供に関するアンケート」と来た。

Q1. この事件についてどう思いますか？
（許せない・許せる・どちらでもない）

Q2. 容疑者少年の黙秘で取り調べが難航していることを知っていますか？
（はい・いいえ）

Q3. 早く事件が解決すべきだと思いますか？
（思う・思わない・どちらでもない）

Q4. 図書隊の情報提供で捜査が進展するとしたら
（情報提供してもいいと思う・情報提供すべきでないと思う・どちらでもない）

Q5. 図書館法の原則を固持する現状の図書隊の判断についてどう思いますか？
（賛成・反対・どちらでもない）

Q6. 特例を認める協議が持たれたら特例を支持しますか？
（はい・いいえ・どちらでもない）

「何なのよこの特定の示唆を感じさせるアンケートは」

郁が渋い顔をすると、お茶を淹《い》れながら柴崎が「館長代理よ」と答えた。

「何企《たくら》んでるのよ今度は！」

証拠がないまでも結果的に教育委員会に与《くみ》して検閲の手引きをしたことは記憶に新しい。

「今度は特別どこかから何か言われたわけじゃないみたいだけどね」

何しろ体制に逆らうのを嫌う人だから、と柴崎が郁にお茶を渡して肩をすくめる。要するに図書館を叩く世論に懼《おのの》いて自己判断で行動したらしい。

「稲嶺司令と情報提供を巡ってかなりやり合ってるみたいよ。司令の一存だけで図書隊の方針が決まるのはおかしいって」

「何その理屈。図書館が図書館法の原則に従うのは当たり前じゃない！」

「まあね。ただ、特例の提案は各館長にも権限があるから……」

図書館が各館独立運営だった当時の制度を反映して、図書隊には組織全体を統括する「長」に当たる役職が存在しない。人事や経理を含む事務一般は各地域の図書基地で統一処理されるし、有事の際は基地司令が図書館法の原則に従った判断を下すことも決まっているが、司令の判断に異議を提案する権利は各図書館長が平等に持っている。

各図書館長と基地司令の役職は同格なので、支持する方針に食い違いが出た場合は関係する図書館で協議を持ち、場合によっては図書館協会もオブザーバーに加えて方針をすり合わせる仕組みだ。

「第四章は拡大解釈の余地がありすぎて特例が通りやすいのよね。三十二条も『利用者の秘密を守る』であって『守らねばならない』じゃないし。もちろん原則的な解釈は決まってるけど図書館の裁量で動かせる部分が多すぎるのよ」

さすがに頭脳派を自認するだけはあって柴崎は詳しい。

「ただ、令状が出てるわけでもないのに原則を曲げたとなったら、かなりみっともないことになるわね」

警察としても令状が取れなかったから図書館側に融通を利かせろと暗に要求しているわけで、

それに屈したとなっては図書館の信用は地に落ちる。将来的には図書館法そのものの権威をも危うくする事例となるかもしれない。

然《しか》して世論は事件への怒りが先行し、なぜ図書館は捜査に協力しないのかという意見が圧倒的だから話がややこしい。警察のわずかな圧力で利用者情報を提供するということは、その分図書館の守秘機能が脆弱《ぜいじゃく》ということになる訳だが、それを善良な市民が自分の身に置き換えるにはある種の発想の転換が必要である。冤罪《えんざい》でないことがほぼ確定している事件で冤罪の場合を想像するのは難しいし、一度の特例が前例として多用される可能性を想像するのも難しい。

「このアンケートも巧《うま》いとこ突いてるわ」

まあね、と郁も渋々認める。

図書館が叩かれはじめてこのかた、関東図書基地と武蔵野第一図書館だけでも業務に支障が出るほど抗議の電話やデモが殺到している。

抗議者は事件への純粋な憤りや正義感に基づいて行動しており、犠牲者を悼み犯人に怒り、早期解決を願うその理屈自体は実に正しい。しかし図書館が図書館の守るべき一線を守ろうとすれば、必然的にその正しい理屈に添えない。

正しくあろうとしているはずなのにそれは市民に理解されず、むしろ非難の対象にさえなる。

そのジレンマは図書隊員たちを疲弊させていた。

犯人を擁護することと図書館が法を守ることは別問題だと理性では分かっている。それでも正しい怒りを受け続けることは苦しい。

アンケートの設問は、その疲弊した心の隙を巧みに突いていた。市民が望んでいる正しさに寄り添うことが何故悪い、と。

無記名式なこともまた巧い、集計したら特例を支持する意見がかなりの割合で出るだろう。館長代理にとっては隊員の意志を代表するという建前になる。

「あんな奴に代表されてたまるか！」

その勢いで郁が答えたアンケートの結果は（許せない・はい・思う・情報提供すべきでないと思う・賛成・いいえ）である。最初の三つはそれ以外に選択の余地などない回答で、しかし全体の設問を通すと最初の三つとその後の回答がものすごく矛盾しているように見えることが忌々しい。せめて間に「図書館法の原則を守る意義を理解していますか」などの設問を入れるべきだ。

「日和見なくせに小賢《こざか》しいとこがうざいのよねぇ」

柴崎もぼやきながらアンケートを書き込む。

「そういえばさー」

話の変わる気配に身を乗り出すと、柴崎はとんでもない方向へ話題をスイッチさせた。

「こないだ報道と揉《も》めた後に堂上教官に抱きついて泣いたとかいう話が伝わってますけど？」

すすっていたお茶が気管に入って激しくむせた。

「ち、違ッ……！」

「抱きついたんじゃなくて抱きしめられたんだっけ？」

「もっと違う！」

全力で否定するが柴崎の目は白い。「持ちきりよ？」

「だから違うんだって、あれは……」と説明しようとするが、あれが傍目《はため》にどう見えていたか今さら客観が働いて体温が上がった。

「そもそもホントにそんなんだったら人目憚《はばか》るに決まってるでしょ！　それに堂上教官だったらあんただろうが手塚だろうがおんなじことするわよ多分。あの状況なら」

あんたえぐい想像するわねぇ、と顔をしかめた柴崎は手塚の場合を想像したらしい。どうせなら自分で想像すればいいのに変な女だ。

「ま、一理あるっちゃあるわね」

一応納得した様子の柴崎に、訊《き》く気はなかったのにつるりと問いが口から滑り出た。

「柴崎って……堂上教官のこと好きなの」

「うーん？」

柴崎は別段焦った様子も照れた様子もなく首を傾げる。「けっこう微妙？」何だそれ。

「付き合ったらどんな感じかなーってくらいには興味あるんだけど、今のとこ堂上教官あたしと付き合う気はないみたいだし。ひとまず様子見かなー」

さらりと言われてぎょっとした。それを答えられるということは、柴崎は堂上にそれを持ちかけたことがあるということで、いつそんなことを持ちかけたのか何故堂上が断ったのか気になっている自分にまたぎょっとする。いやいや単なる好奇心だからこれ！

「ていうか、手塚はこの件気にしてないわけ？　一応自分が告白してる女子、上官にいいとこさらわれちゃってさ」

「気にはしてたみたいだけど……」

「おお⁉　じゃあけっこうあんたのこと本気なんだ」

「いやでも何かあんたが想像してる感じとは違う、多分」

報道と衝突した後、手塚は配架作業で行き合ったとき急に問いかけてきた。「俺が行くべきだったか」前置きが一切なかったので訊かれた意味を把握するまでしばらくかかった。「一応俺、ああいうことを申し込んでるから」言い足されてようやく意味が通る。朝の騒ぎは自分が助けに行くのが道理だったか、と訊いているのだ。

いやまあ、別に。正直あんたが来てても切り抜けられたかどうか分からないし。率直にそう答えると、手塚は不本意そうに顔をしかめた。上官でないと多分郁を抑えられなかったということは状況の説明が面倒なのでもう顔をしかめさせたままにしておく。

堂上二正は血相変えて飛び出していった。手塚は無感動な声でそう言った。お前のことだと必死なんだな。

冷やかされているのかと身構えたが手塚はむしろ微妙にふてているような表情で、以前ならここで「いい気になるなよ」が来ていたのかなとふと思い当たる。

だってあんたは上官が必死にフォローしなきゃいけないような状況に陥らないじゃないのよ。あたしはほら、何かと間が悪かったり抜けてたりするから……

って、どうしてあたしが慰めてんだこんなこと。「ていうかあんた、あたしみたいな立場になりたいわけ？　フォローされなきゃいけないような立場にさ」「いや、それは絶対イヤだ。お前のレベルに落ちるのはあり得ない」言うこと柴崎と一緒かよ！　と今度は郁がふて腐れて終わった。仮にも人に付き合ってくれとか言っといてどうなんだその暴言。

「いつ返事すんの」

手塚に付き合いを申し込まれてからもう十日近く経つ。

「そろそろ返事しなきゃまずいわよねー」

郁は唸《うな》って頭を抱えた。いっそなかったことにならないかとも思うがあまり引き延ばしても悪い。

「結果、絶対教えてよ」

柴崎の頼みは好奇心のみ丸出しなのがモロ分かりで、郁はじろりと柴崎を睨んだ。

＊

「私は原則を支持します」

何を訊かれるか分かっていたので玄田《げんだ》は先にそう切り出した。

「ただし、隊員の中には特例を支持する意見がかなりの割合で出るでしょうな。世論は図書館を批判する意見が圧倒的ですから隊員も揺らいでいます」

玄田を司令室に呼び出した稲嶺は、虚を突かれたように目をしばたたいてから笑った。

「相変わらずあなたは話が早い」

「迂遠《うえん》なことは性に合いませんので」

こうした微妙な問題が持ち上がると、稲嶺が相談相手に選ぶのは決まって玄田である。図書特殊部隊の隊長である立場上、警備業務にも図書館業務にも直接に関わるので管理職の中では現場情報のバランスがいいということだろう。

他には、副司令が行政派であることも影響しているかもしれない。図書隊は図書館の原則と独立性を重視する原則派と、図書館を行政のコントロール下に置くべきとする行政派の二つの派閥に分かれる。この原則派と行政派にもまたそれぞれに主張の違いがあるので単純に一括《ひとくく》りにはできないが、概《おおむ》ね原則派と行政派は折り合いがよくない。

着任してから何かと不審な行動の多い鳥羽館長代理も行政派の人脈であり、副司令は行政派として鳥羽を支持しているので、原則派である稲嶺の腹心にはなり得ない。両派が牽制《けんせい》し合うことで組織的なバランスを取っているという言い方もできるが、図書隊そのものに世論などの圧力がかかった場合は一枚岩になれないだけに脆い。

「行政派は世論と隊員の意思を理由に特例を主張するでしょうな。原則側も何らかのアピールが必要かと思いますが」

余計なこととは思いつつ「この場合のパフォーマンスは偏向には当たらないと思います」と付け加える。そもそも行政派は稲嶺ほど物事を慎重に考えているとは思われない。特に今回の特例の主張などは、世論に叩《たた》かれた反射のようなものだ。揺らぐほうが情けないと玄田個人としては思っているが、さすがにそれは立場上公言できない。

稲嶺は直接には頷《うなず》かず、「図書館協会で研究会でも持ってもらいましょうか。議事録を隊員に配布するようにして」とパフォーマンス案を述べた。

「いいですな。隊員も原則について考える意識が高まるでしょう」

玄田が支持するまでもなく妥当な案と思われたが、それでも現場の代表として玄田の意見を確認する辺りに稲嶺の清廉さと——この場合に限っては引け目がある。

「正直なところを言うと……」

稲嶺は言いながら困ったように笑った。

「日野事件の遺恨で警察に対して頑《かたく》なになってはいないかと言われたら、違うと言い切る自信はないのですよ」

玄田に答える言葉はない。『日野の悪夢』で稲嶺が何を背負わされたかを知っていればこそ、安易な言葉は口に出せなかった。失った足は稲嶺が背負うごく一部に過ぎない。

稲嶺がそれを背負ったのが二十年前——当時四十代半ばだ。玄田もあと数年で同じ年だが、そのときに同じだけを背負える自分になっているかどうかは自信がない。

そのうえ稲嶺は図書隊に身を置く限りそれを背負い続けるのだ。

「原則を曲げることは簡単です」

余計なこととは思いつつ言わずにはおれない。

「しかし、原則を守ることで量られる真髄があるはずです」

稲嶺はしばらく机の上で組んだ自分の両手を見つめ、やがて静かに頷いた。

＊

原則か特例かで図書隊が揺れる中、教育委員会が武蔵野第一図書館を再訪した。

良化特務機関と暗黙に検閲を示し合わせたことは記憶に新しく、図書館は俄《にわか》に浮き足立った。未成年容疑者の蔵書と教育委員会の『望ましくない図書』、そしてメディア良化委員会の検閲対象図書の一部が一致していたことは既に図書隊では周知されている。

先日の今日で同じ手口を仕掛けてくるとも思われなかったが、それでも防衛部の警戒レベルは跳ね上がり、館内警備と市街哨戒《しょうかい》が大増員された。

「笠原笠原、館長室行くわよ！」

物見高い柴崎が郁を誘いに来たのは、教育委員会が館長室に入ってすぐである。

「え、でもあたし持ち場が……」

警戒レベル上昇に伴い、閲覧室業務の堂上班は閲覧室の警備も兼ねている。いざというときは利用者の避難誘導を受け持つことになるはずだ。

「館内の情報収集も立派に警備活動の一部よ。それに騒ぎが起こるんならどうせ外からでしょ。あんたが持ち場に戻るまでくらい持ちこたえるわよ、でなきゃ何のための増員だか」

自分の欲求を通すときの柴崎の屁理屈《へりくつ》は一流である。一気に畳みかけられて、郁はほとんど引きずられるように閲覧室を抜け出した。

「副館長も同席してるんでしょ？　終わってから副館長にいきさつ聞けばいいじゃない」

「あんたは情報収集の醍醐味《だいごみ》を分かってないわ、笠原」

言いつつ柴崎は館長室のドアに忍び足で近寄り、ドアにぴたりと耳を押しつけた。館長室のある図書館棟四階フロアは応接室や重役会議室などを集めているため人気は少ないが、それにしても露骨な盗み聞きのポーズはかなり体裁が悪い。だが柴崎は意にも介さず講釈を垂れる。

「伝聞と直聞きじゃニュアンスが全然変わるのよ、雰囲気とか自分で窺《うかが》っときたいじゃないの。それに何で来たのか気になるじゃない」

教育委員会は今回の訪問理由を明らかにしておらず、目的は確かに気になるところだった。

「皆も気になってるはずだしね、ここであたしたちが先行情報取るのは大義よ」

「もっともらしいこと言ってるけど要するに趣味だろ、あんた」

「悪い？　……くそぉ、よく聞こえないなぁ」

舌打ちをした柴崎がドアノブを握ってゆっくり回す。「ちょっとあんた、」さすがにそれは大胆すぎると止めようとした郁を、柴崎は振り返りもせずシッと鋭い息で黙らせた。

音を立てずに僅《わず》かな隙間を開けたドアに柴崎が耳を寄せ、どうせだから郁も倣う。ここまで来たら共犯なので自分だけ聞けないのも損だ。

「先日はどうも、危険な場面に立ち合わせてしまいまして」

これは館長代理で、

「いえいえ、今日は落ち着いて話せるようお願いしたいですな」

こちらは来客だろう。双方そらっとぼけた白々しい会話が交わされる。

「今日はどういうご用件でしょうか？　貸出し制限の件でしたら先日もお話ししましたとおり、図書館法第三十一条の情報提供権によりご意向に添いかねますが……」

先制したのは副館長だ。館長代理がしたり顔でそれをたしなめ、来客は「そちらは追い追い考えて頂くとしまして……」などと話を逸《そ》らしながら一向に乗ってくる気配はない。

「うっわーイライラするわね」

郁が呟《つぶや》くと柴崎はこんなもんよと返した。

二人揃って室内に意識を集中していたので人の気配に気づくのが遅れた。

「何やってるの、二人とも」

呆《あき》れた口調で声をかけられ、郁は悲鳴を上げるところだった。さしもの柴崎も肝を冷やしたようで、息を飲んで固まる。

振り向くと小牧がトレイを持って立っており、二人にそのトレイを差し出した。トレイの上には四つ湯呑《ゆの》みが載っている。室内の人数と同数だ。

「ほら、立ち聞きするならせめてお茶くらい出しておいで。タイミング計ればちょっとは中で話も聞けるでしょ」

「あたし。あたし行きます」

いいわね、と郁に言いながら柴崎がトレイをさっさと受け取る。いいわねも何も譲る気ないじゃんあんた。

折りしも中では来客が「今日伺いましたのは……」と本題に入る気配である。柴崎はシワの寄っていたタイトスカートを片手で軽くなでつけつつタイミングを計り、本題が始まってから静かなノックをしてするりと中に入り込んだ。

柴崎の楚々《そそ》とした立ち居振る舞いは室内の人々をまったく刺激しなかったらしく、

「通り魔殺人の容疑者少年についてなんですが」

という口上で始まっていた本題は柴崎が入っても話が途切れなかった。柴崎が何気なくドアを閉め切らずに入ってくれたので、外で窺っている郁たちにも話がよく聞こえる。

「いや、そのことについては……！」

館長代理はみっともないほど狼狽《ろうばい》した調子で答えた。副館長が発言を牽制するが止められず、

「こちらでも色々と対応を検討しておりまして」などと勝手に口走る。

「図書館の対応を教育委員会は高く評価しております」

その発言は少なくとも郁にとっては予想外で、館長代理にとってもそうだったらしい。は？

と頓狂《とんきょう》な声を上げる。

来客がしかつめらしい顔で続けた。

「いくら重大な犯罪を犯したといえど、容疑者は未成年です。人道的見地から言っても少年のプライバシーが無秩序に警察に流出されるべきではありません。少年の更生のためにも図書館は一時の安易な感情論に流されるべきではない」

はぁ、と館長代理は気の抜けたような返事をした。どうやら図書館が警察に協力しないことについて抗議されるものと思っていたらしい。

その辺りで柴崎が部屋を出てきた。「駄目、限界」と顔をしかめる。

「よく粘ったよ」

小牧が苦笑混じりに労《ねぎら》う。後は閉め切っていないドアから漏れ聞こえる声を窺うしかない。

「今後も図書館には少年の人権を尊重した対応を期待します」

激励とも申し入れともつかない微妙な物言いに、耳をそばだてていた郁は眉《まゆ》をひそめた。

「どうして教育委員会が急に図書館の肩持つのよ」

つい先日は図書館に敵対する行動を取ったのに、今度は図書館を擁護するような発言をするなど、郁には急に手のひらを返されたかのようで訝《いぶか》しい。しかし小牧と柴崎はあまり意外そうでもなく頷き合う。

「まあ、予想され得る範囲ではあったね」

「そうですね」

何よ二人だけで納得しちゃって、と郁がむくれると柴崎が答えた。

「要するに利害関係の一致よ。少年の親が高校の校長だったじゃない？　教育委員会としては関係者の不祥事を庇《かば》いたいんじゃないの」

「読書履歴なんか心証の参考程度にしかならないけど、それが裁判で響いてくるかもしれないからね」と小牧も口を添える。

図書館の非協力が批判され、館長代理を始めとする行政派が特例措置を画策している現状、教育委員会の原則支持の表明はいい牽制《けんせい》になる。しかし郁はますます顔をしかめた。

「何か……感じ悪ぅ……」

明らかに図書館を出し抜く意図の検閲を仕組んでおいて、しかもその検閲は教育界の不祥事を取り繕うためで、そのくせ警察が図書館に少年の利用者情報を要求しているとなったら少年の利益を守れと暗黙に迫る。あまりにも節操がない。

「まあね」と小牧も苦笑いだ。

「それにあたしたちは少年の利益を守るために叩かれてるわけじゃないです、あんな言われ方不本意です」

図書館は図書館の節を守るために闘っているのであり、少なくとも郁は容疑者の少年を擁護しているつもりなど更々ない。隊員たちの本音を要約すれば、「原則を守らねばならないのは仕方がないが、いくら未成年者とはいえ無差別殺人犯のために原則を守っているかと思うと腹が立つ」ということになる。

教育委員会の言う「いくら犯罪を犯したとはいえ未成年なのだから」という理屈とは真逆で、むしろ少年への憤りは謂《いわ》れのない逆境に置かれている分だけ根が深いくらいだ。

「でもまあ、未成年者への配慮っていうのは理屈として聞こえがいいから。教育委員会が子供を擁護することには世論もあまり反発がないだろうし、巧《うま》く援護してくれたら図書隊としては助かるけどね」

実利優先の小牧の発言は正しいと分かっていたが、それでも感情が飲み込むのを拒否する。口を開くと小牧に矛先を向けてしまいそうだったので郁は押し黙った。

小牧の言葉を裏付けるように、室内では副館長が口を開いた。

「支持して頂けるのは光栄ですが、今は図書隊内部でも原則を守るべきかどうか意見が割れておりまして。未成年者に配慮したいのは山々ですが世論も厳しいですし、このまま節を曲げずにいることはなかなか難しいですね」

副館長は原則派のはずだが、俄《にわか》に館長代理ら行政派の肩を持つような発言だ。それを受けて来客はといえば、

「もちろん状況はお察しします。教育委員会からも何らかの形で図書隊の判断を支持する表明を出せればと思っておりますよ」

うわぁ何だろうこのおためごかしの応酬。郁の眉間《みけん》のシワはますます深くなる。「やるわね、副館長」と感心している柴崎のように大人にはなれない。

不意に小牧が尋ねた。「がっかりした？」その問いは発した小牧の顔を窺うまでもなく郁に向けられたものだと分かった。

それはものすごく図星を衝《つ》いていたが、認めるのは自分の小ささを認めるようで辛《つら》い。

「あたし先に戻ります」

問いかけは意図的に無視して郁はドアの前を離れた。

閲覧室へ戻る途中、手塚と行き合った。返事を延ばし延ばしにしている折から、一対一で顔を合わすのは気まずいが、今は小牧から逃げてきたことのほうが気まずい。そのせいか比較的普通に声をかけることができた。

「どうしたの」

「呼びに行くとこだった。堂上二正が三人は行きすぎだって」

すっかり読まれている。

「そっちはどうしたんだ」

手塚に訊《き》き返されて郁が返事に躊躇《ちゅうちょ》すると、

「何かへこんでるのか？」

率直な問いが重ねられて、手塚は気遣いのつもりだろうが逆にへこんだ。分かりやすすぎる自分が嫌だ。

「いや、へこむようなことじゃないんだけど」

「俺でよかったら聞くけど……」

微妙に逃げ腰の申し出は、先日助けなかったことを手塚なりに気にしていることが分かった。その生真面目さにいくばくか期待して館長室でのことを話してみると、

「いや、それはへこむようなことじゃないだろう」

郁も理屈としては分かっていることを手塚は駄目押しした。

「副館長の対応は当然だ」

「やっぱあんたもそう言うんだ」

勝手にがっかりして郁は溜息《ためいき》を吐《つ》いた。

郁には何かと潔癖な理屈で突っかかっていた手塚にはへこみどころが通じるような気がした、というのは勝手な期待である。

「正義の味方じゃないんだから言行一致で正しくとか無理だろう」

履き違えるな、俺たちは正義の味方じゃない。教育期間中に玄田から言われたことを図らずもう一度聞いてまたへこむ。

「結果的に何を選択してるかが大事なんだろ、経緯の不本意は多少仕方がない」

郁は口に出しては答えなかった。そんなことは分かっている。

「でも正義の味方みたいな人がいるのよ」

高三のとき出会った『王子様』に、――もう一人思い浮かんだ相手が微妙に悔しいが、思い浮かんでしまったのだから仕方がない。窮地に限って鮮やかに手を貸したり、何かと郁に正義の味方みたいな立ち回りを見せるからだ。

「堂上二正も多分副館長と同じ判断するぞ」

手塚は当たり前のように堂上のことを言った。手塚にもやはり堂上はそのように見えているのだろうか、それとも郁の見え方がバレバレなのか。

「選ぶべきものを選ぶときに選び方を躊躇する奴は口先だけだ」

手塚としては郁への揶揄《やゆ》のつもりはなかったのだろうが、郁にはしっかり揶揄として入った。クリティカルヒットだ。

「痛いとこ突くわね」

恨みがましく呟《つぶや》くと、手塚は不本意そうに眉をしかめた。

「お前に言われる筋合いない」

言い捨てるような口調で先に立って歩き出す。

何故そんな筋合いがないのかは思い当たらなかったが、口先だけじゃない堂上や『王子様』はイメージ的に納得でき、割り切れなかった気持ちも楽になっていた。

＊

教育委員会は約束どおり、図書館の原則論を支持する表明を各種媒体で表明し、それは過熱した世論や報道に一石を投じた。問題は青少年保護の是非に移り変わった。

またそれは、館長代理ら行政派に対する牽制にもなった。警察と教育委員会を比べれば組織的関わりは教育委員会のほうが多く、原則論を支持する表明を公式に出した教育委員会と完全に対立することになる特例措置採択はさすがに躊躇されたらしい。

やがて、少年が自供を開始したというニュースとともに、図書館の原則論を非難する風潮はそれ自体がなかったことのように終息した。

特例措置採択の動きもそれと同時にぱたりと止んだ。館長代理が指図したアンケートも回収された後は一向使われる気配がない。結局何のためのアンケートだったんだ、という批判には単なる意識調査というやや無理のある説明がなされた。

その一方、図書館協会では「図書館の原則について考える会」という研究会が発足し、今回の事件を教訓に図書館が原則を守る意味を改めて考えるという。議事録は関東のみならず全国の図書館に配布されることが発表された。

「総じてスマートに勝ったんじゃないの？」

部屋でニュースをザッピングしながら柴崎が偉そうに論評する。どこの局も事件については少年の自供で持ちきりで、図書館の非協力を批判する論調はすっかり影を潜めている。

「館長代理もさすがに気まずいらしくてここんとこおとなしいしね」

郁は唇を尖《とが》らせた。

「何かすっきりしない。向こうが勝手に矛先畳んだだけじゃない」

「言っとくけどホントに激突してたらそれはそれで大問題なのよ‾」

気のない様子で柴崎が諭す。まぁ分かってるだろうけど、とどうでもよさそうに付け加える辺りが分かりにくい優しさだ。

「今回に限ってはあの日和見を評価すべきだと思うわよ」

でもすっきりしない、と郁は今度は口に出さずに思った。館長代理のことだけではない。誰も何も撤回していないのに、図書館が責められたことがなかったことになっている。——そのことがものすごく納得いかなかった。

だがそれも自分が当事者だったから思うことで、世間で起こる同じようなことについて郁もいちいち注目して憤っているわけではない。自分が痛かったからむきになっているだけのような気もする。

結局自分が体験しないとこうした痛さを実感できなかったという意味では郁も充分に勝手で、それを思うとまたへこむ。

そんな郁の内心を知ってか知らずか、柴崎は「終わりよければ、でいいんじゃないの？」と適当感丸出しで話をまとめた。

そしていきなり話題を変える。

「当面残る問題はあんたと手塚のことだけね」

いいかげん返事してやらなきゃいくら何でも気の毒よ、などともっともらしいことを言ったかと思えば、

「で、結局どうすんの。付き合うの？」

結局野次馬だ。

答えかけた郁は途中で横を向いた。

「あんたに先に言うのは筋ちがうでしょ」

それもそうね、と柴崎は意外とあっさり納得した。

手塚が郁に待たされたのは結局二週間ほどだった。
帰りに付き合えと言われたので多分返事が来るのだろうなと思っていたが、果たして図書館の近所のカフェに入って席に着いた途端「こないだの話だけど」と郁は切り出した。

「やっぱりあんたとは付き合えない」

その返事もある程度予想のとおりだったが、「ていうかさ」と付け足した後が予想外だった。

「あり得ないよねあたしとあんたが付き合うとかさ」

確かにここでOKをもらっていたら逆に困惑していたような気もするが、あり得ないとまで言われるのも失敬な話で手塚はむっと眉根《まゆね》を寄せた。

「何でだ。別にあり得なくはないだろ」

「あり得ないって」

郁は頓着《とんちゃく》なしにもう一度断言した。

「だってあんた、あたしのこと好きじゃないじゃん。あたしもあんたのこと好きじゃないしさ。お互い恋愛感情ないのに付き合うとか変でしょ」

好きじゃない——ということが恋愛感情が存在しないということならそれは否定する根拠が見当たらないが、納得して引き下がるのも何だか癪《しゃく》に障るので手塚は言い返した。

「いやでも、試しに付き合うとか普通にあるだろ」

「それはあたしもちょっとは考えたけど、やっぱり変よ。その場合でもどっちかに恋愛感情があるもんでしょ。告白した相手が自分のこと別に好きじゃなかったときに今付き合ってる人がいなかったら試しでいいから付き合って、とかさぁ」

似たような台詞《せりふ》は過去にも何度か言われた経験があるが、それならなおさら試しに付き合うことに違和感はなかった。実際それで付き合ったことが何度かある。

それを言うと郁は「だからぁ」と苛立《いらだ》ったように顔をしかめた。

「それは相手の女の子があんたのことを好きだったから成り立った話でしょ？　場合が違うんだってば。言ったほうも言われたほうも好きじゃないんじゃ成り立たないんだってば」

「だったらお見合いとかはどうなるんだ、あれは恋愛感情が発生する前に付き合うこともあるわけだろ」

「いやいや待て待て、あたしに理屈で負けるのが不本意だからって話をアクロバットすんな」

郁が手振りまでつけて手塚を押しとどめる。

「それは結婚したいって最終目標がお互いあるわけでしょ。あんたあたしと結婚とか考えたいか、そもそも」

「そんなわけあるか！」

反射で言い返すと郁も口を尖らせた。

「ご挨拶《あいさつ》だけどそれこっちの台詞だからね、それ理解しといてよ」

そのタイミングで注文した飲み物が来て一時休戦となる。

ウェイトレスが去ってから郁がまた口を開いた。

「でもお見合いってのはある意味いい喩《たと》えだわ。恋愛だって一緒よ。お互い何となく彼氏彼女欲しいなーとか思ってたらお互い恋愛感情なくても付き合うってあり得るわよね。でもあんた今彼女欲しいか？　欲しくないだろ別に」

勝手に断言されたがやはり否定する根拠は見当たらない。

「それはどっちかに願望があったら事が足りるんじゃないのか？」

あまり深くは考えずに訊くと、途端に「舐《な》めんな」と睨《にら》まれた。

「あたしはあたしのこと好きじゃない奴と付き合いたいほど飢えてない」

随分と馬鹿にした質問になっていたらしい。

「悪い」

謝罪は素直に口に出た。郁も微妙に中っ腹の様子だが頷《うなず》いて受け入れる。

何とか収まったらしいところへ手塚はもう一つ質問を重ねた。

「もし俺がお前のこと好きだったら付き合ってたか？」

「その前提が出てくる時点で心の底からあたしに興味がないわよね、あんた」

郁が呆《あき》れた調子で呟く。

興味がなくはないのだが、恋愛的な意味でということだろうから手塚は反論しなかった。

「そんなんでどうしてあたしと付き合おうとか思ったわけよ」

それは話すと長くなるしあまり話したくなかった。

お前は笠原をどうしたいんだ。堂上に手厳しく折られ、思い余って小牧に相談したら小牧は手塚が郁から得るものがあると言った。そんなものがあるとは到底納得できなかったのだが、とどめは郁から来た。

あんた高いとこ苦手でしょ!?　——頭ごなしに怒鳴った迫力もだが、それより自分の弱点を見抜かれていたことにぎょっとした。

見抜かれていることに今までまるで気づかなかったことも負けた気分を煽《あお》った。それは郁が気づかせなかったのであって、郁の至らない部分を容赦なく責め立てあげつらっていた自分が小さく思えた。

何でもあんたが一番じゃないと気が済まないの、と駄目押しだ。正しかったら何を言ってもいいわけじゃないよ、聞いた瞬間は反発しか覚えなかった小牧の言葉が耳に痛く思い返された。

確かに笠原郁から得るものはあるのかもしれないとそのとき初めて納得した。

だがその辺を逐一説明するのは敗北宣言のようでさすがに嫌だ。

「堂上二正や小牧二正に俺がお前から学べることがあるみたいに言われたから興味も湧いたし、玄田隊長もお前と打ち解けてほしいみたいだったし」

自分的に抵抗のない範囲を答えると、郁が「はぁ————!?」と遠慮会釈なく顔をしかめた。女としてその顔はどうか、というのは余計なお世話か。

「何よそれ。あーバカバカしい」

けっと舌打ちでもしそうな感じで横を向く。

「あたしより上官のほうがよっぽど好きじゃんあんた。あたしのほうだけ真に受けて真面目に悩んだりうろたえたりバカみたい」

「俺が真面目じゃなかったみたいに言うな」

いい加減に申し込んだつもりはないので抗議したが、むくれ具合は郁のほうが数段上だ。

「ていうかさぁ、それで付き合おうとかって短絡すぎんじゃないの」

「どういうことだよ」

「何のためにまずは友達からって常套句《じょうとうく》があんのよ」

「……それもそうだな」

うわバカだこいつ。郁が聞こえよがしに呟《つぶや》くが、さすがにこればかりは反論の余地がない。

弁解がてら歯切れ悪く呟く。

「いや、俺がその台詞言うときは態《てい》のいい断り文句だったから……」

「うわっやな奴！　それは同じ台詞を言われた側にしか回ったことがないあたしへの皮肉か⁉」

確かに友達以上に発展したこと一度もないけど！」

「今振る側に回ってるんだからいいだろ」

「こんなの振ったうちに入るか！　申し込み自体が大ボケじゃないのよ！」

ふて腐れた郁に思わず笑いがこみ上げた。

「何よ？」

「いや……お前、友達だったら面白い女だなと思って」

「うわむかつく！　あんたが言うか⁉」

口汚く噛《か》みついた郁がどうせとか何とか口の中で呟いた。どうやら同じ台詞で振られた経験があるらしい。

「言っとくけどあんたとあたしは友達じゃないからね！　こんだけバカ見て誰が友達になんかなってやるか！」

「いいよ、同僚でもお前相当面白い」

「面白いって言うなむかつくから！」

面白いというのは見ていて愉快だという意味だけではなかったのだが、ぶりぶり怒っている郁にこれ以上何を言っても火に油を注ぐだけに思えたのでそれは言わなかった。

小牧は堂上と郁が似ていると言った。どう似ているのか観察するのもなかなか興味深いように思われた。

「そう言えばお前、好きな奴いるのか」

ふと思いついて訊いてみる。もっとも好きな相手がいるなら一番簡単な断り文句は「好きな人がいるから」なのでそれはないか。

「いない」

郁は反射のように即答して、しばらくしてから「多分」と言い足した。

興味で思わず釣り込まれると、「いやそうじゃなくて」と自分でも言葉に迷っているように手を振る。

「憧《あこが》れてる人がいるのよ。その人追いかけてるところだから、今は誰が好きとかそういう余裕ない」

堂上のことかとごく自然に思った。

「だったら俺も仲間だな」

そう言うと郁はすごい勢いで目を怒らせた。

「違うから。あんたは堂上教官でしょどうせ。あたしは違うから。あたしはあれは超えるから。あんたと一緒にしないで」

「ふっ……ざけんなよお前！」

呆れたあまり手塚は語気を強くした。

「お前が超えるとか百年早《はえ》ぇよ、お前が超えるくらいなら俺が先に超えるわ！」

「うるさい、超えるったら超えるのよっ！」

意固地な声に重ねて呆れ返り、それ以上は反駁《はんばく》しなかったが――

こんな身の程知らずがどのように堂上に似ているというのか、小牧がこの場に居合わせたら問《と》い質《ただ》したいような気分になった。

四、図書館はすべての不当な検閲に反対する。

＊

「ぎゃああ――――――――――――――――――‼」

郁《いく》の悲鳴はそのとき寮の玄関に居合わせた者を一斉に注目させた。何事かとわざわざ奥から飛び出してきた者もいたほどである。

「……びびったぁー、いきなり煮られる猫みたいな声出さないでよ！」

横から郁をどついたのは一緒に帰寮していた柴崎《しばさき》である。大事なさそうだと判断してか一旦《いったん》は注目した隊員たちが散っていく。

郁はといえばそんな成り行きに注意を払う余裕もなく、部屋別になっている郵便受けの前に立ち尽くしたままだった。

「ちょっとどうしたのよ、煮上がった？」

「……来た」

かすれる声でようやくそれだけ答える。柴崎が郁の手元を覗《のぞ》き込んだ。

「何、ハガキ？　誰から？」

宛名の達筆は紛《まが》うかたなく、入隊七ヶ月ぶりに見る実家の母親のものだった。

前略

お元気ですか。

仕事にはもう慣れたでしょうか、就職してからあまり連絡がないので心配しています。「忙しい」ばかり言ってないでたまにはゆっくり電話でもしてきてね。

お盆も帰ってこないからお父さんががっかりしていましたよ。お正月には帰ってきなさい。

十一月の連休に法事で東京の叔父《おじ》さんの家へ行くので、帰りにそちらの図書館にも寄ります。郁が働いている姿を見るのを楽しみにしています。

草々

「あらま――……」

「どうしよう、あたしどうしたらいいの柴崎！」

「そうね、とりあえず」

「えっ何か考えあんの」

尋ねたものの解答があるとは思っていなかったので郁は思わず柴崎にすがった。妙に世知に長《た》けた柴崎なら何か親の襲来を切り抜ける知恵を持っているのかもしれない。

「食堂行って晩飯食うわよ、早くしないと風呂《ふろ》混むし」

「何よソレ」

「個人的な家庭問題なんか、あたしがナニ口出しできるとでも？　目先のメシと風呂より優先して悩みたいってんなら止めないけど、あたしは付き合わないわよ」

柴崎が合理主義なのはいつものことだが友達甲斐《がい》がないこと甚だしい。

「畜生、このスーパー合理主義者め」

膨れた郁に柴崎は一向頓着《とんちゃく》しない。

「メシ食いながらなら話聞いてやるっつってんのよ、言葉の裏を読みなさい」

などと言っておきながら、食堂に入るや柴崎はあっさり郁を裏切った。食堂では堂上《どうじょう》と小牧《こまき》が食事中だったのである。

「お疲れでーす、一緒していいですかぁ？」

すかさず堂上の隣の席に滑り込み、郁の意向など確かめもしなかった。自分の欲求に素直なことは潔いほどだが薄情にも程がある。

そりゃあたしも前ほど堂上教官嫌いじゃないけどさ。一応あたしの愚痴聞くって約束だったじゃないのよ、と内心拗《す》ねつつ成り行きで小牧の隣に座る。

「どうした、不景気な顔して」

堂上が尋ねたのは向かいなので郁の表情に気づきやすかったのだろう。小牧も言われて郁の顔を覗き込み、「分かりやすい顔だなぁ」と妙なところで感心する。

「いえ別に……」

言葉を濁そうとしたら「仕事で何かやらかしたんなら今言っとけよ」堂上に真顔で諭され、

郁は目を怒らせた。

「違いますっ！　何であたしが落ち込んでたら話をそっちに結びつけるんですか！」

「確率の問題だ」

あっさり言い切られ、不本意ながらも二の句が継げない。

「統計的にはもちろんそうなんですけど、今回は違うんですよ」

柴崎のフォローもフォローなのか重ねてとどめか分からない。

「実家から査察が入るんでへこんでるんですよ」

「てめえ余計なこと言うな！」

「あらぁ、ご両親来るのにそんな口汚くていいの？　そんなんじゃ心証下がるわよー」

くっ痛いところを。黙り込んだ郁に堂上が呟《つぶや》いた。

「そういえば親には反対されてるんだったな。防衛員」

郁は怪訝《けげん》に眉《まゆ》をひそめた。堂上にそんな事情を話した覚えはない。

「え、まさか上官の立場を利用して個人情報の不正入手」

「アホか貴様！」

今度は堂上が目を怒らす。

「入隊早々、個人情報筒抜けのハガキを人に処分させたのは誰だ！」

言われて春先の経緯《いきさつ》を思い出した。そんなハガキ出したら親に連れ戻されちゃうと説明したハガキの文面は確か、防衛員になったことを報告しようとしたものだった。

「えーでもわざわざ人の弱味なんか覚えとくんですか。性格わるー」

「……お前の弱点なんか敢《あ》えて覚えるまでもなく毎日更新されるだろうが！　似たようなヘマを飽きもせず！」

「あっ暴言！」

「一方的に言いがかりつけといて何を被害者ヅラだ！」

あっという間に口論に突入した二人に小牧が苦笑しながら口を挟む。

「堂上は弱味になりそうだから覚えてたわけじゃないよ、やっぱり志望を両親に反対されてるのは心配でしょう普通。戦闘職種だし。それで辞めてく隊員も珍しくないしね」

「余計なことは言わんでいい！」

矛先を小牧に向けた堂上がトレイを持って席を立った。「先に戻る！」取りつくしまもなくカウンターに歩き去る。

わあ分かりやすい、と見送った柴崎が郁に向き直り「バカねえ、あんた」と呆《あき》れる。

「何がよ」

「親御さんの査察乗り切るなら上官の協力必須《ひっす》でしょうが。口裏合わせとかシフトとか」

「ああっしまったー！」

「ついでに言うとせっかく堂上教官とごはん一緒できたのにさっさと逃がしちゃった罪も重い、あたしに対して」

「それはどうでもいい」

「親御さん、職場に来るの？」

横から尋ねた小牧に柴崎が勝手に答えた。

「そうなんですよ、意外と箱入りでしょ。わざわざ娘の職場チェックしに来るなんて」

「やめてよもう」

過保護な親の存在は郁にとってかなり肩身が狭い。

「来るなって言っても聞くような親じゃないし、一般企業なら関係者しか入れないって言えるけど図書館じゃそうも行かないし」

「でも職場来られてそこまでまずい？」

小牧の疑問は郁の両親を知らないから言える。

「いやいや、それが相当まずいらしいんですよ。笠原《かさはら》が戦闘職種に就いてること知られた時点で卒倒確定、強制的に郷里に連れ戻される目もアリ」

「だから何であたしよりあんたが先に答えるか」

「……えーと、防衛員採用だったことはもしかして」

恐る恐るという態《てい》で訊《き》いた小牧に郁は渋々頷《うなず》いた。「言ってません」小牧がアイタ、という顔をしたので慌てて言い足す。

「そのうち分かってもらえるように説明しようと……」

「思ってるうちに親御さんの査察が入った、と」

「……ハイ」

結局縮こまるオチだ。

「まぁシフトの融通とかは何とかなるけど……正式に配属の確認されたら図書隊としては嘘は吐《つ》けないよ。バレたら後は笠原さんと親御さんの問題だな」

わぁ正論。郁はがくりと肩を落とした。こうしたときの小牧は淡々としているが泣き落としたり甘えたりする余地はない。ある意味その辺は堂上よりも融通が利かない存在だった。最後に頼れるのは結局自分だけである。

「それにしてもタイミング悪いわねえ」

柴崎が若干気の毒そうな声音になった。

「情勢不安なときを狙い澄ましたかのように」

「……まあね」

通り魔殺人の容疑者少年が起訴された後、情報提供問題に関する風当たりは収まったが都下の図書館には別の問題が降りかかっていた。

都の教育委員会が音頭を取った形の規制強化問題である。青少年に悪影響を与える問題図書の貸出し制限や購入図書の選定基準などを求めた意見書は、あきらかにヒステリックな極論を下敷きとしたもので冷静な論調ではなかったが、未成年者の凶悪犯罪の直後であったことから世間の支持を集めた。

犯行の異常性から取《と》り沙汰《ざた》されていた少年の性癖に関して、多くのメディアで各種娯楽作品の影響が興味本位に語られていたこともその風潮に拍車をかけた。

また、良化委員会と都議会もこの意見書を支持し、都下の図書館には各種団体のデモや抗議が後を絶たない。殊に図書隊本拠地である関東図書基地と都下最大の公共図書館である武蔵野第一図書館はそれらの矢面に立った状態である。

中には暴力行為を辞さない過激な団体もあり、小競り合いに陥るようなことも珍しくない。それらの団体は良化委員会との繋《つな》がりが以前から囁《ささや》かれており、その活動を良化委員会が支援しているという噂は証拠がないので噂というレベルの話である。

「投石くらいならかわいらしいけど、火炎瓶が投げ込まれたときはどうしようかと思ったわ。時代錯誤にも程があるわよね」

言いつつ柴崎が鼻で笑う。良化特務機関との抗争を日々凌《しの》いでいる図書館にとってはチャチな手口だが、ともあれ不穏なことに変わりはない。

両親に戦闘職種の配属を隠しおおせたとしても、職場自体が危険となったらどんな逆噴射となるか、想像がつくだけに気が重かった。

「へえ、親来るのか」

「そうなのよ、来月だけどね」

手塚《てづか》にこぼしたのは館外のデモ警備の最中である。図書館業務研修も一段落ついて、最近は警備のシフトも復活している。特殊任務がないときのタスクフォースは、図書館業務と警備と訓練をローテーションする勤務体系だ。

警備対象は市内のPTA団体『子供の健全な成長を考える会』で、武蔵野第一図書館の前庭で百名ほどが集会の真っ最中である。デモや集会が白熱するとなにかと揉《も》め事が起きやすく、警備という名目の監視が欠かせないが、露骨に制服の防衛員を並べると反感を買うので私服の特殊防衛員が配置されている。二人から離れた位置には堂上や小牧、別の班の顔ぶれも見える。

「お前、意外と……」

「箱入りだなってのは聞き飽きた」

手塚はそのまま黙り込んだので、やはりそう続けるつもりだったらしい。

「うちの親、すっごい過保護でさぁ。図書隊入るのも危ないからって猛反対されてたのよね。これで戦闘職種配属なんてバレたら……」

というわけで、と手塚を見上げる。

「もしうちの親に何か訊かれたら口裏合わせといてね」

「まあ、こっちから余計なことは言わないけどさ」手塚は怪訝そうに首を傾げた。「女子って成人しててもそんなに親うるさいもんなのか」

「うーん、うちは相当うるさいほうではあるんだけど……でもまぁ、親がうるさいとか厳しいってとこは多いと思うよ、女の子は。あたしの友達でも実家住まいだと門限や外泊が厳しいって子、結構いるし。あと、バイクの免許取ろうとしたら危ないからって反対されたとか。危険な職業に就くって言ったら男よりは親の反対多いと思う」

「そういうもんか」

「やっぱり女の子は『キズモノ』って概念があるから。『顔に傷でも残ったらお嫁に行けなくなるよ』って女の子の親の常套句《じょうとうく》だもん」

「キズモノだからって弾《はじ》くような男と結婚するのは構わないのか、それ」

手塚はますます怪訝《けげん》な様子である。

「そこまで深く考えてないって、親は。女の子は女の子らしく、危ないことしちゃいけませんって定型文みたいなもんだし」

とは言いつつ、ああ昔その返しが思いついてたらなぁと子供の頃を思い返す。使い古された叱り文句だが、改めて考えてみると何かと引っかかる言い分だ。

「手塚はどうだったの、親の反応」

「うちの環境で反対されると思うか？」

「ああ、そうか」

父親が図書館協会会長という立場で反対されるはずもない。

「無事に終わりそうだな」

手塚が壇上の演者を眺めながら呟いた。言葉を交わしながらも周囲の様子はよく見ている。郁のほうはうっかり目配りがおろそかになっており、こういうところは手塚に全く及ばない、というか及ぶところがそもそもあまりない。そうだね、などと口先だけ合わせてみるもじろりと睨《にら》まれ「気が散ってたろ、ごまかすな」とやっつけられた。前のようにむやみといがみ合うことはなくなったが、厳しいのは相変わらずだ。

さすがプチ堂上、などと内心で悪態を吐いたとき——

パン！　と乾いた破砕音が弾けた。続けて数発。キャアッと団体の人混みが揺れる。

「銃声⁉」

叫んだ郁を手塚が違うと却下した。「ロケット花火だ！」打ち込まれた瞬間を見たらしい。

耳に挿した無線のイヤホンに堂上の声が入った。

『笠原、確保！　お前の後ろだ！』

弾かれたように郁と手塚が振り向くと、図書館前の車道を渡った向かい側に逃げ出す背中が見えた。二人だ。

スターターを聞いた反射のように足が地面を蹴《け》っていた。車の流れの隙間を衝《つ》いて、二車線対向を一気に渡る。

逃げる背中が曲がった角に飛び込む。

相手は角を曲がって姿を隠したことで安心したのかもうランニングを流すスピードになっていたが、郁の足音に気づいて振り向き「うわっ！」と悲鳴を上げてまた加速した。しかし一度休んだのが致命傷だ。

十年陸上やったあげく戦闘職種に就いた女をここから振り切れると思うな。

近づくと思いのほか背中が小さい。背が低いのだ。堂上と同じくらいかそれ以下、だが骨格ができていないので気づいた。子供だ。

「止まりなさい！　——止まらないとこかす！」

警告はした、予想の通り止まらなかった背中の遅いほうに狙いを定めてダッシュする。一息で追い上げ、最後はタックルだ。倒しながら捕まえ、諸共《もろとも》に路上に転倒する。

一人押さえればひとまず用は足りる。逃げたほうは捕まえたほうから素性を吐かせたらいい。だが、足が速いほうは捕まった連れを見捨てがたいように振り向きながら行き足が鈍った。

「止まれ！」

怒鳴ったのは追いついた手塚だ。

「置いて逃げるのか！」

さすがに呼ばわると男の声は迫力がある。くそ、あたしもこれくらい声低かったらな、などとないものねだり。

手塚の追及は痛いところを衝いたらしく、相手の少年は完全に足を止めた。年の頃は中学生くらいだろうか。「よし、戻れ」とせめて捕まえに行ってやればいいのに手塚もとことん容赦がない。威圧に従わされた少年は悔しそうに表情を歪《ゆが》めながら戻った。

郁が捕まえたほうも中学生くらいの少年で、すっかりへたっているのを立たせて腕を後ろ手にして摑《つか》む。さすがに手錠をかけるのは忍びない。そして無線を繋ぐ。

「笠原一士より堂上二正へ。容疑者確保しました、二名です」

『よし、よくやった。怪我はないか？』

「ありません、双方。でもあの……子供なんですけど。二人とも」

どうしたものか伺いを含んだ郁の報告は堂上も予想の外だったようで、一瞬返答が止まった。

『……取《と》り敢《あ》えず通用口から戻って警備控え室に入っとけ。あまり人目につかせるな。こっちの騒ぎが収まり次第行く』

「了解」

無線を切ってから手塚を振り向き、郁は目を剝《む》いた。

「ちょっとあんた何やってんの！」

「何って確保に決まってるだろう」

手塚は戻らせた少年の手に容赦なく手錠をかけていた。少年は真っ青になって俯いている。

「やりすぎ！　外してやんなさいよ！」

「何でだ、百名単位の集会に花火とはいえ火薬を投げ込んで逃げたんだぞ。イタズラにしても悪質すぎる。当然の処置だ」

「反撃意思も逃走意思も完全に萎《な》えてんじゃないのよ！　あんたともあろうもんがしおたれたガキ連行すんのにそんな大仰なもん必要ないでしょ⁉」

「そういう問題じゃないだろう、相手が誰であれ万全を期すのが当然だ」

「正論かもしれないけどあんまり融通が利かないってもんじゃないの⁉」

嚙《か》みついた郁のどこが刺さったか、一瞬手塚の気配が怯《ひる》んだ。

「堂上教官はガキでも容赦すんなとは言わなかったわ」

目立たせるなという指示は子供に対する配慮だと郁には無条件で信じられた。もちろん子供に手錠をかけることで第三者から買う図書館への反感なども計算のうちに入っているのだろうが、子供を必要以上に傷つけることはないという意思が先行しているはずだ。その堂上は郁の持っているイメージに合う。

　そうよあの男はあたし以外にはけっこう優しいんだから。

「そもそも図書館が子供を傷つけるなんて本末転倒でしょ。説諭は上官に任せりゃいいんだし、あたしたちが今ことさらに吊《つ》るし上げる必要ないわよ」

　現代の公共図書館のルーツの一つは母親たちが子供に本を提供するために運営していた共同の文庫である。その役目を引き継いだ現代図書館にとって、子供に尽くすことも本分の一つだ。

　手塚は不本意そうにしばらくむくれた顔をしていたが、やがて無言で少年から手錠を外した。郁と同じように少年の手を後ろ手にして摑む。

　そのへの字になった口元を横目で眺め、――もしかして不本意だったんじゃなくて傷ついたのかも。そんな感想が郁の胸をよぎったが、傷ついた理由は見当がつかないので放っておく。

「さあ、戻るわよ」

　子供たちに向けて郁は恐い声を出した。必要以上に傷つけることはないが、それは甘くするのと同義ではない。

「あたしの恐い上官に死ぬほど説教されるがいいわ。言っとくけどあたしたちの百倍恐いわよ。あんたたち、大人だったら手錠かけられるようなことしたんだからね」

「……警察に逮捕されるんですか」

　郁の捕まえた少年が初めて硬い声で訊いた。手塚の出した手錠からの発想だろう。

「さあねぇ」

説諭と保護者連絡で終わると思われたが郁はわざと答えをはぐらかした。手塚の言うとおり悪質なイタズラだったのだから、せいぜい怯《おび》えて懲りさせたものだろう。

戻ると集会の騒動はまだ沸騰しており、郁と手塚は前庭を避けて通用口から子供たちを館内に入れた。それまでずっと黙っていた手塚が廊下を歩きながら「お前たちがやったことだぞ」と突き放すように言った。子供たちは二人とも唇を嚙んで俯いたがその表情は不本意そうでもあり、何か言い返したそうな気配が感じられた。

警備控え室に詰めていた隊員に事情を説明して部屋を空けてもらい、二人を椅子に座らせる。堂上たちが来る前にと住所氏名などを問い質《ただ》すと、二人とも市内の中学校に通う二年生だった。郁が捕まえたほうが木村悠馬《きむらゆうま》、手塚が捕まえたほうは吉川大河《よしかわたいが》。どうやら友達同士らしい。

落ち着かせるために一応温かいお茶を出してみるが、二人は硬い表情のままで湯呑《ゆの》みに手をつけようとはしない。しかしふて腐れたり開き直った様子ではなく、どちらかと言えば真面目で利発そうな子供に見えた。

それだけに何故あんなことをしたのかという疑問は深まるばかりだ。

子供の取り調べや説諭は新米の手に余るので、重たい空気の中で上官の到着を待つ。やがて、表からどかどかと廊下を渡ってくる足音が聞こえた。

あ、これは。郁と手塚が顔を見合わせたとき、ドアが荒っぽく開けられた。

「悪さしたガキはどれだ！」

ずかずか入ってきたのは玄田《げんだ》である。続いて入った堂上と小牧が報告して呼んだようだ。

「お前らか！　何考えてんだバカどもが！」

普通に喋《しゃべ》っていてもがなっているように聞こえる玄田が声を荒げると声の迫力がものすごい。本気で怒鳴るとこんなものではないのだが今どきこれほどの迫力で怒る大人は珍しく、加えて玄田は顔も筋者に見えるような強面《こわもて》だ。子供たちが目に見えて竦《すく》み上がる。せめてもの意地か、必死に怯えていない様子を装っているが、残念ながらその努力は空回りだ。

ていうか……「なまはげ？」思わず呟いた郁の横で、小牧がものすごい勢いで口を押さえて横を向いた。上戸のツボに入ったらしい。

「……お前は余計なタイミングで余計なことをっ……」

堂上が叱ったつもりか、しかし声が微妙に震えている。手塚もわざとらしいほど沈痛な表情で俯いており、笑いをこらえていることが分かった。どうやら三人とも入ったようだ。比喩《ひゆ》が的確にすぎたらしい。

ついにこらえきれなくなった小牧がそっと部屋を抜け出し、堂上が思い切り郁を小突いた。

「ひどっ、上官暴力反対！」「やかましい、この状況で小牧の上戸を入れるバカがいるか！」

小声の抗議を一蹴《いっしゅう》され、郁は膨れっ面をした。何よ、自分だって入ったくせに。

子供たちはと言えば顔面蒼白《そうはく》で玄田の怒声を浴びている。ごめん、堂上教官ならあたしたちの百倍だけど玄田隊長なら千倍だった。とは今さら詫《わ》びるタイミングがなかった。

それでも最後まで泣かなかったのは見上げた根性だった。玄田の説教が終わる頃には二人とも涙目になっていたが。

小牧もようやく戻り、改めて堂上が子供たちの前に座った。

「説教と順番が後先になったが、事情を聞かせてもらおうか」

言いつつじろりと子供たちを睨む。これはこれで玄田と違った恐さがあり、子供たちがまた肩を縮める。

「子供のイタズラってことで団体には収めてもらったが、本来なら警察に引き渡すところだぞ。何であんなことした」

二人とも黙り込んで答えようとしなかったが「やることやったからには子供の逃げ方が通用すると思うな」荒げないが容赦もない堂上の叱責《しっせき》に、吉川大河が反発するように顔を上げた。

堂上と目が合い一瞬怯むが、

「イタズラじゃない」

怒ったように吐いてまた俯く。後を繋《つな》ぐように木村悠馬が顔を上げた。

「『子供の健全な成長を考える会』への抗議行動です」

大人びたつもりの言葉遣いは背伸びで履いたゲタが高すぎてやや滑稽《こっけい》だったが、大人は誰も笑わなかった。『子供の健全な成長を考える会』はまさに今日集会をしていた団体である。

木村悠馬と吉川大河はこの団体を狙って花火を打ち込んだと言っているのだ。

「どういうこと？」

　小牧の問いに木村悠馬が気張ったように背筋を伸ばした。

「あの団体は僕たちから自由な読書生活を剝奪《はくだつ》しようとしてるんです」

　うわ、痒《かゆ》い！　郁は気恥ずかしさに首筋をさすった。対等に話しているように聞こえる小牧のフラットな口調が木村悠馬を張り切らせたことはよく分かるが、年頃にそぐわない堅苦しい言葉を多用する喋り方は、気取っていることが露骨に漏れて聞いているほうが恥ずかしい。

「僕たちの中学の図書室は購入図書の選定がリベラルで生徒に支持されていたんですが、先日の高校生連続通り魔事件の後、『子供の健全な成長を考える会』の介入でエンタメ系の図書が大量に処分されました。処分図書の基準は独善的で到底納得できるものじゃありません」

「『荒野のカナ』が主人公が銃を持ってるのが望ましくないとか……ムチャクチャだよ」

　吉川大河の挙げたタイトルはライトノベルの人気シリーズのひとつで、西部劇的な世界観の舞台で一流のガンマンを志す一人の少女がオートバイで旅をしながら成長していく物語である。武蔵野第一図書館にも入っているが、児童から若い世代を中心に貸出し数の多い人気図書だ。

「そりゃまたヒステリックな話だなぁ……」

　小牧が軽く眉《まゆ》をひそめた。

『子供の健全な成長を考える会』は教育委員会の提唱に賛同し、青少年に悪影響を与える図書の排除を武蔵野市内の図書館に求めているが、学校図書館で既にそのような運動を行っていたのは初耳である。図書隊は学校図書館の情勢には疎い。

学校図書館は根拠法が学校図書館法となり、図書館法を根拠法とする公立・私立図書館とはその系統を画する。つまり図書館の自由法の対象外であり、もともと検閲図書を収集する権限がない。司書や司書教諭が個人的に買ったものを寄贈する形で所蔵することはあるが、それにしてもその量は微々たるものであり、それゆえメディア良化委員会の検閲からは基本的に除外されている。図書隊も学校図書館との交流には日本図書館協会を介し、必要のない限り直接の交流は持たない。迂闊《うかつ》に図書隊と関係すると、却《かえ》って良化特務機関にマークされるためである。

これが大学図書館になると自治権で公権力に対抗し、これもまた図書館法の枠を外れる。

「そのシリーズ、良化委員会の検閲にかかったことないよね？」

小牧の確認に手塚が頷いた。

「少なくとも検閲優先度が高いものとしては挙がったことがないはずです」

優先度が高いものはあらかた記憶しているらしい。相変わらずの優秀さに郁はやっかみ半分で舌を巻いた。

「図書室の本が規制され、僕たちが読書の自由を享受できるのはもはや公共図書館だけです。『考える会』が図書館の自由をも蹂躙《じゅうりん》しようとしているならそれを看過することはできません。僕たちは子供の立場から『考える会』に抗議し、図書館の自由を支援するため行動しなければならないと考えて……」

「そのご大層な考えの結果がロケット花火か」

無感動な口調で斬り捨てた堂上に、ぺらぺら喋っていた木村悠馬が言葉を詰まらせた。

「図書館の自由を支援か。余計なことをしてくれた」

わぁ容赦ない。他人事《ひとごと》ながら郁まで居心地が悪くなるほど堂上の声は遠慮会釈なく煩わしげだ。この声を向けられることを思うと背中が寒い。

「おれたちは図書館に味方しようと思ったんだ！　図書館にとっても『考える会』は敵だろ、会が反発されてることが分かったらあいつらだってでかい顔できなくなるじゃないかっ」

食ってかかったのは吉川大河だ。手錠をかけられたときはさすがに慄《おのの》いていたが向こうっ気は強いらしい。

だが堂上に対抗するにはまだまだである。

「意見も何も表明せずに気に食わない相手を不意打ちで攻撃するのは抗議行動でも何でもない。そんなものは単なる嫌がらせだ」

身も蓋《ふた》もなく選ばれた嫌がらせという平たい言葉に、子供たちの顔が悔しげに歪《ゆが》んだ。

「『考える会』は正規の手続きを踏んで今日の集会を開いた。正しい手順を踏んだ相手に花火を打ち込んだお前たちとどっちが真っ当に見えるだろうな」

痛いところに的確に釘《くぎ》を打ち込んでいく手並みが見事である。教育期間中、これでどれだけの新隊員が泣かされたか分からない。

「『考える会』が正しいって言うのかよ！　あいつら、俺たちが読みたい本を取り上げることしか考えてないのに！」

郁は無意識のうちに自分の胸を押さえた。俄《にわか》に蘇《よみがえ》った記憶が心を刺す。

本を匿《かくま》ったブレザーを無理矢理はだけられ、本をむしり取られたその憤りとやるせなさ――読みたい本を取り上げられる痛みをこの子供たちも知っているのだ。

子供の小遣いでは読みたい本を網羅することなど不可能で、学校の図書室は彼らの読みたい本を提供してくれる貴重な本棚だったにちがいない。木村悠馬は図書室の選書が生徒から支持されていたと言ったから、彼らの学校は大人の立場で余計な示唆を挟まず、生徒が読みたいというだけの本を多く取り入れていたのだろう。意義や価値など問わず、子供たちにとってただ面白いというだけの本を。

その懐の深さは学校図書館として貴重だが、子供の読書に意義を求めたがる大人にはウケが悪い。子供には読むべき意味、読むべき価値がある本を読ませるべきで、子供は読書から何かを学ぶべきだ。『考える会』の主張は要約すればそうなる。

どうして大人はただ本を面白がるということを子供に許してくれないのか。自分たちはただ面白がるためだけに本を読むくせに。

堂上を睨む吉川大河は、読書を規制しようとする大人への苛立《いらだ》ちをやみくもにぶつけているかのようだった。

郁はその眼差《まなざ》しに怯《ひる》んだが、堂上は揺るがなかった。

「少なくとも、やり方は『考える会』が圧倒的に正しい。正しい手続きで主張された意見にはルールを守る人間が主張したという裏付けがつく。大人が正規の手順を守るのは自分の主張に裏付けを作るためだ。お前たちのやり方だとどうだろうな」

自由な読書を規制する『考える会』への抗議として集会に花火を打ち込みました——聞いた他人にその主張は正しく届くか。

そう問われれば否と答えるしかなく、子供たちは答えない代わりに唇を噛《か》んで俯《うつむ》いた。耳朶《じだ》が赤いのは悔しいのか恥じ入っているのか。

「自由な読書を語ってやったことが花火の打ち込みじゃ相手にタダで言質をくれてやったようなもんだ。子供に自由を許してたらこのように暴力に訴える短絡さが培われるだけだってな。そうでなくとも連続殺人犯の高校生の読書傾向が取り沙汰《とざた》されてるのに」

「でもっ……！」

言い返そうとした吉川大河を木村悠馬が押さえた。

「やめよう。僕たちは結果的に足を引っ張っただけだ。潔く負けを認めよう」

勝ちだ負けだという問題ではないのだが、本人たちは大真面目なので水を差せない。痒い、と郁が目を逸《そ》らすと、手塚は単純に呆《あき》れた顔で小牧は微笑ましそうな顔だった。

「すみませんでした。今から僕たちに何か挽回《ばんかい》できることはありませんか」

木村悠馬の真面目くさった申し出に、堂上はそろそろ痒さが来たのか渋い顔をした。

「いいから……」

何もしないでおとなしくしてろ、とでも続けようとしたのだろうが、野太い声が横から台詞《せりふ》をさらった。

「その意気やよし！」

もちろん声の主は玄田で、堂上がぎくりとそちらを振り向く。一体何を言い出すつもりか、とあからさまに咎《とが》める視線を玄田は気がつかなかったように無視して子供たちに向き直った。

「お前らに大人のケンカを教えてやる！」

「隊長！」

ついに堂上が制止に入ったが、それで止まるような玄田ではない。

「お前ら、『考える会』と図書館のフォーラムに出てみろ」

「出なくていい！」

堂上が怒鳴ったのは子供たちに向けてである。だが、子供たちは既に興味を刺激されて目を輝かせている。

「そんな顔しても駄目だ！　お前たちが入る隙間はない！」

「それを決めるのはお前じゃないな、堂上」

「隊長でもないでしょう！」

「だが俺には司令への直接交渉権がある！」

「職権乱用だ！　勝ち誇っても駄目です！」

うわー何でこの人は隊長と絡むとこんな愉快になるかな。郁が笑いを噛み殺した横で、小牧が「どうせ勝てるわけないのに」と達観した様子で呟いた。

二週間後の十月中旬に予定されている『図書館の自主規制を考えるフォーラム』は、『子供の健全な成長を考える会』から武蔵野第一図書館に申し入れられたものである。

教育委員会が推奨している未成年者への規制強化は都下全域の図書館に向けられたものだが、『考える会』は武蔵野市内のPTAによるものなので要求も武蔵野市限定として、市立図書館の代表として第一図書館への申し入れとなったらしい。

議題には、読書が未成年者に与える影響、未成年者に対する図書の貸出し制限、図書館蔵書選定の自主規制などが予定されている。議事録は市内のPTAに配布して支持を集める材料にするらしく、図書館としてもこの議論で『考える会』を封じておきたいところである。

会場は武蔵野第一図書館に併設された大講堂で、参加人数は百二十名ほどが予定されているかなり大規模なフォーラムだ。規制強化派の市民団体との直接対決になるので、図書館原則派は迎え撃つ準備に大わらわだ。そうでなくとも館内には長いものに巻かれたがる行政派の勢力があり、そちらを押さえる工作も並行である。

もちろん図書特殊部隊もフォーラム警備の主力を担い、警備計画の作成に余念がない。

「その殺伐としたフォーラムにガキ突っ込むとは、あんたんとこの上司も相変わらずやることがキテレツね」

郁が帰寮すると柴崎が既に事情を細部にわたって知っていた、というのはいつものことなので今さら驚きもしない。

「大変だったのよー、堂上教官と玄田隊長が大激突でさぁ」

部屋着に着替えながら郁は思い出し笑いをした。

「ガキ帰してから延々ケンヵ。まあ、玄田隊長がこたえないからほとんど堂上教官の独り相撲なんだけど」

「あー目に見える。そしてそんな報われない間抜けな生真面目さもステキ」

「それ誉めてないよね、全然誉めてないよね。あんたホントにファンか？」

「それはさておいて」

さておくなよ、と突っ込んだのは無視された。

「堂上教官の言い分はもっともよねぇ」

もともと準備期間が少ない催しなのに、予定外の要素を突っ込まれては最初からガタガタの段取りが更にガタ狂いである。

「そんでまたあの人ってそういう状況で一番割り食うタイプだし」

玄田は大枠だけ決めたら後は堂上に丸投げすることが主で、堂上の立場を肩代わりしようとする隊員は他にいない。

「なまじ小器用だから損するのよねえ」

「だから仮にもファンならもうちょっと他に言いようないわけ」

入隊一年目の新人に小器用などと評されたら堂上も立つ瀬があるまい。しかし柴崎は「本人に聞こえなきゃいいのよ」としれっとしている。

「ま、あんたも部下だから無関係じゃいられないだろうけど、せいぜい堂上教官の足引っ張んないでよ」

嘘でもいいから先にあたしを心配したらどうなんだ、と郁は仏頂面になった。

「あいつ犬みたいですよね」

手塚の台詞はかなり唐突で、聞きながら堂上は怪訝《けげん》な顔になった。小牧と互いの部屋でたまにだらだら飲むが、最近ではそこに手塚が混じることがある。

「何だ、やぶからぼうに」

名前を出さずに言われたそれが誰のことかは飲み込めたのでわざわざ訊かない。

「今日とか猟犬みたいでしたよ、堂上二正に追えって言われたとき。バカっ速くて」

「あー、分かる」頷いたのは小牧だ。「セッターとかポインターとかそんな感じだよね。足が命って感じの」

「俺、女にダッシュで負けたの初めてですよ」

ぼやいた手塚は最近、堂上たちの前で自称に「自分」を使わなくなった。郁と衝突する回数も減り、頑《かたく》なさが少し緩んだ感じがする。そうした変化はやはり郁の影響だろうか。

「あれは足回りだけなら女の規格外だからな」

「それだけですか」

言いつつ手塚が缶ビールを呷《あお》って顔をしかめた。空だったらしい。

「それだけってのは何だ」

「確保命令のとき呼んだの笠原だけでしたよね。俺も一緒にいましたけど」

手塚の声には隠そうとして不本意さが漏れている。とっさの指示の文言など自分では覚えていないが、聞いたほうがそうだと言うならそうなのだろう。

「一緒にいるんだからどっちか呼べば事は足りるだろう」

「とっさに呼ぶのは俺より笠原ですか」

手塚の声はますます不本意そうになり、堂上は言葉に詰まった。とっさにどちらを呼んだか、その理由を問い詰めに来そうな気配である。

「とっさだから呼びやすいほう呼んじゃったんでしょ。堂上、笠原さんには怒鳴り癖ついてるからね」

助け舟は小牧から出た。

「別に信頼順で呼んだわけじゃないよね」

曖昧《あいまい》に頷いて取り敢えず舟に乗っておく。手塚は「そんなもんですか」と呟いて腰を上げた。まだ足元に酔いは感じられないので絡んだわけでもないらしい。

「酒の追加買ってきます」

手塚が部屋を出ていってから、小牧が「貸し、一」と笑う。

「手塚もねえ、良くも悪くも我が強いから」

「笠原に引っ張られてガキっぽくなってないか」

思わぬ追及に居心地悪くさせられた分、愚痴っぽい口調になる。

「でも素直になったんじゃないかな。以前は笠原さんを意識してることすら認めたくないって感じだったのに。最近けっこう仲いいじゃない」

　それはまあ付き合うの付き合わないのと言ってたしな、というのは手塚が小牧に話しているかどうか分からないので口に出さない。その後付き合っている様子はないが、隠しているかもしれないし〝交渉中〟かもしれないので余計なことは言わないに限る。

　余計なことも考えないに限る。

「犬っていうのは言い得て妙だよね」

　郁が聞いたら怒りそうなことを小牧は呟いた。

「シッポで全部分かるもんね、何考えてるか。あれだけ直球だったら馴染《なじ》まなきゃ仕方がないっていうか、馴染まないといたたまれないっていうか」

　そこら辺どうですか、変化球を覚えた堂上さん。――というのはからかっているのが明らかなので無視する。

「明日の引率がんばってくださいよ、先生。何しろ子供三人連れだし」

　こいつも本人がいなかったらけっこう遠慮なしだな、と堂上は呆れながら缶を呷った。

＊

「こちらが花火でイタズラした子供たちです」

　堂上が自分と郁の間に座らせた木村悠馬と吉川大河に合図して頭を下げさせた。

向かいに座るのは『子供の健全な成長を考える会』の会長である。ふくよかよりやや重量級の中年女性だ。

集会やデモで何度も図書館に来ているので郁にも覚えがある。熱心な教育ママのタイプだ。『考える会』に花火の件を謝罪に行くというのが玄田が授けた第一手である。「名づけて大人のケンカ殺法その一だ、自分の弱みをまず潰《つぶ》せ」などと言って笑った玄田はもちろん付き添いを堂上に丸投げである。

俺だと詫《わ》びか威嚇か分からん、と見てくれを盾に取られては反論のしようがない。なら小牧はどうかと言えば「堂上くらいカタイほうがああいう人たちにウケるから」と巧《うま》く逃げた。

郁をつけたのも玄田の指示だ。女がいるほうが雰囲気が和やかになる、というのがその理由である。「こんな武闘派つけたところでそんな効果がありますか」と懐疑的だったのは手塚で激しく余計なお世話だ。

図書隊から一駅離れた三鷹《みたか》の『考える会』事務所を訪ねる前、堂上から喋《しゃべ》るなと命令された。舌禍は子供たちより郁を警戒しているらしい。「なら柴崎連れてくりゃよかったじゃないですか、あいつだったらどこ投げ込んでもソツなくやるのに」郁がむくれると「口さえ閉じてりゃお前で用が足りるのに他部署に余計な負担をかけられるか」と堂上はそっけなく片付けた。

無難にかしこまってろという指示の通り、郁は事務所に入ってからずっと神妙にしていた。話は堂上が勝手に進めている。

「本人たちも反省してどうしても謝りたいというので……」

堂上が子供たちのほうを窺うと、訓練された動物のように悠馬と大河は揃って頭を下げた。

「すみませんでした！」

二人とも真面目なタイプに見えるので、最初は不機嫌だった会長の表情も少し和らぐ。

「まあねえ……子供のしたことですし。怪我人も出なかったから大袈裟《おおげさ》にはしませんが。でも何らかの指導は必要かと思いますよ」

「そのことなんですが」

すかさず堂上が提案する。

「二人の両親と学校にも連絡して相談したんですが、反省も兼ねて社会勉強をさせてはどうかという話になりまして」

これは本当だ。昨日、玄田が親と学校を呼んで話をまとめている。

「今度のフォーラムですが、生徒に勉強会を作らせて参加させてみてはどうかと。この二人に責任者をやらせます。会の立ち上げや運営、図書館問題についての自主的な勉強などを通じて社会活動の意義と責任を学んでもらおうかと。通り一遍の反省文や謹慎より子供たちの自立と成長を促せるのではないかと思います」

これを絵に描いたような堅物が言うのだから効果も倍増だ。意義だの責任だの成長だのこの団体が好きなワードもてんこ盛りである。

「それは有意義な試みですね」

会長は鷹揚《おうよう》に頷いた。そして悠馬と大河に身を乗り出す。

「責任のある立場を引き受けるからには投げ出してはいけませんよ」

また二人そろっての良いお返事がいたく会長のお気に召したらしい。帰りには最初と打って変わった機嫌のよさで見送ってもらえた。


事務所を引き上げた帰りに寄った三鷹駅前の喫茶店で、堂上が恐い顔で子供たちを睨んだ。

「これで引っ込みはつかないからな。今さら日和《ひよ》ったらはり倒すぞ」

玄田の企てが走り出してしまった以上、子供たちに逃げられたら図書館の面目丸潰れである。更には予定外の段取りを強引にねじ込んだ図書特殊部隊《ライブラリー・タスクフォース》、延《ひ》いては図書館原則派の立場もない。

「やめないよ」

機嫌よくオレンジジュースをすすったのは大河だ。

「次は大人のケンカ殺法その二だよね」

玄田の言ったその二は「数を集めて戦力とせよ」である。「数さえ集めりゃ意見に箔がつくもんだ」とは率直過ぎるが、図書の規制に反対する生徒を集めて勉強会の体裁を作れと玄田は二人に指示している。取り敢えず人をかき集めて名前をつければ即席の会でももっともらしくなる、などと玄田は喋れば喋るほど身も蓋《ふた》もないのだが、そのぶっちゃけ具合が子供たちには逆に新鮮だったらしい。最初に怯《おび》えていたのが嘘のように玄田を「隊長」と慕ってしまった。

「賛同する生徒はかなりの数が見込めますよ」

したり顔で口を開いたのはアイスコーヒーにガムシロップとミルクを二つずつ投入した悠馬

である。もはや色味はアイスカフェオレと変わらない。

「図書の規制に不満を抱いている層は僕たちの他にも多いんです。単に『考える会』に対して発言する方法がないから沈黙しているだけで、自由な読書を希望する層がむしろマジョリティなんです。他校でも不満が燻《くすぶ》っていると聞き及びますし、生徒会同士で連携を取れたら連合もできるかもしれません」

張り切っているためか舌の回転にも拍車がかかっている。

「生徒会とか動かせそうなの」

相変わらずの痒《かゆ》さに内心辟易《へきえき》しながら郁が尋ねると、大河が横から答えた。

「こいつ生徒会だもん。今は二年だから書記だけど、来年の生徒会選挙は会長の本命だよ」

「ええッ」

「ええって何ですか」

悠馬が不本意そうに眉をしかめる。「いや別に……」ごまかして郁は自分の紅茶をすすった。その暑苦しい言動でよく当選できるほど支持を集めたもんだわ、などとはプライドの高そうな悠馬にはとても言えない。

「時間がないから他校の連携は署名協力くらいにしておけ。会の構成は自分の学校でまとめたほうがいい」

「分かってます、時間的余裕がないのに手を広げすぎて空中分解したら元も子もありませんし。そこは手堅く行きますよ」

喋りながら飲み物を空にし、悠馬と大河はさっそくそわそわしはじめた。

「時間がないのでこれで失礼していいですか。早く心当たりからアプローチしたいので」

頷いた堂上が「玄田隊長の指示は守れよ」と付け加えると、早くも席を立ちかけていた悠馬が「分かってます」と答えた。

「指揮系統を守るのは戦略の基本ですから」

だから何なのよその戦略とかって！　大仰な物言いがむず痒く、郁は小さく身じろぎした。

「では失礼します。連絡はまた後ほど」

ぺこりと頭を下げた悠馬がさりげなく伝票を取り上げた。「それは置いとけ」止めた堂上に本人は大人びたつもりの笑みを浮かべて、

「ここは持たせて頂きます、ご迷惑をかけるからご馳走《ちそう》になるなと母にも言われているので。飲食代も預かっておりますのでご心配なく」

これがとどめだ。子供たちが立ち去ってから、郁はがっくりうなだれた。涼しい顔で向かいに座っている堂上を窺う。

「堂上教官は痒くないんですか、あれ」

「痒いに決まってるだろうが」

即答するが堂上は言うほどダメージを受けているようには見えない。

「あたしなんかもう、悠馬の物言い聞くたび痒くて悶絶《もんぜつ》しそう。大袈裟なんだもんあいつ」

「おかげさまで痒いものは見慣れてるからな」

何がおかげさまか分からず怪訝《けげん》な顔をした郁に、堂上が何食わぬ顔で言い放った。

「お前の王子様も大概痒かった」

「わ————————ッ！」

堂上の声を掻《か》き消すように喚《わめ》いてテーブルをばんばん叩《たた》く。「アホか貴様！」堂上が慌てたように郁を制した。周囲から突き刺さる白い視線に首をすくめて詫びの仕草を撒《ま》く。郁のほうには周りを気にする余裕はない。

「ひどい、わざわざ蒸し返すなんて！　セクハラよ！」

「人聞きの悪いことを大声で喚くな！」

本気で焦った様子の堂上に少し余裕が回復した。そうかこうすりゃ勝てるんだ、とついでのこともう少し押してみる。

「セクハラじゃないですか、人が恥ずかしいと思ってることあげつらうなんて」

「そこからわざとだな、もう聞かん」

さすがに立て直しが早く、付け入る隙を断たれて郁は軽く舌打ちした。立て直されると自分の痛恨が再確認される。

「早いとこ忘れてください、あれけっこう一生の不覚なんです」

「心配するな、あれを除いてもお前は全体的に恥ずかしい」

「うわまるで柴崎のようなことを！　むかつく！」

吐き捨てながらその関連でふと爆弾の存在を思い出す。

「そういえば柴崎が告白したって聞きましたけど」

投げるとやはり堂上は一瞬固まったのでそれなりに効いたらしい。

「何で断っちゃったんですか、あいつ性格は難アリだけどまあまあいい女ですよ」

「お前に関係ない」

突っ放すような口調に、──何でだ、何でショック受けてんのあたし。むしろどうやら自分が傷ついたらしいことに動揺する。

「……関係なくないですよ、柴崎一応トモダチだし」

「じゃあ柴崎には好きなだけ聞け、俺が誰と付き合おうと誰を断ろうとお前の知ったことか」

わあ、──きつい。じゃなくて何できついとか！

「こっちもお前らの恋愛沙汰《ざた》には口を出してないだろうが」

突然あらぬほうへ飛んだ話題に動揺が上書きされた。お前らの恋愛沙汰って何ですかそれは。あたしと誰よ？

「付き合うんだか付き合ってるんだか知らんが。──手塚と」

「違います！」

嚙《か》みついた勢いのせいか、堂上はわずかに気圧《けお》された様子だ。

「あれは手塚のバカが短絡で犯した純然たる間違いです！　教官たちにあたしと打ち解けろって言われたから好きでも何でもないのに形式上付き合おうとしたんですよ！　あたしそのせいでどれだけ悩んだか！」

「……もしかして思ったよりバカか、手塚」

「そんなバカに軽率な示唆を与えた上官の責任を追及したいくらいですよ！　融通が利かないバカに余計な方向づけしないでください！」

郁の剣幕に堂上がさすがに怯《ひる》んだ。そこまで言ってやるな、と微妙にフォローが入る。

「付き合ったらそう悪い奴じゃないぞ、多分」

「悪いけどあたし理想高いんで。手塚ごときじゃとても」

手塚をごときとか言うか、と堂上が呆れ顔になる。

「何しろ高三のときに王子様に会ってますから」

半ば自虐で『王子様』の単語を口に出す。慣れたが勝ちだと開き直った。

「手塚なんか比べ物になりませんよ、すっごくかっこよかったんだから」

あのときの図書隊員のことだったらいくらでも語れる。

「あたしが良化隊員と揉《も》み合いになって誰も手が出せなかったところに、あの人が正義の味方みたいに現れて助けてくれたんです。見計らい権限で没収本を取り返したのに、どうせ何冊か差し戻すからってあたしが取り上げられた本だけ返してくれて」

「見計らい本を勝手に融通するのも規則違反だ」

堂上が不機嫌な顔で吐き捨てる。何よ規則規則って手塚みたい、と郁は膨れた。

「だけど憎い計らいじゃないですか。カッコイイうえに優しいなんて最高の図書隊員ですよ。融通利かない誰かさんとは大違い」

言いつつ警備実習での騒ぎを思い出した。見計らい権限の所在を良化隊員に突っ込まれるという情けないオチは自分的にはあまり思い出したくなかったが、

「それに堂上教官だって男の子に本返してやれって言ったじゃないですか。あたしが良化隊員とやり合ったとき」

堂上が露骨に嫌な顔をした。余計なことを思い出すなと表情で言っている。滅多に出さないシッポを摑《つか》まえるのは楽しいので遠慮なく攻撃に移る。

「教官だって同じ状況になったら案外同じことしちゃうタイプじゃないですか?」

「あれは子供相手だから特別だ! そもそも俺が勝手に見計らい権限を振りかざしたわけじゃない、一士のくせに先走って見計らったバカの尻拭《しりぬぐ》いだ」

そこを突かれると痛い。でもわざわざ蒸し返すことないのに、と郁はむくれた。

「俺ならその図書隊員みたいに出先で勝手な権限は振りかざさない。だからそいつと同じ状況になることはあり得ない」頑《かたく》なに断言した堂上がじろりと郁を睨む。「アホウな部下に勝手な状況作られない限りな」

ということはつまり、部下が先に状況を作ってしまえば融通を利かせてくれるということか。と内心で勝手に学習したことは口には出さず大事にしまっておく。切り札だ。

「もし高校生のあたしが本取り上げられる現場に居合わせても助けてくれないんですか?」

食い下がってみるが堂上は「助けない」と即答だ。何だかちょっと意地になっているような気がしないでもない。

「そもそもそいつが勝手にそんな措置をお前みたいな単細胞に見せるからお前もバカな猿真似をしでかすんだろうが。それにそんな話が美談みたいに公に出回ってみろ、本来手を出さないのが正しいのにそれを非難されるようになって他の真っ当な図書隊員が大迷惑だ」

正論だがわざとのように辛辣《しんらつ》な物言いに、郁はやみくもに反発した。もちろんそういう問題はあるのかもしれないけど、あの人に共感する隊員だってきっとたくさんいる。

だってみんな本が守りたくて図書隊員になったんじゃないの。それに――

「でもあたし、その本屋さんにいたのが堂上教官だったら図書隊員になりたいとは思いませんでした！」

考えうる限り最大級の皮肉を投げたのは完全に売り言葉に買い言葉だが、言った瞬間ココロが怯んだ。堂上が一瞬引っぱたかれたような顔をしたからだ。

え、何で。どうしてそんな傷ついたみたいな顔するの。そっちが先に売ったケンカのくせに。あたしの王子様さんざんこき下ろしたのはそっちじゃないの。

頭に血が昇って混乱して、逆に歯止めが効かなくなった。

「あたしは、あの人に会ったから図書隊員になりたいって思ったんです。あの人と同じようにあたしも本を守りたいって。あの人を見たら本が好きな子はきっとみんなそう思うと思います。堂上教官や他の『真っ当な』図書隊員を見たって、図書隊員になりたいなんて思わない。本を取り上げられてる子供を黙って見捨てるような図書隊員なんか、全然かっこよくないし、憧《あこが》れられないし、好きになんてなれないもの」

言い過ぎ。自分でも分かっていたが止められない。

そして偶然口を衝《つ》いて出た好きという言葉がもつれた感情を加速した。

「五年前に一回会っただけだけど、あたしは今でもあの人に憧れてるし尊敬してるし、あの人が好きです。いつか会いたいと思ってるし、もし会えたらあなたを追いかけてここに来ましたって言うんです。あの人のこと悪く言うけど、教官だったらそんなふうに追いかけてくる子供を作れるんですか」

堂上教官だってあたしを助けてくれたり教えてくれたり支えてくれたりするのに、どうしてあの人みたいでいてくれないんだろう。あたしに超えたいと思わせるくせに、どうしてあの人と同じ並びでいてくれない。

同じ方向にいてくれないと一度に二つを目指しては走れないのに。

「あの人のこと悪く言わないでください」

あたしはあんたも追いかけたいんだから、とは口に出さずに終わった。堂上がテーブルの上のペーパーナプキンを差し出していて、もう涙目になっていることに気づいた。

「悪かった。もう言わん。泣くな」

三段論法のような謝罪を聞きながらペーパーで思い切り鼻をかむ。だからお前にはハンカチを貸せないんだ、と堂上がこぼした。悪うございました、と返せる余裕はまだ回復していないので黙って涙を飲み込むことに努める。

女が向かいでこんな状態になっていたら周囲の視線は先程とは比較にならない白さだろうが、

堂上は郁のほうが謝ることは無言で容赦してくれているようだった。

そういうところは優しい。

それに甘えてしばらく鼻をすすり、落ち着いた頃に堂上が口を開いた。

「一つ忠告だ」

声はまだ涙声なので目線だけで窺う。堂上はそっけなく続けた。

「悠馬のこと、あんまり痒いの何の言わないほうがいいぞ。お前のほうがナチュラルな痒さは上だ。今の独演とかな」

一言もなく郁はテーブルに突っ伏した。


泣いた目元が回復するのを待って図書基地に戻り、玄田に報告するべく特殊部隊事務室に顔を出すと、玄田は来客の応対中だった。ちらりと窺うと玄田と同年代の女性である。応接室を使っていないのでそれほど気の張る客でもないのだろうが、声をかけるのは遠慮してそれぞれの机に戻る。

しばらく日報を付けたり何だりしていると、

「笠原さん？」

聞き慣れない声に呼ばれて振り向くと、いきなり白いフラッシュが焚《た》かれた。突然の目潰《めつぶ》しに思わず顔を背けると、椅子から激しく立ち上がる音が響いた。

「堂上、俺の知人だ。心配ない」

眩《くら》んだ視界が回復すると堂上が剣呑《けんのん》な顔で腰を上げており、郁の目の前には先程の来客女性が一眼レフのデジカメを手に笑っていた。無骨なカメラマンジャケットを着ているのにとても洗練されて見える。かなりの美人だ。柴崎が中年になったらこんな感じかもしれない。

「図書隊初の女性特殊防衛員っていうからどれほど厳《いか》つい子かと思ってたのに、かわいらしい女の子で驚いちゃった」

「あの、何で写真とか」

警戒心丸出しで尋ねた郁に、女性はたくさんのポケットの一つから名刺ケースを取り出して一枚郁に渡した。

『週刊新世相《しんせそう》　編集部主任　折口《おりくち》マキ』右肩に刷られた誌名は二大週刊誌の一つである。

折口マキは撮った写真を液晶で確認し、うんよく撮れてると一人ごちた。

「もう一枚行ってみようか？」

またカメラを構えようとした折口に逃げ腰になると、堂上が間に割って入った。郁より小柄な堂上だが、座った姿勢からは充分の隠れ蓑《かくれみの》でありがたく盾にさせてもらう。

「こいつは事情があって露出できませんので。今のも消去してください」

郁は思わず堂上を見上げた。事情があって露出できない——というのは、郁の両親の事情を気にかけてくれていたらしい。

「おい、それは取材許可出した覚えはないぞ」

玄田ものんびり制止しながら歩み寄ってくる。折口はちぇっと舌打ちしながら何やらカメラを操作した。

「せっかく絵になるのに」

そう言われると郁としてもちょっと悪い気はしないが、二大週刊誌だと両親の目に入る恐れがある。イナカの情報網は伝播《でんぱ》力が並ではない。知り合いの知り合いの知り合いくらいが見ただけでも確実に郁の家まで情報が回る。

「隊長、こちらの方は」

玄田を問い詰める堂上に折口が名刺を差し出したが、堂上は受け取っても険しい顔のままだ。部下に対する責任感の強さはこんなときには頼もしい。

「俺の大学時代からの連れだ、素性は保証する。肩書きのとおり、『新世相』の記者だ。規制強化反対の立場で記事を書きたいと言うもんで、今度のフォーラムを取り上げてもらうことになった」

「玄田君が取り上げろってねじ込んだんでしょう」

折口が不満げに唇を尖《とが》らせる。

「お子様がフォーラム参加で社会経験なんてハートウォーミングネタ、うちのカラーじゃないのよホントは」

「無難な着ぐるみ着せときゃシビアに斬ってもごまかし利くだろうが。ホイホイ乗ってきたくせに今さら文句を言うんじゃねえよ、どうせそのつもりだったんだろう」

軽口の応酬を聞くからに気安い間柄ではあるようだ。

「個人的には女性のタスクフォース進出も取り上げてみたいところだけど……」

言いつつ折口は堂上を見て笑った。

「冗談よ。番犬も恐いし今回は見送るわ」

番犬呼ばわりに堂上が渋い顔になる。郁は他人事《ひとごと》ながら肝を冷やした。冗談とはいえ堂上を犬に見立てるなど、郁にはとても真似できない。

「それで問題の子供たちはどこ？」

堂上が仏頂面で答えないので、顔色を窺いながら郁が答える。

「今日はもう帰りました。勉強会のメンバーを集めるそうで」

「おお、張り切っとるな奴ら」

玄田はご満悦である。折口は取材の当てが外れたようで少し顔をしかめたが、「まあいいわ、周辺事情から取材入れるから」と柔軟に切り替えた様子だ。

郁と堂上は玄田に謝罪の経緯を報告してからデモ隊警備に合流した。

＊

翌日の月曜日から、公共棟の講義室の一つが子供たちの勉強会の集会所として開放された。

放課後にやってきた子供たちを郁が館内警備の合間に覗《のぞ》くと、悠馬と大河を含めて十人以上が集まっていた。わずか一日で大した動員力だ。

　悠馬が議長になったその打ち合わせでは、市内の中学校に配るアンケートの設問内容を相談しているようである。話をしながら悠馬がホワイトボードに箇条書きで何やら書き付けていく。さすがに書記というだけあって字はきれいで読みやすい。

　部屋の隅にはその様子を取材している折口の姿もある。見つかると声をかけられそうなので、折口の死角から室内の様子を見物する。

「以上、僕が考えたアンケートの草案だけど。設問内容は最低限これだけ必要だと思うんだ。どうかな」

「えー、でもちょっと多くない？　二十個ってさあ」

　反対の声を上げた女子に、悠馬がむっとしたような顔をする。

「質問を省略しすぎると問題の本質が薄れる」

「それ逆じゃない？　無意味に多いほうがぼやけるって、集計だってめんどくさくなるしさ。せめて十個くらいじゃない？」

　それを皮切りに何やらバトルが始まった。

「好きな本は何ですかとか別に要らないよね」

「『考える会』に生徒の読書傾向を説明するためには必要だ」

「だって集計しきれないじゃん、フォーラムまで二週間ないんだよ」

「でも子供がどんな本を求めてるかはデータとして示すべきだろ」

「本の題名言ったってどうせ大人は分かんないでしょ。名作系とかじゃないと」

「上位に入った本については簡単に説明付ければいい」

「だからそんなの意味ないって言ってんの。すっごい手間かかるのに、見るほうは『ふーん』で終わっちゃうよ」

どうやら悠馬のほうが旗色が悪い。

「集計の手間考えたら設問は少ないほうが絶対いいって」

「それに木村、論述形式多すぎ。どうやってまとめんのよ」

「アンケート頼む側が手間惜しんでどうするんだよ！」

「だって実際問題として時間がないじゃん！　あんた現実分かってんの⁉」

現実論と理想論の大激突だ。何だか中学生日記だなぁ、と郁が微笑ましく見守っていると、壇上の悠馬が講義室の後ろに座っていた折口を巻き込んだ。

「記者さんはどっちが正しいと思いますか⁉」

わぁ子供だ。郁は思わず苦笑した。本題をずれて論点が勝ち負けになっている。

「ええー、そういうの部外者が口出していいのかしら？」

おどけた口調で答えた折口だが、撥《は》ね付けるつもりはないようである。

「両方一理あると思うんだけど、両方のいいとこどりってできないの？」

折口の提案に悠馬は不本意そうな顔をした。意識が勝ち負けに囚《とら》われているので、はっきり裁定が下らなかったことが不満なのだろう。

「ひとつヒントをあげるとね、このアンケートはあなたたちにとっては重大で意義のあるものだけど、答える側がみんな同じように重大だと思う義務はないってことよ」

折口の衝いた本質は悠馬には頷きがたいようだ。

「でも、自分たちの権利を守るための闘いじゃないですか。確かに代行してるのは僕たちですが、ほかの生徒たちにも無関係じゃないはずです。みんな自分の問題と受け止めて考えるべきだし、協力すべきです」

「うん、それすごい正論ね。でも正論って面倒くさいのよ」

子供相手にそこまでぶっちゃけていいのか、と廊下で聞き耳を立てながら郁はハラハラした。悠馬は壇上で傷ついたような呆然《ぼうぜん》としたような顔をしている。折口の理屈は良くも悪くも純粋な子供たちには突き放しているようにしか聞こえない。悠馬と対立していた女子たちも不安気に表情を波立たせる
「面倒くさいと思う人に面倒くさがるなって言っても仕方ないし、面倒くさがる人は必ずいるのよ。協力すべきなのにってブツブツ言うより、協力的じゃない人に協力させる方法を考えたほうが建設的じゃない？　義理も縁もない他人に何かを頼むとき『協力してくれるべき』とか『してくれるだろう』とか甘い見通し持ってる奴は絶対に失敗するわ。協力って期待するものでも要求するものでもなくて、巧《うま》く引き出すものなのよ」

折口の声は穏やかだが理屈は一貫して手厳しく、悠馬だけでなく他の子供たちもどことなしにしおたれる。他校が協力的に受け入れるとは限らないという指摘で水を注《さ》されたのだろう。

でも気づけ、悠馬。郁は表でじれったく窺った。

よく聞け、玄田隊長の「大人のケンカ」はその人と同じ理屈で動かしてる——そんなことを思ってふと気づいた。並べると美女と野獣だが、玄田と折口はよく似ている。特に委細構わず何でもぶっちゃけるところはそっくりだ。

学生時代からの友人ということだったが、本当にそれだけだったのだろうかと野次馬根性がちらりと頭をもたげたり。柴崎辺りなら積極的に嗅《か》ぎ回るかもしれないが、郁にはそこまでの意欲はない。

子供たちの議論の行く末は気になったが、いつまでも張りついているわけにはいかない。郁はそっとその場を離れて歩き出した。

階段を下りたところで、重たそうなレジ袋を提げた大河と行き会った。こんにちは、と大河から屈託なく挨拶してくる。

「どうしたの、あんた。みんな話し合い中よ」

「あー、おれ話し合いとか苦手だから。自分の意見とか巧いこと言えなくてめんどくさいし。だから雑用係に回ろうと思ってジュース買いに行ってた。こんなことくらいしか役に立てないからさ」

「へえー……」

何の気なしに頷いて、ふっと閃《ひらめ》く。

「……いや、役に立つわよあんた。むしろ今みんなに必要なのはあんただわ」

郁は大河の手を引っ張って子供たちの会議室に戻った。

悠馬はすっかり途方に暮れていた。

折口は言うだけ言ってさっさと立ち去ってしまい、アンケートを簡便にしようと言っていた女子たちが、他校へのアンケートをやめようと言い出したのである。

迷惑だと思われるくらいなら最初からやらないほうがいい、という理由だった。折口の指摘が慎重論へ傾かせたらしい。

「アンケートは広範に配布しないと意味ないだろ。うちの学校だけだったら意見の根拠として弱くなる。意見は数を集めることに意味があるんだ」

悠馬は玄田から聞いた話を引いたが、一回腰が引けた女子は頑固だった。

「だって迷惑がられるのイヤじゃない」「うざいとか思われたくないもん」

議論が完全に膠着《こうちゃく》したところへ飛び込んで来たのが郁である。ジュースを買いに行った大河と一緒で、飛び込んできたその勢いに悠馬は目をしばたたいた。

「みんな聞いて！」

大声で呼ばわるから郁が何か言うのかと思ったら、全員の注目を集めてから大河を振り向く。

「大河、さっき言ったこともう一回」

ええっと引き加減になった大河を郁がムリヤリ前に押し出す。大河は活発で行動的だが意見を述べたりするのは苦手なので、かなり困惑——どころかむしろ迷惑そうな様子だ。

だが郁はそんなことはお構いなしである。

「あんた、何で雑用係に回ろうと思ったんだっけ？」

「え、だから。それくらいしかおれ役に立てないから」

「違うでしょ他にも言ったでしょ」

「えー……？」

大河が何かを思い出すように目を泳がす。

「話し合いとか苦手だから」

「どうして苦手なんだっけ？」

食い下がる郁に大河は鬱陶《うっとう》しそうに顔をしかめた。

「何だよもぉー、さっきも言ったじゃん。自分の意見巧く言えないからめんどくさいんだよ」

めんどくさい。折口が残していったキーワードだ。何かがピンと来て悠馬は真顔になった。

「折口さん、めんどくさがられるからよせとは言ってないわよ」

そう言った郁はどうやら表でやり取りを立ち聞きしていたらしい。大人のくせに何やってんだよ、とちょっとおかしくなる。

「協力してもいいけどめんどくさいってのがあんのよ。ほら、災害の募金なんかでも電話するだけで募金できるシステムあるじゃない？　振り込んでくださいって言われるとわざわざ銀行行くのはめんどくさいってなるけど、電話で済むならしてもいいって人がいっぱいいるのよ。そういう『面倒くさい』を拾ってけってことじゃないの、折口さんが言ったのって」

悠馬は論述は苦にならないが大河には苦痛なのだ。回答に論述形式を多くすると大河みたいに賛同はしていても自分の意見を述べるのが苦手というタイプを取りこぼすことになる。

女子の言った『めんどくさい』も、集計が面倒だという自分の手間を優先して考えている点で半分しか合っていない。

アンケート頼む側が手間を惜しんでどうするんだ、それも手間を惜しまない部分が間違っている。答える側が答えやすいアンケートを考えることに手間暇をかけるべきで、僕らも手間を惜しみませんからあなたたちも手間を惜しまないでくださいというのは違う。

「なるほど、僕たちの出発点自体に誤謬《ごびゅう》があったわけですね」

「それも」

郁が微妙に苛立《いらだ》たしげな顔で口を挟む。

「大人だって話し言葉で誤謬なんて単語をナチュラルに使う奴そういないわよ。あんたたちの年齢でとっさに意味分かるヤツ何人いるの。ひけらかすみたいに難しい言葉使うのやめときな、親切じゃないから」

ホントに頭がいい奴は誰でも分かる言葉で誰でも分かるように話すのよ。そう片付けられると一言もない。親切じゃないという指摘は刺さった。他にも何人か刺さった奴がいるようだ。

「大河を拾えるアンケートを作ろう」

名前を挙げられた大河がぎょっとしたような顔をしたが、悠馬は構わず続けた。

「お前に合わす。どんなアンケートだったら答えやすいか言って」

そして消極的になっていた女子たちを振り返る。

「協力してくれる人が気軽に協力できるように考えよう。どうしたら迷惑に思われないかも」

皆しばらく互いの顔色を窺っていたが、やがてぽつぽつ同意の声が上がりはじめる。

「下手に出たほうがいいと思う。絶対協力してください！　とかじゃなくて、協力できる人はお願いしますとか」

「協力してほしいのはこっちの勝手だもんね」

「先生とか大人に訊《き》こうよ、どうしたら迷惑じゃないかとか」

大人に訊くという意見で全員が郁を振り向いたが、郁は急にすみませんと襟元に叫んだ。

「忘れてました！　笠原一士、直ちにデモ隊警備に合流します！」

どうやら襟に無線のピンマイクがついているらしい。会話の相手は分からないが、怒られていることは筒抜けだ。

通信を終えた郁が「ごめん、あたしこれで」とあたふたして講義室を飛び出していく。余程こっぴどく叱られたらしい。たぶん相手は堂上だ。

残った子供たちが一斉に笑い声を上げた。

「大人なのにねー」

昨日『考える会』に謝罪に行ったときも堂上にあれこれと注意されていたので、郁はかなり粗忽《そこつ》なところがあるらしい。しかし悠馬は皆と一緒に笑う気にはならなかった。

「あんなんだけど大人だよ、あの人。僕たちよりは」

呟くと女子たちが「見えなーい」とまた笑う。笑ってたらいいさ、と悠馬は内心で思った。

笑ってるほうが子供なんだから。

【図書館の規制問題についてのアンケート】

1．図書館の本が未成年者に規制されることについてどう思いますか？

a．賛成　b．反対　c．関心がない

2．1で反対と答えた方へ。どうして規制に反対ですか？（複数回答可）

a．読みたい本が読めなくなるから。

b．読書の自由を尊重するから。

c．規制の理由に納得がいかない。

d．束縛されているようで反発を覚える。

その他（　　　　　　　　　　）

3．読書によって犯罪が助長されると思いますか？

a．はい　b．いいえ　c．わからない

4. あなた自身は読書によって悪い影響を受けますか？

a．はい　b．いいえ　c．わからない

5. 犯罪の助長を理由に読書が規制されることをどう思いますか？（複数回答可）

a．正しいと思う。
b．もっと厳しくするべきだと思う。
c．意味がないと思う。
d．信用されていないことにがっかりする。
e．子供を信用していない大人に不信感を覚える。
f．もっと子供を信用してほしい。
その他（　　　　　　　　　　　　　　）

6. あなたの好きな本が規制されたら、各種の推薦図書を読みますか？

a．読む　b．読まない　c．自分が興味を持てる本なら読む

7. 読書の規制や「高校生連続通り魔事件」について意見があったらどうぞ。

（　　　　　　　　　　　　　　　　　　　　　　）

「こんな感じでどうでしょうか」

見せろとは言っていなかったのだが、悠馬は玄田にアンケートの草案を持ってきた。

他人の経験則を頼ることを自分たちで思いついたのなら大したものだが、誰かに示唆されたのだとしてもそれを入れた時点で大したものだ。

アンケートは回答がほとんど選択形式になっているところがよく配慮されている。設問の数も絞ってあり、回答する側の利便が気遣われていることがよく分かった。

「なかなか考えたな」

玄田が率直に誉めると悠馬は得意げな顔をした。よほど仲間たちで知恵を絞ったらしい。

強いて言えば回答の選択肢に偏向が見られるが、子供たちは規制に反対の立場で取り組んでいるのだからこの程度は許容範囲だ。先日の情報提供騒ぎで配られた館長代理のアンケートのほうがよほど意図的に偏向している。

一つ抜かっているとすれば、

「規制に賛成する者への設問も入れておけ。どうして規制に賛成ですかってやつな」

悠馬が露骨に眉をひそめる。「必要ですか？」訊く声は率直な不満に彩られている。規制に賛成する者などいるものか、とその表情が語っている。

「それがバランスってもんだ。規制賛成派に見せる前提のアンケートだからな。建前だけでも設問のバランスは平等にしとけ」

急に悠馬がいたずらっぽい顔をした。

「それも大人のケンカ殺法ですか」

「そうだな、その三にしとくか。建前は巧《うま》く使いこなせってとこだな」

「分かりました、その設問入れて完成させます」

「閉館は七時だからな。時間がかかりそうなら明日に回せよ」

大丈夫です、と特殊部隊事務室を飛び出していった悠馬を見送ってから、玄田は来客用の机を振り向いた。折口が席を占拠してカメラの手入れをしている。今日はかなり長い間子供たちに張りついていたはずだから、何らかの示唆はここから出たのかもしれない。むしろ玄田にはそれが確信できたが、わざわざ聞き出して礼を言うのも筋が違うので訊かずにおく。

「いい記事書けそうか」

「そうね、素材はいろいろ集まってるわ。後はフォーラムの成り行き次第ね」

折口は言いつつ笑った。

「せいぜい私が書きたいような記事を書けるように頑張ってちょうだい」

「任せろ。何ならもう書き出しといてもいいぞ、図書館全面勝訴ってな」

いつ裁判になったのよ、と折口がまた笑い、変わらないわねと呟いた。

＊

フォーラムでは『考える会』が教育問題を盾に図書館の自主規制を強い論調で訴え、図書館が防戦に回る構えとなった。図書館側の論者は稲嶺を筆頭に原則派が列席している。

壇上の両サイドに『考える会』と図書館の論者が分かれて座り、対面式で討論するのを観客席で傍聴者が聞く形式だ。

図書特殊部隊は会場となった大講堂の警備に就き、堂上班の郁は傍聴者に混じる形で講堂内に配置されていた。

傍聴は『考える会』メンバーと動員された図書隊員がほとんどと思われたが、蓋《ふた》を開けると一般傍聴者が思いのほか増えた。定員五百名の大講堂は席が半分程埋まっている。予想以上の大盛況は、悠馬たちが学校に働きかけて保護者の出席を呼びかけた結果らしい。

大人のケンカ殺法その四です、と悠馬は笑った。「敵と同程度のサクラを仕込まないと不利ですからね」どうやらそれも玄田の仕込みだ。

本気で勝ちに行くつもりらしい玄田はと言えば、設営された警備本部に引っ込んでいる。表に出しておくと客に無駄な威圧感を与えるためだ。

「で、何で柴崎あそこにいるんですか」

持ち場から壇上を眺めて首を傾げた郁に答えたのはバディとなった小牧である。

「司会進行役で駆り出されたらしいよ。度胸あるし美人だから重宝なんだよね、彼女」

壇上の柴崎は討論の進行に従って資料を配布したり論者の水を取り替えたり、何かとこまめに立ち働いている。たまに場内でフラッシュが焚かれるのは折口だ。

会の前半は両陣営がまったくの平行線で終わり、進行のアナウンスが入った。

『それではここで市内の有志中学生による研究発表です』

客席から拍手が巻き起こり、舞台袖《ぶたいそで》から悠馬を先頭に数人の生徒が登場した。

大丈夫かな、と郁は壇上を眺めて気を揉《も》んだ。悠馬は遠目にも緊張がありありと分かる様子だ。硬い表情のまま硬い声で喋《しゃべ》り出す。日頃の饒舌《じょうぜつ》すぎるほど饒舌な様子は見る影もない。

「僕たちは中学生の立場から図書館の自主規制について考えるために、武蔵野市内の中学生を対象にしてアンケートを取りました。有効回答数は３２８１です。それではお手元の集計結果をご覧ください」

アンケートの集計結果は入場時に配布された資料に折り込まれており、場内に紙をめくる音が響いた。

１．図書館の本が未成年者に規制されることについてどう思いますか？

「賛成が３%、反対が82%、関心がないが15%です。問４を見ると分かりますが、関心がない層は読書そのものに興味がない層なので、本を読む中学生はほとんどが図書の規制に反対しています。また、本を読まない層の中にも、子供の読書の権利が大人に規制されることは問題だとして反対の立場を表明している人がたくさんいました。本は読まなくても、子供の自主自尊の象徴として関心を持っている人は大勢いるということだと思います」

2.　1で賛成と答えた方へ。どうして規制に賛成ですか？（複数回答可）

「規制に賛成した人は『十八禁などは貸し出すべきではないと思うが「考える会」の規制基準には反対』という意見です。『考える会』の規制基準に賛成の人は0％でした」

3.　1で反対と答えた方へ。どうして規制に反対ですか？（複数回答可）

「『読みたい本が読めなくなるから』『読書の自由を尊重するから』は反対の人全員が選んでいます。『規制の理由に納得がいかない』という意見はそれに次いで多く、これは余白に補足意見を書く人が多数いました。目立った意見をまとめますと『メディア良化委員会でさえ検閲していない本まで規制しようとしているのはおかしい』、『「考える会」の規制基準は独善的だと思う』、『「考える会」以外の保護者も支持している基準なのか疑問』などです。

また、『束縛されているようで反発を覚える』という意見にも補足がありました。こちらは『過保護すぎる』、『子供の自主性が育たないと思う』などです。

その他の意見は『「考える会」の干渉は却って子供と大人の信頼関係を壊すと思う』などがありました」

発表が進むにつれ『考える会』側の傍聴席がざわざわ騒がしくなった。前半で終始攻撃的に図書館への規制要求をぶつけていた『考える会』に比べて、アンケートを元に淡々と発表する悠馬たちは緊張して抑揚がなくなっているのだとしてもよほど理性的に見える。中立の傍聴者も聞き入っている気配だ。

「やめなさい！」

壇上で声を荒げたのは、悠馬と大河が謝りに行った『考える会』会長だ。子供たちが驚いたように黙り込んだ隙に図書館側の論者に食ってかかる。

「子供たちをフォーラムに参加させたのは『考える会』を批判させるためですか！　図書館が不利だからといって子供を担ぎ出すなんて……！　こんな差し金は公正ではありません、子供たちの退場を要求します！」

「子供たちが独自に考えることを条件に参加を許可しています。子供たちの要望に応じて助言をした職員はおりますが、子供たちの考え方を図書館側が誘導した事実はありません。また、フォーラムは意見交換の場であって、優位を競う場所ではないと考えております」

すかさず答えたのは稲嶺《いなみね》で、仕掛け人である玄田との意思疎通にはさすがに抜かりがない。

「このような参加をするという話は聞いていません！」

「それは『考える会』に賛同する立場でないと参加を認めなかったというように聞こえますが。それこそ公正ではないでしょう。子供たちが規制について自主的に勉強することこそが重要なはずです。社会活動の意義と責任を学ぶという目的は充分に果たしていると思われます
稲嶺と会長の間で意見の応酬が続く中、中立の傍聴者が座っている辺りから手が挙がった。

柴崎がすかさず図書館側の論者の一人からマイクを借り受け、

「一般傍聴の方からご意見があるようですので伺いましょう」

強引に討論を切って壇上を下り、手を挙げた傍聴者に駆け寄る。さすがの機転だ。

マイクを受け取ったのは中年男性で、PTAの一人らしい。

「保護者としては子供たちの自主的な意見を最後まで聞いてみたいと思います。図書館の規制については今まで無関心でしたが、子供たちがここまでしっかり考えているなら保護者として真面目に考えないといけませんし」

賛成の意を表明するためか、拍手の音があちこちから上がった。

「私たち『考える会』は教育委員会の推奨を受けて規制推進を訴えています。判断力が未熟な子供たちの意見と教育委員会の方針を同列に論ずるべきではありません。あなたは教育委員会の方針を批判なさるんですか」

反論する会長の声には苛立《いらだ》ちがにじみ出ている。発言した男性がまた答えた。

「しかし、先程の発表を聞く限りアンケート内容やまとめ方もしっかりしていますし、判断力がないと一蹴《いっしゅう》できるような幼い意見ではないと思いますよ」

「この子供たちは先日私たちの集会に花火を打ち込むという悪質なイタズラをしたんですよ！　そんな子供が信用できると言うんですか！」

あげつらう声に悠馬と大河が壇上で鞭《むち》に打たれたように凍りついた。会場がざわついたその刹那《せつな》──

「異議ありッ！」

ほとんど反射で郁が上げた声は、地声だったのに会場に大きく響き渡った。観客席から一斉に振り向かれて一瞬怯《ひる》むが、

「図書隊員女子、何か意見が？」

含むような笑みで指名した柴崎に緊張がすぅっと失せた。隣の小牧に軽く背中を押し出され、郁は柴崎が待つほうへ踏み出した。柴崎のほうも男性からマイクを回収して歩み寄る。互いに落ち合うその場所で郁は臆《おく》さず喋ればいい。

「確かに子供たちはイタズラをしましたが、ちゃんと『考える会』を訪ねて謝ったはずです！　会長さんは子供たちの謝罪を受け入れたじゃないですか！」

柴崎に差し出されたマイクに向かって一気にまくし立てると、壇上の会長が明らかに怯んだ。一般傍聴席が不審気にざわつく。

「きちんと謝ったら許してもらえるって親は子供に教えるんでしょう？　謝罪を受けたのに後

でこんなふうに攻撃する材料にするなんて、謝っても意味ないって覚えさせるようなものじゃないですか！」

一般傍聴者から拍手が上がり、柴崎がマイクを戻した男性が追撃した。

「子供たちが謝ったことを言わないのは不公平じゃありませんか？」

そして男性が壇上の子供たちを見上げる。

「続けなさい。君たちの意見を最後まで聞きましょう」

悠馬が頷き、またマイクに向かった。

「問4の規制に関心がないと答えた人については先ほど触れたので省略します。続いて……」

悠馬の声を聞きながら持ち場へ戻ると、小牧が笑って迎えた。

「ファインプレーだったね」

そう労《ねぎら》われたが、本音を言うと条件反射で声を上げてしまったようなものなので郁は決まり悪く照れ笑いした。

5. 読書によって犯罪が助長されると思いますか？

「はいと答えた人が12％、いいえと答えた人が63％、分からないと答えた人が25％です。はいと答えた人の中には『影響を受ける人もいるかもしれない』という意見が含まれています」

6. あなた自身は読書によって悪い影響を受けますか？

「はいと答えた人が０％、いいえと答えた人が92％、分からないという人が８％です。いいえと答えた人の補足意見としては『感動したくて本を読むので悪い影響を受けるとは思えない』、『過激な表現のある本を読んでスカッとすることはあるが、実際に真似しようとは思わない』、『現実とフィクションは分けて考えられる』などがあります。分からないと答えた人は『まだ悪い影響を受けたことがないので分からない』としています」

7. 犯罪の助長を理由に読書が規制されることをどう思いますか？（複数回答可）

「選ばれた選択肢は多かった順に『もっと子供を信用してほしい』、『信用されていないことにがっかりする』、『意味がないと思う』、『子供を信用していない大人に不信感を覚える』です。この四つはほとんどの人が選んでいました。

『正しいと思う』という意見については、子供が読んではいけないと納得できる本に関しての規制なら正しいという条件つきの意見が少数ありました。ただし、これは『考える会』の規制基準を認める意見ではありません。『もっと厳しくするべきだと思う』の回答は0です」

8. あなたの好きな本が規制されたら、各種の推薦図書を読みますか?

「読むという人が0%、読まないという人が42%、自分が興味を持てる本なら読むという人が58%です。この回答から分かることは、本を読むのが好きな生徒は自分で読みたい本を選ぶということだと思います。僕たちはためになるから本を読むのではなく、自分が興味のある本を楽しみたいから読みます。読書がためになるのは、楽しんで読んだ本で感銘を受けたり知識を得たりするからだと思います。子供が読みたい本を規制しても大人が読ませたい本を読むとは限らないので、ためになる読書を強制しても無意味だと思います」

9. 読書の規制や「高校生連続通り魔事件」について意見があったらどうぞ。

「多くの意見が寄せられましたが『過激な本や映画を好んでいた未成年者が犯罪を犯したからといって、すべての子供が同じように犯罪を犯すとは思わないでほしい』という意見が圧倒的でした。他には『もっと子供の判断力や良心を信用してほしい』という意見も多かったです」

「僕たちの学校の図書室は、今まで生徒の希望を重視した本を購入してくれていて、僕たちはそのおかげでいろいろな感動を本から得ることができました。ところが『考える会』の規制で、僕たちはその感動を大部分取り上げられてしまいました。図書館の本まで規制されたら、本を買うお金が少ない子供たちは読書の楽しみを大幅に失ってしまいます。僕たちは市立図書館に対して、読書の自由を守ってくれることを希望します」

悠馬のまとめのコメントに、一般の傍聴者から大きな拍手が上がった。

その後再開された討論では、『考える会』が巻き返すようにますます激しい論調で規制要求の正当性を主張したが、稲嶺の発言が最終的にはその舌鋒《ぜっぽう》を封じた。

「図書館は学校の延長機関ではなく、また家庭の躾《しつけ》の代行機関でもありません。もちろん教育の一助となることを否定するものではありませんが、開放された多様な図書の中から子供たちが自由に本を選択できる環境を提供することが自立への支援になると考えています。何より、娯楽作品との距離の取り方は保護者が指導すべきものです。その責任を学校や図書館に求めることは、保護者としての責任を放棄していることになるのではありませんか？」

終始決して荒げることのなかった稲嶺の声そのものが説得力となった。

「『考える会』並びに保護者の皆さんには、保護者としての責任を十全に果たすことを何より優先して考えて頂きたい。そのための支援が欲しいということであれば、図書館は豊富な資料の提供や児童室の読書指導ノウハウの公開など、あらゆる協力を惜しみません」

フォーラムが終わって悠馬と大河が挨拶に来たとき、郁たちは警備本部で撤収準備中だった。

「いろいろありがとうございました」

頭を下げた二人に玄田が笑う。

「こっちもお前らを利用させてもらったからな、ギブアンドテイクだ」

ぶっちゃけすぎの玄田に堂上が渋い顔になった。相手は子供ですよ、と堂上が諭すが、玄田は一向に気にしない。

「きっちり大人のケンカをやってのけたんだ、今さらガキ扱いすることもあるまい」

玄田の台詞に悠馬と大河は誇らしげに顔を見合わせた。そして今度は郁に二人そろって頭を下げる。

「援護してくれてありがとうございました、笠原さん。庇《かば》ってくれて嬉《うれ》しかったです」

いやだから、あたし反射で噛《か》みついちゃっただけなんだってば。と郁としては少し居心地が悪い。

二人が帰った後、堂上に図星を衝《つ》かれた。

「お前、自分が『考える会』にむかついただけだっただろう」

すみません、と郁が肩を縮めると、堂上は生真面目な顔のままで言った。

「謝罪にお前が同行したのは正解だったな」

俺だとあのタイミングでああは噛みつけない、という呟きはまるで自嘲《じちょう》のように聞こえた。

＊

フォーラムの最後で配られたアンケートは規制に対する慎重論が過半数を占め、武蔵野第一図書館はそのアンケートを論拠の一つとして『考える会』の要請した規制を棄却した。

この武蔵野市の結果が都下の図書館にも後押しになる気配である。

そしてフォーラムの翌週、折口の記事が掲載された『週刊新世相』が発売された。子供たちのフォーラム参加を切り口にしながら過熱する図書館規制の風潮を批判しており、これもまた教育委員会を牽制《けんせい》する効果があると見込まれている。

『新世相』は図書館の定期購入誌なので発売日には武蔵野第一図書館に入荷するが、その前日に図書特殊部隊には折口から見本誌が届いていた。

見せて見せてー、と業務の合間に特殊部隊事務室に押しかけてきたのは柴崎である。玄田は機嫌よく郁と柴崎に雑誌を放って寄越した。

「見るのはお前らが一番乗りだ。なかなかいい記事になってるぞ」

どれどれと付箋《ふせん》の貼ってあるページを開いて二人で覗《のぞ》き込む。

「あ、柴崎載ってるじゃん」

最初のページにフォーラムを仕切る柴崎の写真が使われていた。その一枚で誌面が華やかになっている。柴崎は打診されていたのか驚いた様子もないが、少し不満そうだ。

「右向きの写真がいいって言ったのになぁ」

折口の記事は公正な視点を保ちながら、しかし読み進むうちに自然と図書館に共感するような巧緻《こうち》な構成になっていた。

最後のページをめくった柴崎が首を傾げた。

「これあんたじゃない？」

「え⁉」

柴崎の指差した写真は小さなショットで、横顔を斜め後ろから撮るようなアングルで立ち姿を収めてあった。

キャプションには『図書館を責め立てる集会を警備する隊員。彼女の胸中はいかばかりか』とある。ソフトフォーカスはかかっているが、自分の写真だとしっかり分かる。

「写り小さいけど凛々《りり》しく撮れてるじゃない？　なかなかのもんよ」

「いやいや問題そこじゃなくて！　やばいってこれ、親に見られたら分かるかも……」

隊長、と思わず玄田を詰《なじ》る口調になると、玄田も雑誌を覗きに来た。写真を見て眉をしかめ、折口の奴、と唸《うな》る。

「堂上がうるさいじゃねえか、矢面に立つのは俺だぞ」

「心配すんのそこですか！　違うでしょ、被害者あたしですよね明らかに！」

「顔がはっきり写っとるわけでもなし、親に見咎《みとが》められたらシラを切れ。いざとなったら記事書いた奴の勘違いだと口添えしてやる。でかいから警備と間違えたらしいってな」

「でかいとかチョー余計なお世話です！」

嚙みついた郁に玄田は一向にこたえない。

「それはそうと、ガキどもから電話があってな」

ここで話が変わったらもう玄田に反省を求めても無駄である。郁は力なく肩を落とした。

「学校図書室の規制解除を目指して運動を始めたそうだぞ」

郁は柴崎と顔を見合わせた。柴崎が先に「やるわね」と笑い、郁の顔もほころんだ。

「よし、喜んだな。いいニュースを聞かせてやったからチャラだ」

「いや、それは話が違うんですけど！」

突っ込んだとき、ドアが開いて堂上が入ってきた。玄田があからさまにぎくりと肩をすくめ、入れ違いで部屋から逃げ出す。

怪訝《けげん》な顔で見送る堂上に柴崎がすかさず雑誌を見せ、堂上が見る間に表情を険しくした。

「隊長！　どういうことですかこれは！」

追って飛び出していった堂上を見送り、柴崎がからかう口調を郁に寄越す。

「相変わらず過保護なことね、あの人は」

「責任感ムダに強いから」

郁は軽くあしらい、もう一度雑誌に目を戻した。

記事がよかったから写真のことはもう水に流してもよかったが、玄田の「でかい」は激しく余計だったので郁が仲裁してやる義理はない。

……でも、ちょっといい写真よね。

背筋がまっすぐ伸びた立ち姿は、自分で言うのも何だが凜としている。他人から自分がこのように見えているかと思うとあまり悪い気はしなかった。

図書館の自由が侵される時、
我々は団結して、あくまで自由を守る。

＊

襲撃は迅速かつ圧倒的だった。

前年に規模を拡大した新館に移転し、館員が館内の配置に不慣れだったことも不幸だった。非戦闘の図書館員が残っている閉館直後を衝かれたこともあり、避難と応戦が混乱して襲撃後二十分を待たずに日野図書館は閲覧室を占拠され、職員たちは書庫のある地下に立て籠もって敵の激しい銃撃を凌《しの》いでいる状態だった。

『我々はァー、反社会的な図書と優良図書を同列に扱いィ、公序良俗を乱す図書館を憂いィ、鉄槌《てっつい》を下さんとするものであるゥ――――！』

銃声が雨音のように無造作に響く中、拡声器でひび割れた調子っぱずれの声が屋外でがなる。

日野図書館では数年前から警備員の標準装備に拳銃《けんじゅう》を導入していたが、襲撃者たちは短機関銃《サブマシンガン》や散弾銃などで武装しており、火力の点でまず対抗できなかった。何より非戦闘員である一般職員を大勢伴っている状態では防戦一方にならざるを得ない。

稲嶺《いなみね》は図書館長として職員を指揮する立場だったが、地下に立て籠もった状況でできることは少なかった。現時点で重傷者や死者が出ていないことが救いである。

「警察はまだ来ないのか！」

書庫の外に築いたバリケードで応戦する警備員の問いは悲鳴に近い。警察への通報は襲撃の初期段階で為《な》されていたが、鎮圧のための機動隊は未《いま》だ到着していなかった。

「もう一度通報してみます！」

書庫の電話で外線を繋《つな》いだ女性職員を稲嶺は押しとどめた。催促なら再三しているが今出る今出ると蕎麦《そば》屋の出前で、要するに警察には介入する気がない。現場に駆けつけた分館の職員からの報告によると、警邏《けいら》は到着して図書館近辺の封鎖措置をしたが、それ以上の対処はないという。

「以降、図書館回線は警察通報に使用しない！　各自の携帯から通報、図書館と名乗らず近隣住人を装い抗争鎮圧を要請しろ！　受話器にはできるだけ銃声を入れるな！」

音を避けて携帯持ちの職員たちが書庫の奥へ走る。間近に銃声が聞こえる環境では、逆探知をされなくても図書館から通報していることを悟られてしまう。

警察が図書館の味方でないのは毎度のことだがそれにしても今回は酷《ひど》すぎた。良化特務機関との抗争については不介入が慣例化しているが、今回の襲撃はあきらかに無関係の団体によるものだ。分館の職員たちも到着した警邏にそれを訴えているらしいが、確認が遅れているだの何だの言を左右にされるばかりらしい。

そもそも、封鎖のために警察が出動したこと自体が良化特務機関の襲撃でないことを認めているようなものだ。図書館抗争では市民への被害責任は良化特務機関が負うことになっている。能動的に襲撃する側が二次被害についての責任を負うべきという法解釈が為されているためで、これに従って良化特務機関は襲撃に伴う周辺地域の封鎖措置や安全対策も自主的に行う。

それに伴う通達も警察側にされているはずであり、襲撃が良化特務機関であるならそもそも現場封鎖のために警察が出動するはずがないのである。

しかしそれを現場の警邏に訴えても詮無《せんな》い話だ。

「あなた」

稲嶺に声をかけたのは同じ図書館員の妻で、稲嶺は何も訊かずに自分の携帯を渡した。妻は自分の携帯を持っていない。受け取った妻が三桁《けた》の番号を押しながら奥へ向かう。

「立川《たちかわ》はまだか！」

日野市周辺の図書館では立川市立図書館が大口径火器を装備に導入しており、襲撃者の武装に対抗できると思われた。しかし襲撃の混乱で応援の要請に手間取り、どこの図書館も初動が遅れている。日野市内の分館は装備が貧弱で、他地域の大規模図書館からの応援と合流せねば現場への突入もできない有り様だった。

耳慣れない結社名を名乗ったその団体には、交戦規定も何もあったものではなかった。良化特務機関であれば代執行の通達による猶予があるし、その通達が不意打ちであっても非戦闘員である一般職員は攻撃しない規定が成立している。しかしこの襲撃者たちは、非常口から脱出しようとした一般職員にも容赦なく狙撃《そげき》を加えた。死者が出なかったのは奇跡である。

「立川の応援部隊と連絡取れました、到着まで推定二十分！」

「八王子も同様です！」

何とか保《も》つか。閲覧室の被害は免れまいがそれはやむを得まい。

「救急へも連絡を続けろ、救急側からも警察へ鎮圧要請が入るかもしれん」

銃撃で負傷者が出ているので一一九番へも通報しているが、襲撃者が鎮圧されないと怪我人の収容もできない。

と、奥で通報していた職員たちが咳《せ》き込みながら戻ってきた。

「空調ダクトから煙が……！」

外線を取っていた職員が前後して叫んだ。

「閲覧室に火を点《つ》けられたようです！　遠方からも炎上が確認できるとのこと！」

報告してきたのは外部で応援を待って待機している分館の部隊らしい。

「何で火災報知器が作動しないんだ！　消火装置も！」

誰かが責めるように叫ぶが、ダクトから煙が逆流したことから考えて排煙装置を含めた保安設備が丸ごとダウンしているのだろう。だとすれば敵は占拠した警備室でそれらの設備の制御を破壊してから火を点けたということである。

あまりのことに全員が言葉を失った。稲嶺も同様である。

相当数の蔵書の破損、または強奪を覚悟してはいたものの、まさか保安設備を破壊したうえで館に火を放つなどという暴挙に及ぶとは——正義を語って本を焼くという転倒した価値観に目眩《めまい》がする。

本を焼く国ではいずれ人を焼く、言い古されたその言葉は反射のように脳裏に浮かんだ。

「……分館に消防通報と脱出の援護を指示！　本館職員はこれより非常口から脱出する！」

まだ応援が到着していない状態でどこまで援護が可能か甚だ不安だが、応援の到着を待っていたら煙に巻かれる。

「図書は！」

悲痛な部下の叫びは稲嶺にとっても気持ちは同じだ。規模を拡大した新館で念願だった蔵書の増加も叶《かな》い、ことに書庫には貴重な郷土史の資料が大量に保管されている。

「諦《あきら》めろ！」

稲嶺としても断腸の思いである。

書庫から出ると銃撃は止んでいた。煙は上へ上っているのか、地下にはまだ充満していない。ダクトから逆流する煙で書庫内のほうが息苦しいくらいだ。

「あれだけ」

稲嶺の妻が言うなり書庫に戻った。

「よさないか！」

止める稲嶺にちょっとだけちょっとだけと話を聞かないのは家では毎度のことだが、さすがにこの状況でいつものように悠長に待っているわけにもいかない。

「急ぎなさい！」

庫内に怒鳴ると、妻は咳き込みながら一冊の本を抱えて出てきた。銃を持っている警備員が先に立ち、姿勢を低くしながら全員で階上を目指す。

一階に上がると煙の密度が一気に増した。

「高い位置で呼吸するな！　膝《ひざ》で進め！」

　指示しながら稲嶺も床に膝を突いてにじり歩く。ガソリンでも撒《ま》かれたのか閲覧室には完全に火が回り、玄関は激しい火勢で近寄ることもできない。

　雨雲のような濃い煙が床上一メートル程まで垂れ込め、この中で一呼吸でもすればすぐさま昏倒《こんとう》するだろう。一昨年ぎっくり腰をやってからめっきり腰痛持ちの稲嶺に低い姿勢のにじり歩きはかなりきつい。

　火に追い立てられつつ立って走れない状況で、気持ちだけは切実な徒競走だ。熱風に煽《あお》られ火に炙《あぶ》られ、立って歩けばとっくにたどり着いている非常口は絶望的に遠かった。

　電気回路が焼け落ちたのか煙で遮られてか照明はとっくになく、光源は火の照り返しと足元の誘導灯だけだ。その誘導灯をじりじりとたどるうち、煙を吸って意識を失う職員が続出し、一人を数人がかりで引きずって更に歩みが遅くなる。

　ようやく非常口にたどり着き、先頭の職員が非常口を開け放つと、煙が凄《すさ》まじい勢いで外へ流れ出た。転げ出るように職員たちが表へ飛び出す。

　その走っていた職員たちが次々と転倒した。

　責任者として最後まで中に残っていた稲嶺には何が起こったのか理解できず、扉の前に呆然《ぼうぜん》と立ち尽くした。倒れなかった職員たちが一度逃げ出した非常口にまた逃げ込んでくる。転倒した者は動かないかあるいは這《は》って戻ろうとし、這おうとした者は動ける職員たちに助けられ担ぎ込まれる。

「館長伏せて！」

若い職員に力尽くで引き倒されたとき、火が爆《は》ぜ唸《うな》る咆哮《ほうこう》に紛れてようやく──雨あられの銃声が聞き取れた。

何ということを。もはや言葉にさえならない。

火に追われて逃げ出してくる者を狙い撃ちしたのか。

我に返ると屋内には妻がいなかった。外で倒れたまま動かない人影の一つが本を抱えている。

「館長ッ！」

制止の声も実際に止めようとした腕も振り払った。身を伏せることさえせずに、そのまま表へ歩み出る。

「今すぐ攻撃を停止しろ！」

怒鳴った声は火の騒ぐ音さえ圧した。

「君たちは──公序良俗を謳《うた》って人を殺すのか！」

それが正義だとすれば、正義とはこの世で最も醜悪な観念だ。そして、こんな醜悪の根拠にされるメディア良化法とは一体何だ。

気迫が弾を逸《そ》らしたかのように稲嶺は撃たれないままつかつかと十数歩を歩き、しかし妻の元へたどり着く直前に右足が掻《か》き消えたようにバランスを失って転倒した。

稲嶺が被《かぶ》さるように倒れたその下で、急《せ》くような浅い呼吸音が聞こえた。数年前に亡くした愛猫の末期のような息だった。

すまない、重いだろう、すぐどこう。そんなことを言おうとして、声の代わりに血を吐いた。

撃ち抜かれたことを自覚していた右足だけでなく胴体にも食らっているようだった。

倒れた妻に声をかけようとして血を吐きかけながら、稲嶺の意識はそこで途切れた。


意識を取り戻したとき、右足は大腿部《だいたい》の半ばで切断されていた。

大量の失血と胸部被弾による肺の損傷で稲嶺は長く生死の境をさまよい、その間に妻の葬式が出たことは枕から頭さえ上がらない状態で聞いた。子供がいなかったので喪主は妻の父親が代理を務めたという。

本館職員のみならず脱出を援護しようとした分館応援の被害も甚大で、人的被害は死者だけで十二名に上った。

蔵書も火災と消火活動の放水で全損し、残ったのは稲嶺の妻が持ち出した一冊だけだった。

その一冊は事件から二十年が過ぎた現在に至るも稲嶺の手元にある。――血で汚れ、貸し出しできない状態だったので形見として稲嶺に譲渡されたのだ。

妻の持ち出していたその本は郷土史に関する一冊で、市役所の資料室に収められていたものを稲嶺が長年の交渉の末に図書館に引き取ったものだった。

『日野の悪夢』と名付けられたその事件では、デマと一蹴《いっしゅう》するには生々しすぎるディテールを持った噂が囁《ささや》かれていた。

警察の介入が遅れたのはメディア良化委員会からの圧力によるというものである。

襲撃者は全員送検されて刑に服したが、彼らを支援した嫌疑がかけられていたメディア良化委員会への捜査は途中でうやむやになって打ち切られた。

その後、稲嶺は日野図書館長を退き、現在の図書隊制度の整備に心血を注いだ。

本を守るために血を流すことを前提とした図書隊制度への反発は強く、今でも稲嶺は図書館抗争を激化させた中心人物として批判されることが多い。

しかし、それなら批判する人々は蹂躙《じゅうりん》される図書を守ってくれるのか。貧弱な装備で図書を守る館員に代わって血を流してくれるのか。図書と図書館員を守るには武装強化するほかないと稲嶺はすべての批判を押し切った。

公序良俗を謳って人を殺すのか。あの日、日野の襲撃者たちを弾劾した言葉はそのまま稲嶺を弾劾する。本を守ることを謳って人を殺すのか。

殺すとも、と言い切れるほど割り切ることはできないが、やはり稲嶺は無抵抗を却下する。「図書館はすべての不当な検閲に反対する」図書館の自由法に保障されたその権利は、無抵抗では維持できないことが既に証明されている。

そして、図書館の自由法は最後を「図書館の自由が侵される時、我々は団結して、あくまで自由を守る」と結ぶ。稲嶺は侵害される自由を守る方法を戦う以外知らない。

『日野の悪夢』による私怨《しえん》を晴らしているだけではないのかという批判はことあるごとに噴出するし、死んだ妻が武装化を望んでいると思うかと論されることもある。

前者に関しては私怨がないわけがない。しかし私怨とは別の問題で武装化はやむを得ぬ選択だという判断があることも確かである。

後者に関しては、死んだ妻の感想など稲嶺にさえ分からないのだから諭す者にも当然分かるわけがなく、そのような架空の前提の問いに対する答えを稲嶺は持たない。

そして、

「我々は、メディア良化法に楯突《たてつ》いて公序良俗と人権を軽んじる図書館を憂い、人質の生命と引き換えに『情報歴史資料館』の資料破棄を要求するものである！」

このような手段で図書館を弾圧する輩《やから》がいる以上、図書館は図書隊という防衛力を放棄するわけにはいかないのだった。

＊

三十年間の無風地帯、それが財団法人『情報歴史資料館』である。

理事長は小田原《おだわら》在住の資産家、野辺山宗八《のべやまそうはち》。『情報歴史資料館』は野辺山が私的に所有する図書や映像記録を主な所蔵品とする私立図書館であり、所在地も小田原となる。

来館受付は紹介制のうえに完全予約制となっているこの図書館の所蔵品は、各種雑誌や新聞、テレビ番組の録画記録などである。

より具体的に言えば「メディア良化法に関するありとあらゆる報道記録」ということになる。法案成立以前からのメディア良化法に関する全報道記録を保管している図書館として、図書館界や報道界にその存在を知らない者はない。加えてメディア良化委員会の関係機関、延いては法務省にとっても無視し得ない存在だった。

『新世相《しんせそう》』の発行元である世相社を系列に持つ企業グループの会長であり、メディア良化法案反対派でもあった野辺山は、良化法成立後すぐに『情報歴史資料館』を財団法人の扱いで立ち上げている。良化法の批判が困難になる世相を予測して、その時点までの良化法案報道を内容の区別をつけず収集し、その後もそのスタンスを貫いたものである。

収集に恣意を交えないことを建前としながらも、その目的はメディア良化法に不都合な報道記録を残すことであり、特に法案成立以前からの報道推移を体系的に保存している点については歴史的な資料価値が発生している。

これが公立図書館であれば、真っ先に良化特務機関や良化法支援団体の攻撃対象になったのだろうが、『情報歴史資料館』が私立図書館であることがその立ち位置を微妙にしていた。

野辺山コレクションを財団法人化した『情報歴史資料館』は、その性質が公立図書館と大幅に異なる。良化委員会が『情報歴史資料館』に検閲を加えることは、財団の固有資産の押収となり、『情報歴史資料館』が私立図書館として図書館の自由法に基づく図書防衛権を持つ関係上、事例によっては良化委員会を告訴することが可能と解釈されていた。

ちなみに公立図書館は資産が公共のものと解釈されるため、検閲権が公共物にまで及ぶ良化委員会の検閲を法的に訴えることはできず、図書防衛権を直接戦闘権に替えて行使することで対抗している形である。

告訴の可能性に加え、一般への公開が制限されている運営形態であることも鑑み、メディア良化委員会は『情報歴史資料館』の存在を半ば意図的に無視してきた。

結果的に『情報歴史資料館』は、メディア良化委員会が警戒する資料を大量に所蔵しながら、設立以来の三十年を作為的な無風状態に過ごした。

この均衡が崩れたのが十月下旬のとある一日である。

『野辺山宗八氏死去　野辺山グループ前会長

総合商社を中心に多角的な経営を展開している野辺山グループの前会長で最高顧問、野辺山宗八氏が十月二十二日午前五時三十二分、小田原市内の病院で死去した。八十四歳。神奈川県出身。葬儀・告別式は二十六日午後〇時から、東京都港区、野辺山葬祭麻布《あざぶ》会館で。葬儀委員長は寺沢泰蔵《てらざわたいぞう》・野辺山グループ広報理事。喪主は長男で野辺山グループ現会長の野辺山正富《まさとみ》氏。

野辺山氏は会長職を退いた後、小田原市で営んでいた私立図書館の運営に専念していた。野辺山氏の死去に伴い、図書館は閉鎖されることが決定している』

新聞各紙に載った小さな訃報《ふほう》記事に、図書館界、報道界、メディア良化委員会陣営、すべてが注目することとなった。

「このたびの『情報歴史資料館』閉館に伴い、所蔵されている全資料を関東図書隊が引き取ることになった」

玄田《げんだ》の発表に会議室は騒然となった。図書特殊部隊の全体会議の席上である。

事情が分からず一人完全に乗り遅れて浮いた郁《いく》に、

「メディア良化委員会に関する歴史的な報道資料を所蔵した小田原の私立図書館だ」

不機嫌な声で説明を投げたのは後ろに座っていた堂上《どうじょう》である。絶妙なフォローのタイミングは郁の知識レベルを完璧《かんぺき》に読んでいる。

「まさかお前知らなかったのか!?」

愕然《がくぜん》とした様子で尋ねたのは隣の席の手塚《てづか》である。

「え、だって地方の私立図書館なんて知らないわよ。小田原あんまり行ったことないもん」

「言っとくけど『情報歴史資料館』を知らない図書隊員なんか日野図書館を知らない図書隊員並みにあり得ないぞ! 信じらんねえお前!」

「だって司書講習だって教えないでしょそんなん!」

郁が言い返すと手塚は無視して後ろの堂上と小牧《こまき》を振り向いた。

「給料上げてください。俺とこいつが同じ階級で同じ給料なんて納得できません」

「まあまあ、一般認知度のサンプルが隊内にいると思えばいいんじゃない？」

小牧がフォローしながら「無知には無知なりの価値があるものだしね」と最後に突き落とす。

悪気はまったくない辺りが凶悪だ。しかし落とした代わりに丁寧に説明はしてくれる。

「良化法に関する報道資料を網羅している関係上、賛成・反対両派にとって重大な意味を持つ図書館でね。特に反対派にとっては入手が難しい良化法批判資料を閲覧できるという点で重要な施設でもあった」

「そんな重要なのに何で閉館しちゃうんですか」

「野辺山グループ系列の財団法人として運営されてたんだけど、理事長の野辺山氏が死去して、野辺山グループは『情報歴史資料館』を維持する意志がないらしいね。現会長はメディア良化問題にはあまり関心がない人らしいから。維持してほしいという声は多かったし、陳情も多数あったんだけどね」

野辺山も死後のそうした情勢は予測していたのか、『情報歴史資料館』に関して閉館を前提とした遺言状が遺《のこ》されていたという。所蔵品は適切な管理と資料収集の継続を条件に、財団の全資産と共に関東図書隊に寄贈するという内容だ。加えて野辺山の個人資産もその一部が寄附の形で図書隊に託され、資金面でもかなりの支援を得たことになる。

「引き取った資料は図書基地で保管することとなった。資料の引き取りには良化特務機関及び賛同団体の妨害が予想されるため、図書特殊部隊が総力を挙げて当たる。『情報歴史資料館』の閉館日は告別式当日となり、資料の受け渡しもその日に行う」

図書隊としては受け渡し日時は伏せたかったのだが、野辺山グループは閉館の問い合わせに応じて早くも予定を発表する構えである。

「取り急ぎ、『情報歴史資料館』には神奈川管内より派遣した防衛員で警備体制を敷いており、我々も合流する。また、資料の輸送にはUH60JAを使用し、二度の往復で輸送を完了する」

玄田の説明を聞いて郁は目を丸くした。入隊して以来、UH60JAが特殊部隊の訓練以外で運用されるのは初めてである。

「うわ、めちゃくちゃ本気だ」

思わず呟《つぶや》くと「当たり前だろうが」と堂上が叱る口調で言った。

「え、でも二往復で運べるんですか。小なりとはいえ仮にも図書館の蔵書量ですよ、汎用《はんよう》ヘリの二往復で片付くとは思えないんですけど」

「UH60JAの機外吊《スリング》り下げ能力は三五〇〇kg以上ある。それに『情報歴史資料館』の資料は半分以上がマイクロフィルムに圧縮されてるから、その分はデータ転送できる。累計七トンの搭載量なら残りの非圧縮資料を運ぶには充分だ」

陸送なら搬送車輌が大量手配できるので一度の往復で輸送完了できるが、一方で空輸は離陸してしまえば住宅街にヘリを墜落させるわけにもいかないので妨害が不可能だ。陸路の一往復より大掛かりになる分手間だが、警備的には空輸のほうが安全である。

受け入れる基地側の警備も近県の防衛部から応援を手配して大増員する手筈《てはず》だ。

玄田が警備計画の編成を発表した。直ちに現地警備に合流する隊と当日の輸送から合流する隊に分かれる編成だ。

堂上班は即時合流となったが、

「なお、笠原《かさはら》は当日の告別式に参列する稲嶺司令の警護応援に当たるものとする」

玄田の補足に郁は啞然《あぜん》とした。呆気《あっけ》に取られているうちに会議は畳まれ、郁は玄田に対して質問の機会を失った。

「どういうことですか」

席を立った堂上に郁は詰《なじ》る口調で食い下がった。

「どうしてあたしだけ外されるんですか」

采配《さいはい》は堂上としか考えられない。図書特殊部隊が総力を挙げて取り組むという作戦から一人だけ外されたことは、最前線から退けられたという感覚しか持てない。

「適性を考えた結果だ」

堂上の声は予想どおりにそっけない。

「納得できません！　図書特殊部隊から一人だけ応援を出す意味ってどこにあるんですか！　防衛部の人員は豊富なはずです！」

「本来、要人警護は図書特殊部隊の任だ。今回は『情報歴史資料館』の作戦とかち合ったために防衛部に委任することになったが、うちから人員を出さんわけにはいかん」

「でも何でそれがあたし一人だけなんですか!?」

問い詰めながら建前の裏側は本当は見えている。司令の警護を防衛部に委任したということは、任務の重要度と危険度は資料引き取りのほうが上と判断されている。部署間のバランスの問題で人員を出さねばならないとしたら、割く戦力は最小限で済ませたいのは道理だ。

そしてそれが叶《かな》う状況なのだ。

「司令が告別式で弔辞を述べることになってるんだよ。亡くなった野辺山氏と懇意だったからね。外部行事でそうした役を受けるなら介助役は女性のほうがスマートだし、いざというときも護衛できる点で笠原さんは貴重なんだけど、理解してもらえないかな」

小牧のフォローはフォローであることが分かりやすすぎて、却《かえ》って僻《ひが》みが煽《あお》られた。見た目に整うから、印象がよくなるから、あたしの価値はそれだけか。

「要人警護の経験がない人間がもしものとき適切な対処ができるとは思えません。采配に無理があります。警護の確実性を上げるならベテランをつけるべきじゃないんですか」

自分を追い詰める理屈ならいくらでも出てくる。見た目のスマートさと警護の確実性を比較して前者を取れるような状況でない以上、郁が抜擢《ばってき》される理由などないのだ。そもそも野辺山グループの告別式に参列することに一体どれほどの危険性があるというのか。要人警護などと言っても形式的なものであることは明らかだ。

そうでなければ使えない新米を一人回してそれでよしとなるわけがない。

使えない、と自分でその言葉を浮かべたことが自分を傷つける。

「経験がないからこそ今回経験してもらいたいんだ。足の不自由な司令が外部行事に参加する機会はそれほど多くないからね」

「じゃあ何で手塚は一緒じゃないんですか。要人警護の経験がないのは手塚も同じです。手塚は要人警護の経験積まなくていいんですか」

いきなり引きずり込まれて手塚が気まずそうによそを向いた。

「ごまかさないでください」

詰め寄られた小牧が困ったように笑う。と、堂上が低い声で割り込んだ。

「もういい」

ぎくりとするような恐い声に郁が一瞬怯《ひる》むと、じろりと下から睨《にら》まれた。視線の圧力だけで体が後ろへ退《ひ》きそうになる。

「ごまかさなくていいようだから言ってやる。お前の思ってるとおりだ」

何を言われるのかその前置きで分かった。

「手塚と比べて戦力にならない、だから外した。何か文句は」

使えないなら使えないってはっきり言ったらいいじゃない。僻んでしつこく食い下がりつつ、実際そうと宣告されるとそれが聞きたいわけではなかった。

そんなことはないと覆す理由が欲しかった。力不足で外されたのではないと信じられるような。小牧のフォローにあたしが欲しいのはそんなのじゃないと駄々を捏ね、結局一番痛い言葉を一番聞きたくなかった人から聞く。

「堂上教官はあたしのことを信用してないんですね」

堂上がどう答えるかなど分かっているのにまだ食い下がる、その食い下がる自分自身が理解できない。何でわざわざこのうえ斬られに行くかあたし。

駄々捏ねたってこの人はあたしの欲しい返事なんか絶対くれないのに。何でわざわざとどめをもらうようなこと。

「信用できるほどの何かを見せたのか、お前は」

ああやっぱり。そして、分かっていたのにやっぱり痛い。

「告別式までのシフトは防衛部の警備ローテーションに組み込んでもらってあるから防衛部長の指示を請え」

最後に紋切り口調の指示を残し、堂上は会議室を出て行った。手塚も気兼ねしながら続き、最後に残った小牧が「一応」と口を添える。

「フォローにしか聞こえないかもしれないけどさ、笠原さんに要人警護員としての成長を期待してるのは確かだよ。今回は経験の一つと考えてくれないかな。大企業の告別式みたいな特殊な行事に参加する機会は少ないし、貴重な経験になると思うよ」

小牧は郁のリアクションをしばらく待ったが、郁が何も言わないので小さく苦笑した。

「——伝言があったら聞くよ?」

そう言われて郁は初めて顔を上げた。

「……戦力外というのは本気で思っておられるんですか」

廊下を歩きながら手塚が遠慮がちに発言した。堂上は手塚をちらりと見上げたが、また正面に目を戻した。

手塚が微妙に気兼ねをしながらまた主張する。

「確かにバカで物知らずですが、使えないとは思いません。瞬発力や反射神経は俺が及ばないことも度々ありますし、俺と比べて戦力にならないという言い方は妥当じゃないと思いますが。笠原が戦力にならないなら、同期の俺もレベルはそれほど変わらないはずです。女子ですから基礎体力で劣る点はありますが、訓練結果をトータルすれば充分競《せ》ってますし」

「以前あれほど笠原に突っかかってた奴の言葉とは思えんな」

投げた台詞《せりふ》はあきらかに不当で、不当であることは堂上自身が自覚していたので表情は苦くなった。手塚も不本意だったようで表情が剣呑《けんのん》になる。

「笠原には笠原なりの選抜された理由がある。そう仰《おっしゃ》ったのは堂上二正です」

隠さずに険を出した声は、はっきりと堂上を責めていた。その後ろめたさと無縁の正当さに怯むが、詫《わ》びる言葉はとっさに出ない。言葉を詰まらせた堂上を手塚は容赦なく追い討った。

「上官の立場でダブルスタンダードを使うんですか」

正しく使われた正論は痛烈に刺さった。そうだなと呟くと手塚の気配も少し緩む。こちらも生意気でした、と一人前のフォローだ。

走る足音が追いついて来て、小牧が並んだ。

「今に見てろチビ！　大っ嫌い！　だって」

うわっと手塚が思い切り引いた。

「見境ねえー……引くわあいつっ」

「恐いもん知らずだよねホント」

小牧の声は完全に面白がっている。堂上はむっつりと呟《つぶや》いた。

「見境がないのは前からだ」

手塚が戸惑う気配になった。どうやら声はかなり頑《かたく》なに聞こえたらしい。受け答えを迷って
結局黙り込んだ手塚の様子に、小牧が笑って口を挟んだ。

「入隊早々チビで根性悪のクソ教官とか言いたい放題だったしね」

でも、とさらりと付け足して、

「今回は言われても仕方がないんじゃない」

うっかりすると聞き流すほどに何気ない口調の皮肉に、居心地が悪そうになったのはむしろ手塚だった。外したほうがいいと思ったのか、「出張準備してきます」と二人を残して歩調を早める。この辺の空気の読み方はソツがない。

手塚の背中が遠くなってから、小牧にしては珍しくやや咎《とが》めるような調子で言われた。

「投げっぱなしで逃げるなよ」

正論本家はやはり痛い。

「外したのは堂上の都合だろう。自分の都合を笠原さんのせいにするな。俺にフォローさせるのも違うだろ」

黙り込んだのは返す言葉が見つからないのと後ろめたさを真っ向突かれてふてたのと。正論が好きな奴は優しくないよと小牧が常から言うように、小牧はこうしたときに馴《な》れ合いに逃げさせてはくれない。小牧は自分にも他人にも平等に厳しい。

「笠原さんの事情は笠原さんが処理したもんだろ、あの子はもう大人なんだから。お前が余計な手出しする筋合いじゃない」

冷静に扱えないなら手放したほうがいいんじゃないの？　よその班長のほうが多分よっぽど巧《うま》く使うよ。

小牧の非難は皮肉でないだけにどこまでも痛烈だった。

「うわー、今のあんたってあたしでも突破できそう」

正面玄関の警備に立っていた郁に言い放ったのは柴崎《しばさき》である。

休憩時間を合わせて昼食の約束をしていたので迎えに来たらしい。警備のほうは休憩シフトの変更が利かないので合わせたのは柴崎だ。

華奢《きゃしゃ》な柴崎に突破できるなどと言われては特殊防衛員の沽券《こけん》に関わるので郁は憤然とした。

「舐《な》めんな！　不審者は何人《なんぴと》たりともあたしの前は通過させねえってのよ」

「えー、でもしょぼくれてるよねー」

ねえ野村《のむら》、柴崎が話しかけたのは郁と組んでいた防衛員だ。同期なので柴崎の口調は気安いが、話しかけられた野村のほうはうわずる。

「ああ、うん、ちょっと元気ないかなーって俺も思ってましたっ」

何で同期なのに柴崎には敬語になんのよ、と思ったがそれは追及しないでおく。毒舌が玉に瑕《きず》だが何しろ美人なので柴崎は男性隊員に人気があり、彼もその一人だろう。

交替要員が来てから警備を引き継ぎ、女二人で連れ立って館外へ出る。給料日前なので今日は金のかからない隊員食堂だ。

「野村あんたのこと誘いたかったんじゃない？」

交替が来るまでの間そわそわしていたのは、昼食に誘うタイミングを探していたのだろう。結局言い出せずに別れてがっかりした様子だった。

「だめだめ。あたしガキ興味ないし」

「ガキって同い年でしょーが」

「いやいや、最低あたしより五つは年上じゃないと男として認識できない。おっさん好きなのよね、あたしって」

「それ聞いたら複雑だと思うわよ、あの人」

話題に出しながら堂上の名前を口に出すことを微妙に逃げたのは、やはり柴崎の言うとおりまだしょげている。

「そう言えばもう小田原入りしてるんだっけ、堂上班は」

そう訊《き》かれると堂上班なのに一人で残っている自分の置いて行かれた感が再確認され、柴崎にうんと答えた声は自分でもうんざりするほどしょぼくれていた。

犬が捨てられたみたいねあんた、と定食をつつきながら柴崎の論評は引き続き容赦ない。

「飼い主があれなんてまっぴらごめんだわ」

むくれると「飼い主があれって自覚はあるんじゃないの」と切り返される。思わず返す言葉に詰まった。

「……仕方ないじゃない、上官なんだからっ。犬は飼い主選べないけど人間も上司は選べないのよっ」

まあいいけどねと柴崎は力む郁をあっさり受け流した。むきになった自分がばかみたいだ。

「小田原のほう、かなりピリピリしてるみたいよ。厳戒態勢だって」

相変わらず耳が早い。どこにどういう網を張ればそういう話が外野で捉えられるのか郁には見当もつかない。郁などは編成から外されて現地の事情からはすっかり置いて行かれている。

「ことによっては『日野の悪夢』以来の事件になるかもって上層部は警戒してるらしいわよ」

「……何それ」

郁は思わず箸《はし》を止めた。

二十年前の日野図書館襲撃事件についてはさすがに郁も調べた。悲惨さにかけては図書館史の中でも随一で、これを繰り返さないためだけに図書隊制度は確立されたと言ってもいい。

「そんなにやばいの」

ほんっと疎いわね、あんた。と柴崎は呆《あき》れ顔だ。

『情報歴史資料館』は良化法成立以来のアンタッチャブルだったのよ。良化委員会にとって揉み消したい資料の宝庫だったんだから。これが公立図書館ならとっくの昔に存在そのものが歴史的に抹殺されてるわよ。私立図書館でも一般の運営だったら何だかんだと取《と》り潰《つぶ》されてるでしょうね、野辺山グループほどのバックがなければとてもじゃないけど圧力に対抗できないわ。野辺山前会長の政治力があってこそ存続してたようなもんで、その前会長が亡くなったとなったらあんたもう、」

柴崎が言葉を切って物騒な眼差《まなざ》しになった。

「今が好機とばかりに攻めてくるわよ」

もはや検閲をかけるとすら言わずに、柴崎は率直に「攻めてくる」と言った。まるで戦争の話でもするように。

「……誰か死ぬほどの事件になるの」

ばかみたいなことを訊いている。自分でもそう思った。

「そうならないように厳戒態勢なんじゃない。防衛員の装備もSMG《サブマシンガン》にランクアップされてるそうだしね。そもそも図書特殊部隊全投入なんて極端な運用、今まで聞いたこともないわ」

その全投入の中に郁は入っていない。外された。

どうしてあたしは今そこにいない——十二人が死んだ事件と同じレベルの警戒がされている作戦に、もしかしたら誰かが帰ってこないかもしれない作戦にどうしてあたしは加わってない。

あたしは一緒に戦いたかった。本を守るために、本を守りたいと思っている人たちと一緒に。

多分相当情けない顔だ。

「やだちょっと、そんな顔しないでよ」

そんな顔というのはどんな顔か郁には分からないが、多分相当情けない顔だ。

「大丈夫よ、二十年前とは状況が違うわ」

脅かしすぎたと思ったのか柴崎がフォローに入る。

「今は装備も潤沢だし、訓練も足りてるわ。一般隊員が実戦慣れしてることにかけては警察や自衛隊以上とまで言われてるのよ。貧弱な装備で一方的に蹂躙《じゅうりん》された日野図書館みたいなことにはならないわよ」

「そうかなぁ」

尋ねる声はびっくりするくらい不安気になっていた。

「ちゃんと帰ってくるかなぁ、みんな。玄田隊長とか、小牧二正とか、手塚とか……堂上教官とか、みんな」

「縁起でもないこと言わないでよ！」

柴崎が本気で怒ったようにどやしつける。

「あんたみたいに自覚のない甘ちゃん外してったんだから本気で勝つシフトだったに決まってんでしょ！」

珍しく険のある声を出してから、柴崎がしばらくしてふて腐れたように呟いた。

「ごめん。言い過ぎ」

でも柴崎の言うことは正解だ。自覚のない甘ちゃんと言われたらそれは全くそのとおりで、例えば手塚は『情報歴史資料館』の資料を引き取るということがどういうことか、説明なしで分かっていたのだろう。もちろん、父親が日本図書館協会長という境遇から来る意識の高さも手伝っているのだろうが、それは郁の自覚のなさの言い訳にはならない。

説明されないと重大さが分からない奴より打って響く奴のほうが信頼できるに決まっている。郁より手塚のほうがずっといい部下だ。

「……ホントはこんなこと言ってやりたくなかったんだけど」

柴崎が面白くなさそうに口を開く。

「玄田隊長はあんたを頭数に入れてたし、連れていく予定だったわ。あんたバカだけどそれと戦闘力は本来関係ないし。ぶっちゃけ兵隊なんてものは、指揮官の命令を理解できる知能さえあればバカでも別に問題ないのよ」

バカバカと柴崎も遠慮なしに連呼しすぎだが、バカでもいいというのは一応フォローだろうからありがたく聞いておく。

「編成外したのは堂上教官の単なるわがままよ。あんたにきつく当たったんなら、それは自分が後ろめたかったからよ。自分が不公正だって自覚は十二分にあったでしょうからね」

どういうことかと眉根《まゆね》を寄せると、柴崎は半ば呆れたように答えた。呆れた顔は郁に対してではないらしい。

「親に戦闘職種配属を言ってないバカ娘がたとえどんな大怪我しようが死のうがそれはバカ娘

が親不孝だったってだけの話よ。何であの人がバカ娘の言い訳だの親の心痛だのまで心配する必要があるわけよ」

「……何その余計なお世話は」

「だからわがままって言ったでしょ。ただの贔屓《ひいき》よ。冷静じゃないわ」

「そんな贔屓要るか！」

あんたに切り捨てられて、あたしがどれだけ傷ついたと思ってるんだ。この場にいない堂上への憤懣《ふんまん》が沸騰しかけたが、
でもやっぱりあたしが悪い。

「……あたしが自分の事情をちゃんと片付けられなかったからだよね」

片付けられないと見切られたことに文句をつける筋合いはない。たとえ堂上の手出しが不当だとしても手出しが要ると思われたことに言い訳はできない。

「ちょっとは分かってるじゃないの」

柴崎が偉そうに言って笑った。郁も釣られて笑う。そしてほっと気持ちがほぐれた。

「でもよかった」

首を傾げた柴崎に、やや決まり悪く答える。

「使えないから外されたんじゃなくて。とか言ったら甘えてるかもしんないけど」

「……あんたのそういうとこ負けるわ」

肩をすくめた柴崎が「それ甘えてるとか言っちゃうとこ」と投げっぱなしで付け足した。

子供のわがままだ。自分の仕事をこなせない奴が自分を信用しろと主張する権利はない。

余計な配慮をするなと堂上に噛《か》みつくのは自分の仕事をこなしてからだ。

「ちゃんと自分の仕事する」

柴崎に宣言するように呟く。この仕事よりあの仕事がよかったと駄々を捏ねるのはそれこそ

＊

取材と称して閉館日前日に『情報歴史資料館』に乗り込んできた折口《おりくち》は、館内を一回りしてそう尋ねた。

「笠原さんは来てないの？」

「奴は告別式に出る司令の付き添いだ。警備本部は館内のホールになっている。直属の上官たっての頼みでな」

からかい口調の玄田に堂上は渋い顔をした。へえ、と折口が意外そうな顔をする。

「意外と甘いのね、そういうタイプに見えなかったけど……いやそうでもないか」

後半で感想を引っくり返し、折口は笑った。「充分甘かったわね。番犬だし」前回の取材で郁の写真を載せたことに抗議したことを言っているのだろう。

「適性を考慮した配置です。関係外の方に批判を受ける謂《いわ》れはありません」

「やぁね、批判なんてしてないわよ」

折口が不本意そうに唇を尖《とが》らせ、玄田に「何とかしてよ、この頑《かたく》なな子」と文句をつけた。

「あまりからかうな折口。そいつが臍《へそ》を曲げると長引く」

そんなフォローならないほうがマシだ、と堂上は仏頂面になった。折口が来ると玄田が二人になったようで何かとやりづらい。主に無遠慮で無神経な物言いとか。

「まぁ、女子の特殊防衛員は今のところ全国唯一の虎の子だからな。育つかどうか危ぶむ向きもあるし、経験が浅いうちに苛酷《かこく》な状況に投入して脱落させても事だ」

やっとまともなフォローが入った。これを最初に出さない辺りが玄田の嫌なところだ。

「でも笠原さん怒ったでしょう」

折口の指摘は明らかに堂上に向けられていたので逃げ場がなかった。そして、見事に図星を衝いている。

「今に見てろチビと詰《なじ》られました」

折口と玄田が同時に吹き出した。「堂上君、背ぇ低いもんねえ」と折口の言い草はつくづく無神経である。

「でも分かってあげてね。噛みつかないと泣きそうだったんだと思うわ」

敢《あ》えて目を逸《そ》らしていたことを無遠慮に突きつけられて堂上は内心で怯《ひる》んだ。気が荒いくせにすぐ泣く脆《もろ》さは今まで何度も立ち会っている。いいかげん慣れたいが立ち会うたびに居心地が悪い。今回は後ろめたいだけに余計だ。

「今に見てろ、なんてよっぽどあなたのこと追いかけたいんだと思うわよ」

「違います」と否定は言下に滑り出た。

「奴の追いかけたい相手は別にいます。俺じゃありません」

むきになっているのはだだ漏れで、玄田が口を挟みかけて思い直したように苦笑で済ませた。

＊

告別式当日——そして『情報歴史資料館』閉館日当日。

秋晴れとなったその日、郁は寮の朝食で三杯飯をかっ食らった。

「うわー、見てるだけで胃にもたれる」

そう言って顔をしかめた柴崎は低血圧で朝は食が細い。

「ていうか、あんたが食わなさすぎるのよ。あ、卵焼き要らないならちょうだい」

「あー、全部あげる。あんたの食うとこ見てたら食欲失《う》せた」

柴崎が卵焼きの皿を投げやりに滑らせて寄越す。「それにしてもいつもの倍は食ってるわよ、あんた」

「だって今日はしっかり食べとかないと。腹が減っては戦はできぬって言うじゃない」

「戦に行くのか、あんたは」

「キモチの上ではそれくらいの気概でいるのよっ」

特殊部隊は今日『情報歴史資料館』攻防戦を戦う。残されはしたがせめて同じ心構えで自分に与えられた任務に臨みたかった。

経験の少ない郁には警護としてより介助役としての働きが求められている。だとすれば稲嶺に不自由な思いをさせないことが自分の使命だ。

「ま、よく頑張ってたわよ、あんた」

珍しく柴崎が普通に褒め、郁は不意打ちに表情を複雑にした。——照れくさい。

告別式まで日がなかったが、稲嶺を公式の場で介助したことのある防衛員に指導を受けて、昨日の晩は稲嶺の予備の車椅子を借りて柴崎にも介助の練習に付き合ってもらっている。

「ありがと、いろいろ付き合ってくれて」

「そぉよー、あたしが練習付き合ってやったんだからヘマしたら承知しないわよ」

嘯《うそぶ》くが、これは柴崎一流の照れ隠しだ。分かってる、と郁は素直に頷《うなず》いた。

告別式への出発は予定通り午前十時である。

司令部庁舎の前に公用車を着けて稲嶺を迎えると、稲嶺は車に乗せられる前に全員に対して一礼した。座った姿勢から立っている側へ頭を下げるので隊員は下げられた頭を見下ろす形になる。

「帰るまでよろしく頼みます」

挨拶《あいさつ》を終えた稲嶺を車に乗せる。座席に座らせるのは腕力のある男性隊員が引き受け、郁は車椅子を手早く畳んで（特訓の成果だ）トランクに積み込んだ。

稲嶺の隣に乗り込んだ郁に、稲嶺がにこりと笑いかける。

「今日は頼りにしています」

その穏やかな笑顔に一瞬見とれ、郁は慌てて「はい！」と大きく頷いた。

ああ、あたしはこういう人の下で働いてるんだな――と誇らしく再認識。細心の注意で滑るように走り出した車の中から郁は小田原と思われる方向を眺めた。

もう攻防は始まっているはずだ。仲間の武運を口には出さずに祈った。

＊

『情報歴史資料館』が良化特務機関の部隊に包囲されたのは午前九時――平時の開館時刻でもあり、野辺山グループが資料を関東図書隊に移譲するとした刻限でもある。

その時間が開戦時刻となることは、良化特務機関が事前に周辺地域へ手配した交通規制措置から予測できていた。

一方、図書隊のUH60JAが十時に図書基地を飛び立ち、十時三十分に『情報歴史資料館』へ到着の予定であることも、航空交通管制局へ提出した飛行計画《フライトプラン》によって良化特務機関に把握されているだろう。

まずは輸送第一便の到着までが攻防の山である。

『これより関東図書基地側に良化第7726号の書面によって通告したとおり、メディア良化委員会・小野寺滋《おのでらしげる》委員長の代理として、良化法第三条に定める検閲行為を執行する！　諸君ら関東図書隊は即刻武装を解除して投降せよ！』

良化機関側の部隊長がスピーカーで代執行宣言をがなる。検閲の現場が『情報歴史資料館』であるにも関わらず、通告文書は図書基地へ。少しでも不意を打とうとするやり口はいつものとおりだ。正面玄関で待ち受けていた玄田は不敵に笑って放送機材のマイクを取り上げた。

『関東図書隊は図書館法第四章・図書館の自由第三十四条に基づき、ここに図書防衛権を発動する！――検閲を執行したくば力尽くでやってみろ！』

必要以上に挑発的な答申で『情報歴史資料館』攻防戦の幕は開いた。

……晴天となった故・野辺山宗八氏（野辺山グループ前会長）の告別式当日――

氏がその半生をかけて運営した『情報歴史資料館』もその終焉《しゅうえん》の日を迎えていた。

いささかけたたましすぎる騒動を以《もっ》て。

氏が関東図書隊に寄贈した資料に対し、良化特務機関の検閲が強行されたのだ。

検閲の代執行宣言は、現場となった『情報歴史資料館』に通告文書が届かないまま為《な》された。

警備に当たっていた図書隊を出し抜くようなやり口は良化特務機関の十八番《おはこ》。

故人の遺志を無視した強引な検閲は誰《た》がために。

(by Maki-Orikuchi)

「向こうもまた集めたもんですね」

屋上の低い柵《さく》の内側に身を伏せ、手塚は呆《あき》れた口調で呟いた。

検閲の該当施設以外に交戦範囲を拡大してはならないという規定のため、図書隊は常に最も高い位置を自動的に確保できる。即ち該当施設の屋上だ。

地上を見下ろすと、資料館を隙間なく取り囲むように良化特務機関の部隊が展開されている。

投入人員は周辺地区で交通規制措置などに従事している後方支援までを合わせると二百名にも上るだろう。良化特務機関の一支部全投入にも近い規模の動員である。そのためか図書基地のほうはノーマークらしい。攻略しやすいほうに全戦力を振ったようだ。

関東図書隊で迎え撃ったことのある検閲は最大でも双方五、六十名の規模で、今回の規模の検閲は隊として初の経験だ。目につく車輛《しゃりょう》も通常の検閲で使われているバンではなく野戦用のようなトラックで、持ち込んだ装備もさぞや質量ともに充実しているに違いない。

もっとも、それはこちらも同じだ。資料館の敷地が広大であることを考慮しても、市街地で可能な最大規模の激突になる。

「人員的には互角だな」

手塚に答えたのは手塚と同じく狙撃手《そげきしゅ》として配置されている別班の進藤《しんどう》、図書特殊部隊随一の狙撃の名手である。図書特殊部隊創設時からのベテランだ。

「できるだけ殺すなよ。死人が出ると戦闘が激化する」

「向こうはそんな配慮をしてくれるんでしょうか」

「配慮はしないだろうが、一応お互い弱装弾の規定があるからな。それに奴らの出方は考えんでいい。高さのアドバンテージに任せて死人を出して、敵がキレたらそれを受け止めるのは下の味方だ。俺たちが覚えとかなきゃならないことはそれだけだ」

長年狙撃手を務めていないと気づかない側面である。

「こっちをキレさせるリスクは奴らが心配すればいいし、その場合は俺たちもアドバンテージをフルに使うだけだ」

それが分かっていれば向こうも無茶はするまいよ、と進藤。

検閲抗争において、狙撃手の存在はむしろ戦況の抑止力である。そしてその抑止力は屋上に五名が配置されていた。基本的には地上の各班の要請に従って援護射撃に徹することになる。ベテランは独自の判断で射撃をすることもあるが、手塚のレベルでは指揮官の介入判断に従うのが精一杯である。

「お前に精度は期待してない、むしろ外していけ。高所からの射撃はそれだけでプレッシャーになる」

「了解」

適性ありと判断されてライフル射撃の訓練は受けているが、入隊一年目の新人が精度で十年選手に張り合えるとは手塚も思っていない。

耳に挿したイヤホンから狙撃班の周波数へ通信が入った。

『正門から狙撃班へ、援護を願う』

「俺と手塚が回る、あと一人来い！　残り二人は裏門を警戒のこと！」

呼ばわった進藤が下から人数を把握されないように低い姿勢を保ったまま正門を狙える位置へ移動し、手塚もそれに倣う。正門側では設営してあったバリケードと塹壕《ざんごう》を使い激しい銃撃戦が始まっている。

高さを取れる点では図書隊側にアドバンテージがあるが、無造作に撃てる点では良化部隊のアドバンテージが上だ。検閲対象施設外の公共物や個人資産を射撃で破損した場合、その補償は「中から外へ」向かって撃つことが必然の図書隊の負担となることが多い。実際には特殊な損害保険で処理するが、損害実績は保険料の値上がりに直結する。近年、保険料は値上がりの一途をたどっており、図書隊の予算をかなり圧迫している。

一方「外から中へ」向かって撃つ良化部隊は被害を拡大する心配もなく、また国家行政組織であるために図書隊とは比べ物にならない予算を確保しており、射撃を躊躇《ちゅうちょ》する必要はない。懐を気にしなくていいのは図書隊からすると羨《うらや》ましい限りだ。

風向、風力を鑑《かんが》みてスコープを調整し、手塚は良化部隊へ狙いをつけた。高所から狙われていることを教えるために門柱の上のブロンズの装飾を標的とする。

軽く息を詰めて引き金を絞り、過たずブロンズが砕けた。そして進藤らが配置の間隙《かんげき》へ威嚇射撃を次々と叩《たた》き込み、部隊が追われるように後退に転じた。苦し紛れに屋上を狙った発砲の弾道は狙撃手たちの遥《はる》か上だ。

最終的には敷地内に押し込まれ、館内と外の攻防になるだろうが、少なくともヘリの第一便が到着するまでは保たさねば二便までを持ちこたえることは不可能だった。

　『情報歴史資料館』に、銃弾が雨あられと降り注いだ。そこに三十年の歴史と故・理事長の志に対する敬意はない。彼らはその歴史と志を打ち砕くかのように鉛の弾を撒《ま》く。

　対する図書隊の反撃。彼らの攻撃は常に反撃であり、防衛だ。交戦の最初の一発を常に受けることを甘んじている。先制による有利を熟知したうえで、その有利を放棄する。

　図書防衛はあらゆる他者に対して先制の理由となってはならない。図書隊制度を作り上げた稲嶺和市（現・関東図書基地司令）の唱える理念だ。彼らは不利を承知で専守防衛を貫く。

(by Maki-Orikuchi)

　十三名。ヘリ到着予定時刻十五分前の段階での累計負傷者数である。

「うち重篤状態は何名だ！」

　怒鳴った玄田に情報を取りまとめている副隊長、緒形《おがた》が答えた。

「十三名です。医務班の応急処置で済む者は最初から計上しちゃいません」

「道理だな」

玄田は納得し指示を出した。

「より重篤な者を優先して屋上へ待機させろ。空いているヘリのキャビンを使って搬送する」

調整の結果、十名を搬送できるとの返答があった。

「残った者は二便で乗せる、保たないようなら中部図書隊にヘリの応援を要請しろ」

「うちからヘリを提供するわ」

口を開いたのは、それまで取材に徹していて余計な口を差し挟まなかった折口だ。

「取材用のヘリを出す手配をします。スタンバイしてある地域から呼ぶより都内からのほうが早いんでしょう？」

「よし頼む」

即断で玄田は受け入れた。折口が携帯で本社に連絡を取り、その間にも玄田はめまぐるしく隊への指示を出し続けた。戦況は刻々と変わり、全情報を把握できるのは本部だけだ。

電話を切った折口を「すまんな」と片手で拝む。

「気にしないでちょうだい。戦っているあなたたちを書くのが私たちの戦いよ。あなたたちが全力で戦えるためのバックアップは惜しまないわ」

言いつつ折口がこの状況に不似合いなほど艶《あで》やかに笑った。

野辺山グループ系列である世相社は、前会長である野辺山宗八が興した『情報歴史資料館』との関わりも浅くはない。『情報歴史資料館』に思い入れを持つ報道関係者は多いが、世相社は中でも全社的にそれが深いのだろう。

あなたはあなたの道を行って。私はその道を行くあなたを追いかけるから。——昔言われた、今となってはお互い照れくさくて言うことも聞くこともできない台詞《せりふ》を玄田はふと思い出した。

図書隊の負傷者は空から搬送するより他に手立てはなかった。『情報歴史資料館』は完全に包囲されており、良化特務機関は図書隊に負傷者の搬送さえ許さないのだ。図書隊が救急車を呼んだとしても、それは良化特務機関の交通規制によって到着を阻まれる。

検閲抗争で両陣営から死者が出てもそれは罪に問われない。あたかも戦場で敵兵を殺しても罪に問われないように。しかし、外から攻め込む立場の良化特務機関は負傷者が出れば自由に戦線を離脱できる。

抗争の構図はどこまでも良化特務機関に有利。

(by Maki-Orikuchi)

午前十時二十五分。

予定を五分早めてＵＨ60ＪＡが『情報歴史資料館』に到着した。

「撃て！　撃ちまくれ！」

進藤が珍しく激昂《げっこう》した様子で狙撃班に指示した。地上でも射撃命令が下り、このときばかりは施設外の器物損壊を厭《いと》わぬ勢いで図書隊が良化部隊を猛射する。

「くそッ」

手塚は良化部隊が占拠した塹壕の盛り土を狙って引き金を引いた。ヘリのダウンウォッシュにさらされ、どれほど狙いをつけても弾が正確に飛ぶ保証はない。無機物を狙う他なかった。頼むから顔を出すな。半ば祈るように〝撃ちまくる〟。これだけ威嚇にさらされて撃たれるならそれは撃たれたほうの責任だ。――もし死んだって俺が知るか。

搬送するコンテナは前日から屋上に二便分とも用意されており、吊《つ》り下げの金具を装着するだけの状態にしてある。加えて負傷者をキャビンに収容し、UH60JAはタッチアンドゴーに近い状態で離陸した。

離陸までの間、激しい威嚇射撃が功を奏してか良化部隊からUH60JAへの狙撃《そげき》はほとんどなかった。しかしその後の反撃はヘリの離陸を許した腹いせのように激化した。

ようやく第一便のヘリが来た。図書隊が初めて大攻勢に出る。バリケードから顔も出せないほどの猛射撃に、さしもの良化特務機関も為《な》す術《すべ》がない。

関東図書隊虎の子の汎用《はんよう》ヘリはキャビンに負傷者を収容し、三トン超のコンテナを吊り下げて離陸した。コンテナの中には三十年以上に及ぶ良化法報道のすべてが詰まっている。図書隊は揉《も》み消されてはならない報道の歴史を守ったのだ。

なお、図書隊の援護によって大事はなかったが、この後到着した弊社差し回しの負傷者回収ヘリに良化特務機関が銃撃を加えたことをここに記しておく。

「総員館内へ退避！」

第一便のヘリが飛び去って三十分、いよいよ持ちこたえられなくなってきた。

裏門に配置されていた堂上と小牧は、現場指揮官の指示に従って表に配置されていた隊員の退避を援護していた。基本的に少人数班割り制の特殊部隊は、全体作戦時にはキャリアや指揮能力を考慮して班長クラスの中から各拠点の指揮官を設定し、他班の班長もその指揮下に入る。今年部下を持ったばかりの堂上が指揮される側に回るのは当然だった。狙撃班の応援に回った手塚のように、同じ班でも適性によって配置を分割されることもままある。

図書隊の人員運用はよく言えばフレキシブル、悪く言えばいい加減さが特色だ。

後退するときでも良化部隊の攻撃に容赦はない。被弾者を増やすことで確実にこちらの戦力を削《そ》ぎに来る。

対して専守防衛を徹底することが旨の図書隊は、敵の後退を妨害しないことが原則となっているが、実戦時にその制約は不条理だという不満も現場からはたびたび上申される。

図書防衛権を戦闘拡大の手段にしてはならない、日頃の稲嶺の訓戒は堂上も理解するところだが、こんなときはさすがにその制約が恨めしくなる。

一人の隊員がバリケードから飛び出したとき、遅いと思った。比べた相手が脳裏をよぎったとき、案の定と言っては悪いが隊員は館内にたどり着く前に敵の銃弾に捉《とら》えられた。

転倒した瞬間は被弾位置が分からなかったが、その後立てないところをみると足のようだ。良化部隊もさすがに被弾した者を重ねて撃っては来ないが、転倒した隊員の頭上には容赦なく銃弾が行き交う。

「小牧、頼む」

使っていた小銃を置いてヘルメットを被《かぶ》り直すと、小牧が「行けるのか」と短く訊《き》いた。

「チビのほうが被弾面積が小さい」

そう詰った相手を小牧も思い出したのか、小さく笑った。そして無線に叫ぶ。

「堂上二正が回収する！　援護射撃用意！」

号令の代わりに小牧が撃った。続けて図書隊側の銃声の密度が一気に上がる。その音に背中を押されるように堂上は出入り口を飛び出した。

耳元をかすめる銃声は攻撃か援護か。どちらにしても怯《おび》えて足が鈍れば捕らわれる。

倒れた姿勢のままで固まっている隊員の下へ、ほとんど滑り込むようにたどり着いた。状態を訊くような無駄は打たずに隊員の体の下へ肘《ひじ》を突っ込んで浮かせ、一気に肩へ担ぎ上げる。

さすがに重さで行き足が鈍る。仲間の援護を信じるしかない。できるだけ姿勢を低く保つが、肩に大の男を一人担いでいる状態ではその保った低さで膝《ひざ》が折れそうになる。そうでなくとも撃たれた隊員は堂上より体格がいい。

最後の辺りはさすがに膝の位置が高くなった。出入り口には文字通り転がり込んだ。担いだ隊員を下ろす余力はなく投げ出し、自分も潰《つぶ》れてあえぐ。

「堂上っ！」

こんなときでもないと滅多に聞けない小牧の怒鳴り声に、堂上は片手を振って無事を示した。さすがに声が出ない。

「……員、は、」

ようやく体を起こしたが頭がかすれて消えた問いに小牧が答えた。

「隊員は無事だ、新たな被弾もない。応急処置に回された」

よし、義務は果たした。堂上はもう一度潰れ直した。膝が笑ってすぐに立てない。貪《むさぼ》るように喘《あえ》ぐが欲しいだけの空気がなかなか肺に行き渡らない。

奴ならこんな苦労は要らなかったな、と自分で外したくせに勝手な比較をした。


ついに図書隊が敷地内へ押し込まれた。館内へ退避する図書隊を良化部隊は容赦なく追い撃つ。対して図書隊は良化部隊の後退を妨害しない。

「我々の任務は図書を守ること。良化特務機関に損害を与えることではありません」

とは当日の図書隊総指揮官の言。

果たして良化特務機関の任務は検閲か「図書隊攻撃」か？　見境なく選択される手段は検閲の正当性そのものを疑わしくさせる。


(by Maki-Orikuchi)

四階建ての『情報歴史資料館』の最上階に警備本部は移された。

館内に押し込まれるのももはや時間の問題で、後は一階ずつ後退して時間を稼ぐことになる。

こうなってくると屋上の狙撃班もその威力は半減だ。

一階を放棄したところで第二便が到着した。一便同様、負傷者とコンテナを回収して去る。

良化特務機関の猛攻は凄《すさ》まじく、二便が再び飛び立つまでのわずか二十分で図書隊はさらに二階を放棄させられることになった。

「よし、そろそろ頃合いだな」

ヘリの離陸報告を受け、玄田は本部内に怒鳴った。

「任務完了！　ただいまより状況を畳む！」

二便目のヘリが飛び去った。しかし館内の資料の全回収はならず。図書隊は既に館内にまで良化部隊の侵入を許し、更には全四階のフロアのうち、二階までを放棄。

三便目を待つには更に一時間を要する。ついに図書隊は苦渋の決断を下した。

(by Maki-Orikuchi)

「関東図書隊より良化特務機関へ！　関東図書隊は一二四〇《ヒトフタヨンマル》時を以《もっ》て当館に残された全資料に対する権限を放棄する！　繰り返す！　関東図書隊は一二四〇時を以て当館に残された全資料に対する権限を放棄する！　答申には内線〇三番を使用せよ！」

館内放送を使った玄田の宣言に、館内を満たしていた銃撃音が徐々に終息した。

やがて、本部としていた会議室で電話が鳴った。断続的なコールは内線のものである。玄田がスピーカー機能で受けた。

『良化特務機関より関東図書隊へ。三十分の猶予を与える、一三一〇時《ヒトサンヒトマル》までに当館を退去せよ。退去後の再入館はこれを一切認めない。また、コンテナ・袋類は全て持ち出しの際に当隊にて中身を改めるものとする。以上』

一方的な通告で電話は切れ、玄田はその通告を館内放送で隊に指示するよう副隊長に命じた。

折口が怪訝《けげん》な顔で尋ねる。

「まだ放棄するような資料が残ってたの？」

「放棄用の資料がな」

玄田は言いつつ機材の片付けに自分も加わった。

「飛行計画は三便を提出したうえで、屋上のコンテナも三つ用意してある。三つ目は図書隊の蔵書で複本が充分に揃う雑誌類のバックナンバーと書籍だ。向こうもここまで大袈裟《おおげさ》に部隊を展開したからには空手では帰れんからな。落としどころは用意してある」

「呆《あき》れた。最初から一部を放棄することで折り合えなかったの？」

「敵の目的はあくまで全押収だ、そんな取り引き成立するか。ここまで抵抗したうえでの放棄だからこそ特務機関も成果として受け入れる余地がある。それにどんな建前であろうと図書隊が無抵抗で検閲と折り合ったなどという事例を残すわけにはいかん」

これは書くなよと念を押した玄田に、折口は肩をすくめて首を傾げた。学生の頃からの了承の仕草だ。記事は惜しくも資料を守りきれず一部を没収されたという体裁になるだろう。

「正義の味方は建前が多くて大変ね」

　からかう声に「おう、察しろ」と笑う。堂上ではあるまいし軽口で言われた「正義の味方」にわざわざ生真面目な否定を返すこともない。

　玄田が片付けのつもりで手元の無線類をケースに投げ込んでいると、部下たちが目を剥《む》いて玄田を片付けから遠ざけた。


『情報歴史資料館』を引き上げ、神奈川との連合の部隊を解散した図書特殊部隊が図書基地へ帰還したのは三時過ぎだった。

　基地では既に引き取り資料の整理が始まっており、図書特殊部隊はその装備を解いて事務室へ戻った。

「後は笠原が戻れば全員帰還か」

　玄田が言いつつ時計を見上げる。告別式ももう終わっている頃合いだ。

　そろそろ稲嶺の帰還報告が入るだろうと思われたタイミングで内線が鳴った。

　受けて応じながら玄田の顔が険しくなった。室内の空気が瞬時に張り詰める。危機的な空気に疎い者はこの場にいない。

　電話を切った玄田が全員を振り向いた。

「告別式会場で稲嶺司令が不審者に拉致《らち》された。──笠原も一緒だ」

ガタンと耳障りな音が鳴った。一斉に振り向かれてしばらくして、堂上はそれが自分が椅子を蹴倒《けたお》した音だと気づいた。

「……あ、」

何か言おうと開いた口は結局何も言葉を選ばず閉じた。自分が何を口走るつもりだったのか結局何も言わなかったので分からない。

側から小牧が席を立ち、倒れた椅子を起こしてから堂上の肩を押さえた。強く膝を折らせるような圧力で添えられた椅子に座らされる。

──頭が冷えた。

「すみません。続きをどうぞ」

玄田をまっすぐ見据えて詫《わ》びると、玄田が目で頷いてから状況の説明を開始した。

＊

それが一体どういう所属の奴らかは郁にとってどうでもよかった。

政治団体として名乗られた団体名は麦秋会《ばくしゅうかい》といったが、どうせ何か問題を起こすごとに解体し名前を替え、別団体の体裁を為《な》すだけの使い捨ての名義だろう。実際に団体登録されているかどうかも怪しいところである。

稲嶺の警護は郁を含めて四名、対して相手は六名だ。相手は稲嶺の弔辞からこちらをマークしていたらしく、葬儀会館の駐車場まで尾《つ》けてきたが、名士ばかりが参列している会場で彼らからにじみ出る粗暴な雰囲気は、こちらが気づいて警戒できるほどにはよく浮いていた。

まさかこちらに事が起こるとは誰も予想していなかったのが正直なところだが、ベテランを揃えた防衛員たちの対応は鮮やかだった。

郁は車椅子の稲嶺を車輌の陰へ隠すように指示された。特殊防衛員とはいえ最も経験が浅いので当然の采配《さいはい》である。

公用車までたどり着くと、敵は定石通り不法に手に入れたのであろう銃を出して脅してきた。迎え撃つ防衛員は図書施設外での銃の携行許可を取っていないので折り畳み式の警棒のみ。

しかし装備はそれで充分だった。

銃を出したのは二人ほどだったが動きに素人らしい無駄が多く、使う暇もなく防衛員たちに銃を叩き落とされた。障害者専用の駐車場には利用者も少なく、遠くを通りすぎていく第三者が気づきもしないほどの早業だった。

郁もその隙に公用車の陰へ稲嶺を避難させており、立ち回りの足枷《あしかせ》はない。

一気呵成《かせい》に打ちかかろうとした刹那《せつな》、リーダーらしき男が叫んだ。

「会場を爆破するぞ！」

仲間がこっちを監視している、逆らったら会場内の数ヶ所に設置してある爆弾を爆発させる。まくし立てたその内容に防衛員たちの動きが完全に止まった。巨大な告別式会場から参列者が捌《さば》けるには時間がかかり、会場内はまだまだ混雑している。

それが出まかせだと判断できる根拠はその場になかった。

「我々の要求は稲嶺和市の身柄だ」

応じましょう、と即答したのは稲嶺自身だった。稲嶺以外の誰も答えることなどできない。

車椅子に寄り添った郁もただ稲嶺の返答を聞いているしかなかった。

個別認識する価値もない男たちが稲嶺と郁に歩み寄る。自走式の車椅子のグリップに粗野な手がかけられ、郁は思わずその手を払った。

貴様、といきり立った男を郁は無視してリーダーの男に向かって言った。

「私も同行します」

怪訝な顔をした相手へ郁は言葉を重ねた。

「私は稲嶺司令の介助役です。足の不自由な稲嶺司令には介助が必要です。あなたたちに稲嶺司令を適切に介助できるとは思えません」

郁だって本当は怪しいものだが必死でまくし立てる。

信用できるほどの何かを見せたのか。堂上の突き放した声が脳裏に蘇《よみがえ》る。郁を編成から外すための言い訳だったとしても、それが刺さったのは刺さるだけの素地があったからだ。

信用しろと言えるほどの何かを見せたことなどない。何も見せたことのない郁がここで稲嶺を無策に手放すわけにはいかない。同じ無策ならついて行ったほうがマシだ。

「人質の扱いには配慮が要るはずよ」

反図書隊団体が稲嶺の身柄を奪う理由など図書隊への取引材料以外にあり得ない。リーダーは計算を巡らせる風情を見せた。

郁は戦闘に参加していないし、彼らは弔辞で稲嶺の作業を助けていた郁を見ている。介助者であることに疑いは持たないはずだ。この場合は女性であることも彼らの打算に繋《つな》がるだろう。

「よし、いいだろう。お前も来い」

郁は男たちに包囲されて車椅子を押した。いつもは自走式でほとんど力の要らない車椅子は押さないと動かなかった。稲嶺は自走モードを切ったようだ。随行を拒否しないという無言の応答だろう。郁が手を貸す場面を多くしないと介助するという建前が成り立たなくなる。

信用されたことに胸が熱くなった。

「追ってきたら会場を爆破し、この二人の命も保証しない。いいな!」

立ち去りながらリーダーが防衛員たちを恫喝《どうかつ》する。尾行しようにもこちらの車輛が車種から色、ナンバーまで割れた状態では不可能だから言わずもがなの指示だった。防衛部は捜査行動の訓練を受けているわけではない。

「一士!」

階級だけで呼んだのは指揮官の配慮だと分かった。

「司令を頼む」

苦渋に満ちたその声に郁は小さく頷いた。

麦秋会が一般駐車場に用意していた車は、薄汚れたワゴン車だった。ハッチバックのドアが開けられ、郁は眉《まゆ》をひそめた。座席こそ外してあるが、工具やガラクタが雑多に投げ込まれたキャビンは一体どこに車椅子を入れるつもりかと怒りを覚えるほど雑然としていた。

男が一人キャビンに上がり、荷物を適当に蹴飛ばし辛うじてのスペースを作る。別の二人が左右から車椅子を抱え上げようとしたのを郁は怒鳴った。

「前に傾けないで！」

後ろ側を持ち上げられ手すりを摑《つか》んでこらえた稲嶺を、前から受け止めるようにして支える。郁に完全にもたれかかった稲嶺の体は意外なほど軽く、そして重さの左右が均等でなかった。足が一本失われている体だった。

「一旦《いったん》下ろして！　キャビンに横向きに着けて後ろに傾けながら上げて！　ちゃんと両側で声出して持ち上げるタイミング合わせて！」

注文の多い、と男の一人が忌々しげに吐き捨てた。必要な配慮を粗野な一言で片付けられることがいっそ恐ろしかった。車椅子を前に傾けて持ち上げたら乗っている人間が落ちるということが分からない、一体どれほど想像力をなくせばそんなことになるのか。

どうにか車椅子をキャビンに収めるが、床には毛布一つ敷いてはいない。車の振動は車椅子に筒抜けだ。いつも稲嶺が使っている特注の車椅子ならサスペンションやクッションを充分に造り込んであるが、今日は外出用にコンパクトな製品を使っているので衝撃の吸収は弱い。何かクッションになるものをとガラクタを引《ひ》っ掻《か》き回すが、

「勝手に動くな！」

後部座席に乗り込んだ男に銃を向けられて渋々手を止める。

「クッションか何かないの⁉」

食ってかかるが我慢しろと却下され、郁はほとんど殺意を覚えた。この男たちにとって稲嶺は図書基地司令という記号でしかなく、配慮すべき障害の側面は完全に無視されていた。

「すみません司令、どれくらい乗せられるか分かりませんが」

郁は稲嶺の前に足を横に流して座った。車椅子の車輪を両手で押さえる。散らかり放題の床にむりやり車椅子を置いているので、走行中どう跳ねるか分からない。それに男たちの運転に配慮を期待するほど楽観的にはなれなかった。

「ありがとう。すまないね」

「いいえ。それより帰ったら堂上教官に笠原はちゃんと仕事したって証言してくださいね」

そう言って笑うと稲嶺も笑い、「約束しましょう」と頷いた。

車は発進から荒っぽく、郁はいきなり跳ねた車椅子を力尽くで押さえ込むことになった。

無理をしてもいつもの車椅子で来るべきでしたねと稲嶺が小声でぼやいた。

一時間ほど走って到着したのは、新しいが使用されている様子のない五階建てのビルである。周囲は区画造成された人工的な空地だ。売り出す前の住宅団地か何からしく、建売らしい住宅やアパートがぽつぽつと建っているが、人通りはほとんどない。

通過した交差点名などで立川市内に入っていることは分かったが、正確な番地まではさすがに分からなかった。

また口やかましく指示をして稲嶺の車椅子を降ろさせ、郁は銃を突きつけられながら車椅子を押してビルに入った。隙を衝《つ》いて銃を奪うことも考えたが、一対六では奪ったとしてもその後が続かない。銃を持っているのは複数だし、何よりこちらには稲嶺がいる。

どうせ彼らは図書隊に対して何らか交渉をするし、交渉が始まれば図書隊は必ず何とかする。それまで状況を悪化させず稲嶺に付き添うことが郁の役割だった。

＊

稲嶺を連れ去った麦秋会から連絡が入ったのは午後五時過ぎだった。

警察には既に通報し、代表番号回線を大講義室へ回して逆探知などの態勢が整えられていた。警察の他に、特殊部隊からは玄田以下班長と班長補佐を含む十数名、防衛部からは防衛部長と目撃者となった防衛員を含む数名が立ち会っている。

警備総責任者としてその電話を受けたのは玄田である。

『我々は稲嶺司令の身柄をもらい受けた麦秋会である』

「こちらは関東図書基地警備総責任者、玄田竜助《りゅうすけ》三監だ。稲嶺司令と介添の女性隊員の無事を確認したい。電話に二人を出してもらえるか」

『稲嶺は駄目だ。女は許可する』

即答は最初から譲歩するラインを決めてあったのだろう。堂上が抑えきれない風情で電話のほうへやや身を乗り出した。堂上班は郁が巻き込まれた関係上、全員が立会いを許されている。

『もしもし』

へたばっている声ではない。堂上が息を吐《つ》くのを聞きながら玄田は尋ねた。

「大丈夫か」

『はい、大丈夫です。あっ、柴崎に「トランザール」の予約取り消すように伝えてください。今晩飲む約束……何よこれくらいイイでしょ!? 高い店なんだから予約取り消さなくちゃ大損なのよ、キャンセル料あんたが払ってくれるわけ!?』

時ならぬコミカルなやり合いに、警察側は苦笑になったがタスクフォース側は真顔になった。あっ、と郁の声を残して電話が切れる。要求を伝えていないから逆探知を警戒して一度切ったのだろう。

ややあって再びコールが鳴り、玄田が出るとやはり同じ犯人だった。

『我々は、メディア良化法に楯突《たてつ》いて公序良俗と人権を軽んじる図書館を憂い、人質の生命と引き換えに「情報歴史資料館」の資料破棄を要求するものである！』

玄田に名乗る隙を与えず一方的にまくし立てたその口調は、郁の通話で雰囲気がぶち壊れたことを八つ当たりしているかのようだった。

続けて取引条件が告げられる。

一．本日『情報歴史資料館』より引き取ったすべての資料を麦秋会に開示せよ。

一．麦秋会の立会いの下で、野辺山グループが先日公表した寄贈目録ならびにメディア良化委員会が発表した本日の押収リストと資料を突き合わせたうえ、全資料を焼却処分せよ。


開示準備には二時間の猶予が与えられ、二時間後に再度連絡すると告げて電話は切れた。

元気そうだったねと小牧が呟き、応じて頷いた堂上は無言。「どんな心臓してんだ、あいつ」

手塚が毒気を抜かれたように呟いたのは、呆然《ぼうぜん》よりはむしろ唖然《あぜん》だ。

逆探知の結果はすぐに出た。一度目と二度目は違う電話で両方携帯、二度とも発信側の基地局にたどり着く前に切れたという。

「どうやら転送を何度か入れて攪乱《かくらん》したようです。携帯はいずれ盗難品かプリペイドでしょうが……」

難しい顔で報告したのは平賀《ひらが》と名乗った警視庁の刑事で、先ごろの高校生連続通り魔事件で稲嶺に面会を申し入れた記録が残っていた。その後の図書館の逆風を思うと微妙な遺恨が残る相手だが、麦秋会という政治団体が公式には存在しないことを早くも突き止めており、図書隊の事件だからといって捜査力を出し惜しむ気はないようだ。

麦秋会が拉致《らち》時に匂わせた告別式会場の爆弾も結局はフェイクだったことが判明している。犯人たちの容疑は誘拐がメインとなるようだった。

「引き続きよろしく頼みます」一礼した玄田が堂上たちのほうを向いた。「おい、柴崎呼んでこい」

手塚が応じ、早足に部屋を出て行った。

「玄田君」

玄田に歩み寄って声をかけたのは、一度解散してから呼び戻した折口だ。

「書くわよ。私を呼んだってことは書けってことよね？」

「判断は任せる。ただし笠原の素性は伏せろ、一隊員だ。司令のほうは問題ない」

言いつつ玄田は表情を険しくした。

「事件の情報開示については、俺の権限で全面的に許可する。書くなら徹底的に叩け。こんな暴挙の言い訳に使われる良化法の醜悪な有り様をな」

稲嶺を危機に陥れた時点で良化法は図書隊の逆鱗《げきりん》に触れた。

稲嶺は二十年前の『日野の悪夢』の生き残りであり、その悲惨の象徴だ。良化法に与する者が悪意で稲嶺に触れることは図書隊の悪夢に触れることであり、図書隊は悪夢の再来を決して許さない。

「そろそろでかい発禁騒ぎをぶち上げないと週刊誌界の沽券《こけん》に関わるって話が出てたところよ。他誌とも連携して煽《あお》れるだけ煽ってあげるわ」

折口は台詞の物騒さとは裏腹に淑女のような笑みを浮かべた。

郁の残した伝言を聞いて、やってきた柴崎はニヤリと笑った。

「頭使いましたね、あの単細胞にしては」

「分かるのか」

食いつくように尋ねた堂上に柴崎は頷いた。

「笠原と何度か行ったことがあります。立川のカジュアルレストランです。予約がいるような大層な店じゃないし、今日行く約束もしてません」

「よし、警察さん立川だ！　稲嶺司令は立川市内にいる！」

玄田の声に警察人員が俄《にわか》に活気づいて動きはじめるが、立川といっても広い。犯人の切った二時間のリミットで探すのはまず不可能だろう。次の電話で時間をどれだけ引き延ばせるのか。後方支援部がマイクロフィルムの複製を始めているが、取り引きまでには間に合うまい。

急に眉間《みけん》に触れられ、堂上はぎょっとして体を避《よ》けた。触れてきたのは柴崎だ。

「すっごいですよ、シワ。笠原が帰ってきても痕《あと》が取れなさそう」

返事のしようがないので、堂上はむっつりと黙り込んだ。すると柴崎はますます答えようがないことを言い放った。

「後悔してますか」

後ろ暗さを真っ向突かれる。――――こんなことになるなら、
それを考えるのは逃げだ。その采配《さいはい》は自分が不公正に押し切った――――しっぺ返しに打たれて竦《すく》む資格はない。

「後悔してリセットできるわけでもないだろう」

そっけなく言うと、柴崎は笑って「そういうところ好きですよ、あたし」と相変わらず冗談か本気か分からない口調で言った。

＊

もっと引き延ばしてやろうとした目論見《もくろみ》は電話を取り上げられて敢《あ》えなく潰《つぶ》れたが、伝言が残せたので少し肩の荷が下りた。玄田たちなら絶対柴崎を呼んで訊くし、柴崎なら絶対気づく。

それにしても立川という手がかりを残せただけで、この後をどうすればいいのか郁には思いもつかない。

稲嶺が不意に車椅子の上で足元に屈《かが》み、ズボンの裾《すそ》に手をかけた。

どうしたんですか、と郁が声をかけるより先に犯人の一人から恫喝が飛んだ。

「何をしている！」

屈んだ稲嶺の後頭部に銃のグリップをこじった男に、危うく郁は自制を飛ばして飛びかかるところだった。

だが稲嶺は激する様子も恐れた様子もなく、屈んだ姿勢から男を見上げる。

「義足を外したいのですが。車の振動で装着部がずれたようで非常に痛い」

男が舌打ちして郁を顎《あご》でしゃくった。

「その女にやらせろ」

「お願いできますかな」

稲嶺に訊かれて郁は頷いた。元々そうした手助けのためについて来ている建前だ。

「義足は外したことがないので指示をください」

言いつつ郁は稲嶺の右足の靴を脱がせた。肌の色をした樹脂製の足が現れて、見張っていた男がうえっと声を上げた。自制が間に合わずに郁の頬はひきつった。

──くそ、こいつぶっ殺してやりたい！

ズボンを折りながらまくり上げていくと、カーボン製の支柱と膝関節《しつ》が露《あら》わになる。装着部の太腿《ふともも》までまくっても、元の足が細っているせいか布が突っかからない。

足の付け根近くまでまくって、ようやく義足の全体が露出した。初めて見る稲嶺の足は、膝のやや上で途切れて切断面が丸くなっている。あるべきものが欠落している形はさすがに直視すると本能的に怯《ひる》んだが、

「申し訳ない。縁者にもなかなか見せないものをあなたに見せてしまった」

すまなそうな稲嶺の声に、引っぱたかれたように我に返る。

これが二十年前『日野の悪夢』を戦った足だ。そして人より苦労しながら動く足だ。

ひざまずいた姿勢から郁は稲嶺を見上げて笑った。

「指示をお願いします」

ゆっくりと一つずつ稲嶺は手順を指示し、郁はそれに従って義足を外した。

外した義足を預かり、まくったズボンを再び下ろす。切断部から先がぺたりと厚みを失くし、膝から垂れ下がったズボンを見て、犯人たちがさすがにばつの悪そうな顔になった。稲嶺の足がないという状態がようやく分かったらしい。

「大丈夫ですか？　さすりましょうか？」

稲嶺が非常に痛いとまで言ったならよほどの痛みだろうと気遣うと、稲嶺は笑って頷いた。

「足を外しましたから、もう大丈夫ですよ」

＊

「稲嶺司令の足が外れました！」

持ち込んだ端末を監視していた班長から歓喜に近い叫びが上がった。

「何ッ！」

玄田以下、全隊員が色めき立つ。

ついて行けずに戸惑っている刑事たちに柴崎が説明した。

「司令の義足はある手順で外すと発信器が作動する仕組みになってるんです」

刑事たちが啞然とする合間にも図書隊側では状況が次々と明らかになる。

「座標出ました！　立川市郊外の番地です！」

「最新の住宅情報地図と照合しろ！」

「出ました、分譲前のニュータウン！　座標地点は集合ビルの建設予定地となっています！」

「地図は半年前か、もう完成してるな。よし、立川市の防衛部から斥候を出せ。図書特殊部隊は出動準備！　次の接触の前に押さえるぞ！」

　呆気《あっけ》に取られていた警察陣の中で平賀がやっと我に返った。出動準備の命令を下した玄田に駆け寄る。

「待て！　場所が分かったんなら警察が出動する！」

「ここから先はうちの流儀でやらせてもらいましょう」

　玄田が交渉の余地のない口調で宣言するが、平賀もはいそうですかとは引き下がらない。

「捜査中に勝手に動かれるわけにはいかん！」

「捜査はあんたたちが引き続いてやればよろしい、我々は司令を救出するだけだ」

「救出ならうちにも六機がいる！　警察に任せろ！」

「悪いが」

　玄田は声を荒げず、ただ明解に事実を述べた。

「あんたたちがどこかで日和《ひよ》らんと信じられるほど我々の間の歴史は幸福ではなかったはずだ。違うか」

　平賀が頰を打たれたような顔をした。それから苦しそうに目を伏せる。まだ取り返させてはもらえないのか、と玄田に届くかどうかはどうでもよさそうな低さの呟き。平賀には平賀なりの全力を尽くしたい訳があったらしい。それがどういう訳かは玄田の知るところではない。

「図書隊は今回あんた方が尽力してくれたことを覚えておく。取り敢えずそんなところで手を打ってもらえんだろうか」

平賀は答えず自嘲《じちよう》のように歪《ゆが》めた笑いを浮かべた。そして表情を事務的に切り替える。

「しかし、図書隊の発砲権は手続きを踏まん限り図書館施設内に限定されている。我々は警察として眼をつぶる訳にはいかんぞ」

発砲権の施設外延長申請は手続きが複雑で、事前からの準備が必要だ。

我々の流儀でやると言ったはずだ、と玄田は不敵に笑った。そして矢継ぎ早に指示を飛ばす。

「該当ビルの管理会社を問い合わせろ、図書隊施設予定物件として押さえる！　関東区の予備予算を全部吐き出しても構わん、副司令以下行政派と会計監査はどうにかして黙らせろ！」

無茶な指示に平賀がぽかんと口を開《あ》いた。だが図書隊員たちは一向戸惑わない。一斉に手配に動きはじめる。

「価格は向こうの言い値で構わん、ただし契約書は三十分で作らせろ！」

該当ビルを図書隊の名義で押さえれば武器を使えることになる、しかしめちゃくちゃにも程がある力技だ。

「ムチャクチャだ！」

思わずの態《てい》で叫んだ平賀に、玄田は厳《いか》つい顔でにやりと笑った。

「無法は無茶で叩き潰すのが図書隊の流儀だ」

「しかし、一回の救出作戦のために一体何億吐き出す気だ⁉」

「問題のニュータウンはかなりの規模だし、将来は分館なり児童館なりの建設を考えることになる。そのためのハコを先に確保すると考えればそれほど無理な話じゃあるまい。不使用資産として転売する目もあるし、後方支援部を委託している商社に賃貸物件として経営してもらう手もある。収入を図書隊の運営費に回すという建前なら合法だしな。予算審議が通らなかったとしても、最悪解約金を積めば済む話だ」

もちろんそれも図書隊という組織の特殊があってこそ為《な》せる技だが、と玄田が結ぶ。平賀に突っ込む余力は残っていないようだ。

「堂上！」

玄田に呼ばれた堂上がすっと背筋を伸ばした。

「救出作戦の指揮はお前に一任する。人員装備、好きに編成して出動待機に入れ」

敬礼で答えた堂上が、特殊防衛員たちに向き直った。

「手隙の者は特殊部隊事務室へ戻れ。追って編成を発表する」

堂上は自分が真っ先に大講義室を後にした。

＊

離せ！　それとも万引きの現行犯で警察に行きたいか⁉

それは一冊の本を良化特務機関の検閲から守ろうとしたその少女に対して、あまりにも卑劣な辱めだった。

少女が竦《すく》んだのは背中を見ていただけで分かった。びくりと肩が跳ねてから縮こまる。周囲を見回して見せた横顔は泣き出す寸前のように途方に暮れていて、ちがうと無実を訴えていることも痛いほど分かった。

誰も少女がそんなことのために本を隠していたとは思っていない。それでもそんな濡《ぬ》れ衣《ぎぬ》を公衆の面前で着せられるのは、感受性の強い年頃には耐え難い屈辱だろう。

だが、近くに立っていた店長と思《おぼ》しき男性と顔が合った瞬間、少女の後ろ姿から怯《おび》えた様子が掻《か》き消えた。店長は逆らうなという意味でか少女に小さく首を振って見せたのだ。

「いいわよ行くわよ！　店長さん警察呼んで！　あたし万引きしたから！　盗《と》った本と一緒に警察行くから！」

その凜《りん》とした声に射抜かれた。一体何という清廉な、そして捨て身な宣言だろうそれは。

その少女はまだ高校生で何の力も持ってはおらず、それでも狩られる本を守ろうとしているのだった。

ただ小さな勇気一つしか彼女は持ってはいないのに。

対して一体自分は何をしているのか。この場で唯一検閲に対抗できる権限を持っているのに、名乗りもせずにただ傍観しているだけで。

煩《うるさ》くなったのか良化隊員は怒鳴って少女を突き飛ばした。——もうこらえ切れなかった。

小売店は非武装緩衝地帯、見計らい権限は一隊員の独断で振りかざしてはならない。そんな規則はもう知るか。

倒れる刹那《せつな》に支えは間に合った。驚いたように少女がこちらを振り返る。勝気そうな、だが少女らしいあどけなさを残したその顔は血の気が完全に失せていて、彼女がどれだけ恐かったかを思わせる。

後には引けるか。上着から図書隊手帳を出して掲げる。

「こちらは関東図書隊だ！　それらの書籍は図書館法第三十条に基づく資料収集権と三等図書正の執行権限を以《もっ》て、図書館法施行令に定めるところの見計らい図書とすることを宣言する！」

店長に大袈裟《おおげさ》な礼を言われて、ものすごく居心地が悪かった。最初は見過ごそうとしていたのに感謝される筋合いはない。しかも店を助けたかったわけではなく、

足を痛めて休んでいた少女に取り上げられた本を返す。ためらうのをやや強引に押しつけた。

「万引きの汚名を着てまでこの本を守ろうとしたのは君だ」

この少女に取られた本を返したい、動いた理由はそれだけだった。

泣き出してしまった少女を慰めるように、軽く頭を叩く。良化隊員には気丈に立ち向かっていたが、俯いて泣いている姿は驚くほど頼りなく見えた。本当にただの女の子だった。

これほど非力なのに検閲に立ち向かった勇気は殊更に眩《まぶ》しかった。

それから五年だ。

堂上のほうは一目で分かった。

「一五三番、笠原郁です」

受験番号と名前を名乗ったその背の高い娘は女子で防衛部を第一志望にした変り種で、五年前の堂上が検閲から助けた少女だった。

面接官として末席にいた堂上は密《ひそ》かに動揺したが、目が合っても郁の表情は変わらなかったので郁は覚えていないらしかった。

ほっとしたのは束の間だった。志望動機を訊かれた郁は、面接官たちの前で——玄田や小牧ほか、当時の事情を知る隊員たちの居並ぶ前で、五年前に巡り合った「運命の図書隊員」の話を大変な情熱でもって語りはじめたのである。

しかも彼女の側では思い出がかなり強固に美化されていた。当事者の堂上が聞いても一体誰だその完璧《かんぺき》超人はと首を傾げたくなるほど「彼」は品性卑しからず人格高潔な勇気溢れる図書隊員の鑑《かがみ》として語られ、堂上は途中で顔が上げられなくなった。

この苦境を逃れられるなら百万円払ってもいい。誰にだ。誰かにだ。

一番先に臨界が来たのは笑い上戸の小牧だった。しかし一人堰《せき》が切れると後は連鎖だ。全員がくつくつ笑いをこらえる状態になる。

当の郁はといえば事情が分からずきょとんとしていた。これだけ情熱的に語るくせに、当の堂上をまったく覚えていないということがまた他の連中のツボにはまったらしい。

面接が終わってから玄田が言った。あれは合格させせんと仕方があるまい。完全に面白がっていることは明白だった。

その後よりにもよって堂上の監督する教育隊に郁が入れられたのも玄田の差し金である。

郁はもちろん知らないが、五年前に郁を助けた話には後がある。

研修先の図書館で勝手に見計らい権限を前例のない形で行使したことは大問題となり、堂上は何十枚となく始末書を書いたうえに査問会に何度も呼び出された。

予想はしていたがそれはかなり気の重い日々で、しかも問題は半年以上も長引いた。規則を破るということはこういうことだと骨身に沁みるくらいにはこたえた。

当時の関東図書隊では行政派と原則派の摩擦がかなり激しく、堂上の起こした問題が行政側の態のいい攻撃材料になったことも不幸だった。

隊の暗黒面はそのとき大概見尽くした。

後悔はしない。だが、もう同じ真似はしない。微妙な時期に自分一人の感情任せの勇み足で原則派全体の立場を危うくした——そのことを堂上は今に至るも許していない。後先考えない軽率さと感情に流される脆弱《ぜいじゃく》さ。それはそのときから堂上が最も忌避する自分の欠点である。

それを克服したと思ったところへ郁だ。正直かなり打ちのめされた。何でお前は今さら来る。

しかも——

堂上が欠点と切り捨てたものを全部後生大事に抱えて。

切り捨てるのが痛かったものをようやく切って少しは使える自分になったと思っていたのに、今さら現れた郁は使えなかった頃の自分がいいと言う。

その俺は俺が違うと切り捨てたのにお前が拾うな。俺は今の俺に満足してるのに出来損なった俺をお前が勝手に認めるな。

俺の目の前でお前がみっともない俺になろうとするな。

しかも郁は親の反対を押し切って図書隊に入り、危険な戦闘職種を選んだ。それも昔の堂上を追ってだ。

そのことがまた堂上に昔の自分を詰《なじ》らせる。

お前が軽率に間違いだらけの背中を見せたせいで彼女はお前を追ってきた。お前がそんな背中を見せなければ彼女はこんな危険な職業をわざわざ選ぶこともなく図書隊に妙な幻想を抱くことも、
図書隊は彼女が夢見ているようなキレイな組織ではなく、彼女がなりたい正義の味方からは程遠いのに。

『そこまで言うと防衛員からも弾《はじ》きたいみたいに見えるよ』

正論好きな友人の声に堂上は開き直る。

そうとも自分は彼女に対してあらゆる意味で公平でなかった。公平になれるわけがない。

できることならリタイヤして図書隊を去ってほしかったくらいだ。図書隊の現実を知って、正義の味方になれないことを知って堂上の前で傷つく前に。

取り返しのつかない何かがどこかで起こる前に。

堂上の気も知らず郁は臆面《おくめん》もなく五年前の自分を慕い、そして今の堂上を混乱させていく。

郁が勝手に先走った見計らい権限を堂上は取り消すべきだった。

郁を回収し、良化特務機関に検閲の妨害を詫《わ》び、堂上の義務はその場で恥をかくことだった。

そのつもりで追いかけたのに、
郁が良化隊員に突き飛ばされた瞬間、箍《たが》が外れた。

五年前と同じ光景だった。本を守ろうと抗《あらが》う郁と、――

まるで昔に戻ったみたいだったよ、堂上。懐かしそうな小牧の言葉は、堂上には自責の材料として刺さるばかりだ。今回大した問題にならなかったのは前例が既にあったから、それだけだ。

――それでも、
間違いだらけの背中を追ってきた郁を今の堂上が弾くのもまた間違っている。五年前の自分は追ってこいと命じたわけではなく追いかけたかったのは郁の勝手で郁の希望だ。それを郁は自分の自由と責任において選んだのだ。

だとすればそれで傷つくのも潰《つぶ》れるのも郁の勝手で、それは堂上が責任を持つ問題ではないし責任を持とうとするのは出過ぎた真似だ。

今の自分を混乱させるからと恐れて遠ざけるのも逃げだ。揺らぐのは堂上の問題で郁のせいにするのは間違っている。

それは分かった、思い知った、だから――

後生だから無事でいろ。

堂上は間違いだらけの無謀な部下に祈った。

＊

犯人グループが車椅子を上の階へ持ち上げる手間を惜しみ、一階フロアに潜んだことが結果的には状況を助けた。

必ず来る、と待ち受けていたので郁が気づいたのもすぐだった。

案の定、犯人たちの死角になりがちだった窓だった。

窓枠の片隅を一瞬その手がかすめた、それで分かったことが自分でも意外だった。手だけで分かるほど近しかったはずはないのだが、玄田でも小牧でも他の誰でもなく堂上だと思った。

だってあの忌々しいクソ意地の悪い教官はあたしがまずい状況になったときは必ず来るのだ、あたしの王子様をあたしの正義の味方をあれほどこき下ろして否定するくせに、自分はまるで正義の味方のように。

気づいたことを知らせるために、何気なく俯くように頷く。堂上の側からは郁が確認できているはずだ。

手が再び閃《ひらめ》いて、親指で下を示した拳が二度振られた。次に指を三本立ててまた手が消える。分かった。——と思う。多分。

「司令。手荒くします」

犯人に気づかれないように、稲嶺のほうは見ずに呟く。稲嶺は郁の肩にそっと手を触れた。その了承を受けて、また俯くように頷く。

窓の外で堂上が人差し指を立てた手を小さく一度振った。——イチ。

ニの、サン！

郁は稲嶺を一気に車椅子から引っこ抜き、抱え込んで床に伏せた。顔からイッて力いっぱいデコをすりむく、それを痛いと思ったときには既に味方が突入していた。

元々会場を爆破するという脅しさえなければ警棒だけの防衛員でも片付いたほどの素人たちだ。犯人の反応は図書隊が訓練で想定している反射速度に遠く及ばなかった。

ろくな反撃もないままに犯人たちは全員図書特殊部隊に拘束された。呆気《あっけ》ないほどあっさりした収束だった。

犯人は同行していた警察の捜査員に引き渡された。

稲嶺には救急車が手配されていた。怪我はなかったが年配であることから拘束中のストレスなどが心配され、念のための検査入院となる。

大袈裟なことですねと苦笑気味に稲嶺は救急車に乗った。郁にはもちろん必要ない。たかが数時間拘束されただけでへたばるほどぬるい訓練を日頃している訳ではない。

小牧が小牧らしい口調で労《ねぎら》い、けろりとしている郁に手塚が誉めているのだかいないのだか「お前神経太いよな」と呆《あき》れたように呟いた。

そして堂上だ。

状況が落ち着くまで郁と目も合わせなかったが、落ち着いてからかなり今さらのタイミングで「無事か」と尋ねた。

ええまあ、と郁も素のテンションで答える。

すると不意打ちのようにそれは来た。

「よくやった。戦力にならないというのは撤回する」

わあ、——悔しい。郁は表情を選び損ねて俯いた。

認められたことがこれほど嬉《うれ》しいのが悔しい——自分がこの人にこれほど認められたがっていたことが悔しい。

「……ありがとうございます」

ふて腐れたように呟くと、堂上も不機嫌そうに目を逸《そ》らした。

「俺の采配《さいはい》が公正じゃなかったのは認めると言ってるんだ。許せ」

「あたしが許すとか許さないとかの問題じゃないですから。堂上教官には堂上教官のご判断があったでしょうし」

「人が謝ってるのに意固地になるな」

「そっちこそこっちが譲歩してんの気づいたらどうなんですか」

もうやめときな、と小牧が横から仲裁を入れる。

「ホントそっくりだよ二人とも、意地っ張りなとことか素直じゃないとことか」

「俺も今ちょっと分かりました」

手塚も頷き「クマ殺しはクマ殺しに通ずるんですかね」忘れていたネタを引っ張り出されて郁と堂上は同時に痛恨の表情になった。

帰ろうか、と小牧が車輛へ歩き出し、手塚が続いて、

「──顔。派手にやってるぞ」

歩き出しながら堂上がそっけなく指摘した。言われてから額で鈍い痛みを放つすり傷を今更のように思い出す。まだ鏡は見ていないが、相当目立っているらしい。

当分前髪下ろしてごまかすか、などと考えていると、

「もうすぐ実家の親が来るんだろう。生傷やたら作ってたら戦闘職種に就いてることがばれるぞ」

一応気にしてくれているらしい。

「……もし、」

あたしが辞めたら困りますか。そんなことを訊こうとした自分に焦る。必要だと言われたいとか甘えたことを何でよりにもよってこの人に思うのかあたしは。

そして堂上は気づかないでほしいと思ったことに限って気づく性格の悪さだ。

「お前が辞めても別に困らない。他の誰でもだ。替えが効かないと思ってても抜ければその穴は誰かで埋まるんだ」

言い放った堂上がしばらくしてから、「だが惜しくはなるかもな」と付け加えた。

畜生。それが嬉しい。

「辞めません。親にばれても大騒ぎされても絶対。あたしこの仕事好きだし」

自分より肩の低い、だが大きな背中に宣言する。

「あたしはあんたを超えるんです。だから絶対辞めません」

お前定年来ても辞めないつもりか、と堂上は振り返らずに最大級の挑発を返した。

＊

『情報歴史資料館』攻防戦とタイミングを完全に合わせた麦秋会の犯行はメディア良化委員会から情報提供と示唆を受けているとしか思われなかったが、良化委員会は『情報歴史資料館』の検閲予定は賛同団体から問い合わせがあれば等しく答えていたと回答し、特定の関与を否定した。

「敢えて根回ししなくても賛同団体は勝手に口裏合わせるだろうしね」

限りなくグレーに近い黒、という柴崎の論評が多分正しい。良化委員会に関する疑惑の全ては三十年間ずっとその色だ。

「ま、取り敢えず昨日はお疲れだったわね」

郁が帰還したとき、柴崎は「お帰り」と拍子抜けするくらいあっさりな一言だったが、今日の仕事上がりにケーキをぶら下げて帰ってきたので一応労いの気持ちはあったらしい。

「で、あんたはさっきから何唸ってんの」

インスタントのコーヒーを淹《い》れながら柴崎が郁の手元の絵ハガキを覗《のぞ》き込んだ。

「んー、実家にハガキ出そうと思ってんだけど……」

先日実家から来たハガキに返事を出さないままに、両親の上京までもう一月を切った。苦手意識が先に立ってずるずると返事を先延ばしにしていたが、さすがに来る前にはリアクションしておかないといろいろ角が立つ。

苦手だから気まずいからで一生逃げ切れる相手でもないし、それなら受けて立とうじゃないかとは思ったものの、実際に書き出してみると筆が進まないこと甚だしい。締めの一行で郁の筆は完全に止まっていた。

「ねえ、コーヒー入ったわよ。冷めちゃうからちょっと手ェ止めたら」

言いつつ柴崎がケーキを箱から出す。皿を洗うのが面倒なので出したケーキはティッシュの上に直置きルールだ。

「季節のスペシャリティでかぼちゃのモンブランと巨峰のレアチーズが出てたから買ってみた。どっちがいい？」

「ううー、ちょっと待ってちょっと待って。今書き終わるから」

「早くしないとあたしが先に選んじゃうわよ」

柴崎に急《せ》かされて、郁はええいとハガキの最後を書き上げた。結びの草々を書いてハガキとペンをちゃっちゃと片す。

「うわー、何か最後やっつけ仕事だったわね。後で落ち着いて書きゃいいのに」

「だって懸案残ってると落ち着いて味わえないもん」

親よりケーキを取ったか、とからかい口調で言った柴崎が「ま、秋だし目先の食い物よね」と笑う。

「そういうこと。わー、両方おいしそう。迷うー」

「一口交換すりゃいいじゃない」

郁は長考の末かぼちゃのモンブランを選択した。

＊

前略
お父さん、お母さん、お元気ですか。
私は元気です。

仕事は毎日大変だけど、ちょっとは慣れてきたかなと思っています。

同室の友達とは気が合っています。友達じゃないけど、同僚もまあまあいい奴です。

上司も豪快な人から穏和な人までバリエーションがそろっていて飽きません。

直属の上司は厳しくて恐い人ですが、性格もちょっと悪いですが、尊敬できるところも少しはあります。すごく分かりづらいですがたまに優しいです。もうちょっと分かりやすく優しくてもいいと思います。

図書館の仕事はとてもやりがいがあります。何があっても投げ出さずに頑張ろうと思います。

もうすぐ法事で上京ですね。叔父《おじ》さんたちにもよろしく。

うちの図書館に寄ってくれるのも楽しみに待っています。

草々

fin.

単行本版あとがき

今回のコンセプトは、

・月9連ドラ風で一発GO!

ってことになっておりますね担当さんに提出したなけなしのプロットによると。連ドラなので当然ラブです。ていうかあんたの中で月9連ドラってこんなんですか有川さん。えーとそれでは行政戦隊図書レンジャーってところで如何《いかが》でしょーか。何かコンセプトがどんどん空中分解してますが。よーしどんどん分解しとけ!

これに加えて「こんな世の中になったらイヤだなー」とか。イヤですね。

思いつきのきっかけは近所の図書館に掲げてあった「図書館の自由に関する宣言」のプレートです。一度気づくとこの宣言ってかなり勇ましくないかい、と妙に気になっていろいろ調べてるうちにこんな設定が立ち上がってきました。プレートの存在を教えてくれた旦那《だんな》に多謝。

万が一本書を読んで図書館事情に興味を持たれた方がおられましたら、何とぞご自分で調べて頂けますよう。こんな話ですからかなり現実の図書館事情とは違えてあります。

書き下ろしとしては初めての普通のお話です。塩も楕円《だえん》もザリガニも出てこないので普通です。根拠は磐石《ばんじゃく》。どっからでもかかってこい! 嘘ですかかってこないでくださいすみません。

「何じゃこら!」とか笑って頂けたらもっけの幸い。気に入って頂けたらもっと連ドラで続けてみたいので何とぞ一つよろしくお願いします。

さてさて、今回もたくさんの人に助けて頂いて書きました。

まずは担当の徳田さん、そして出版までにお世話になった皆様、毎度ありがとうございます。特に徳田さんにはチキンな私の精神を何くれとなくケアして頂きまして本当に……

励ましてくださるご同業の皆様。煮詰まる度にどれほど救われているか分かりません。今回もやばいところをいろいろ救って頂きました。ありがとうございます。

オマージュにご許可くださいました時雨沢恵一様、宣伝文のアイデアを頂きました川上稔様、ありがとうございました。

そして、イラスト&徽章《きしょう》類デザインを担当してくださった同期イラスト大賞出身の徒花スクモさん。デビュー時に組むお話が浮上していましたが今回初めて実現しました。お引き受け頂いて本当にありがとうございます。もし続きが出せましたら引き続きましてよろしくお願いします。ていうか逃がしませんイエー！

いつも支えてくれる友人各位に旦那。本当にいつもありがとう。あなたたちがいてくれることが私の大きな力になっています。

そして最後に、この本を今手に取って下さっているあなたに心からの感謝を捧《ささ》げます。

有川浩

文庫版あとがき

だいぶお待たせしてしまいましたが文庫版です。

単行本はアスキー・メディアワークスからの出版でしたが、関係各位と相談の結果、文庫版は自衛隊三部作と同じく角川文庫からの出版となりました。

さて、キテレツなお話を書いてしまったので経緯の説明が煩雑で、色々悩んだ結果、単行本のあとがきを再録したうえで文庫版あとがきを書くことにしました。

よろしくお付き合いください。

担当さんに企画を通したときのことを、今でもよく覚えています。

なけなしのプロットを受け取った担当さんは電話の向こうでしばらく考え込み、

「……ごめん。これ、面白さが私にはちょっと分からないんだけど」

図書館で戦争。月9連ドラ風で一発GO！　と実質二行のプロットを受け取ればまともな人の反応はこんなもんでしょう。この頃には既に「書き上げてみてダメだったら全ボツ」という丁半博打《ばくち》のごとき執筆スタイルが確立しておりましたので、苦悩する担当さんを「まあまあ、駄目元でちょっとやらせてごらんなさいよ」と口八丁で丸め込んで執筆に取りかかりました。

結果、まんまと出版が決まったわけですが。

悪ノリ御免の作品はこれが初めてだったので、のるかそるか博打なところがありましたが、おかげさまでこの作品は本当にたくさんの方に受け入れていただけました。たぶん、私が作家である限りこのタイトルは代表作と呼ばれることになると思います。

ちなみにこの作品はアニメ化・コミックス化など色々メディアミックスされておりまして。アニメ化することが分かってたら「図書正《としょせい》」なんて発音しにくい階級名にしなかったのに、とアニメ化決定後に頭を抱えました。

この階級名、一度でも台詞《せりふ》に「図書正」が入ったことのある声優さんたちに大不評でした。特に、

「こちらは関東図書隊だ！それらの書籍は図書館法第三十条に基づく資料収集権と三等図書正の執行権限を以《もっ》て、図書館法施行令に定めるところの見計らい図書とすることを宣言する！」を言わなくてはならない堂上役の前野智昭さんには何度恨み言を言われたことか。

「資料収集権と三等図書正の執行権限」のところが早口言葉並みの難易度だそうです。

その指摘を受けてから自分で音読してみて、「ホントすまん」と頭を下げました。私は一度たりとも噛《か》まずに言えなかった。頭の中で文字を転がすのと口に出すのは大違いです。図書隊の入隊試験にはきっと早口言葉があるとまで言われました。

時間を遡《さかのぼ》れるものなら『図書館戦争』を書いている自分に「それ、将来アニメ化されるから階級もうちょっと考えろ」と忠告する。危うくヒーローが決め台詞を決めることができないという惨事が発生するところです。

しかし本番はバシッとカッコよく決めてくれたので、やはりプロはすごいですね。

俳優がアニメの声を当てることが増えていますが、やはり「声」に関しては声優こそがプロなんだなとこのとき知り合った声優さんたちに教えていただきました。このとき教わったことが後に書いた『シアター!』にも活《い》かされています。

ところで、単行本版あとがきで「こんな世の中になったらイヤだなー」と書きました。

この物語は「こんな世の中あり得ねえだろ」と笑っていただいて何ぼの本です。この設定を笑い飛ばせる世の中でこそ気楽に読んでいただける本です。

ところが、うっかり気を抜いていると恐い法案や条例が通過しそうになったり、なかなかに油断がならない世の中になりつつあるようです。私も検閲についてのコメントをニュース番組に寄せたりするようなことがありました（条例改正のほうは可決してしまったようですが）。

この本が世に出る頃、まだ「こんな世の中あり得ねえだろ」と笑い飛ばせる世の中であれば、その笑い飛ばせる尊さをちらりと思い出していただけると幸いです。

……この本を書いた頃はこの話題は「イヤだなー」で済んでいたのに世知辛いことです。

さて、文庫版では巻末におまけが載っております。元はアニメ版『図書館戦争』ＤＶＤ特典として書き下ろしたショートストーリーです。せっかく書いたものなので文庫化の機会で本の中に回収しようということになりました。全五巻に一話ずつ書き下ろした五本を文庫の巻末に収録し、文庫が全六巻なので一本足りない分は書き下ろしです。

文庫収録に当たっては人間関係のネタバレになる話が多いので、収録順はＤＶＤの順番ではありません。収録のタイミングによってその巻の時系列と若干ずれているお話もありますが、それほど問題の発生しない順番にしてあると思います。そこら辺適当に時系列を按配《あんばい》しながら読んでいただけると幸いです。また、収録巻の内容に合わせて発表時から細部を修正している話もあります（ほか、レイアウト上の問題による修正も入っています）。

どうしても本編とずれる情報は欲しくない、という方は、全巻読んでいただいてから最後に各巻のおまけを読んでいただいたほうがよろしいかと思われます。

取《と》り敢《あ》えず初っ端はいじらなくて済む話を収録してみますので、楽しんでいただければ幸いです。ＤＶＤでは第四巻に封入された『ジュエル・ボックス』です。

本当にトンチキなシリーズでしたが、たくさんの方に愛していただけたことに改めてお礼を申し上げます。

私が全力でトンチキなことをやれるのは皆さんのおかげです。

ありがとうございます。

最後に、現状では色々危なっかしいながらも存在しない建前になっている検閲が、これから先も断固として拒否される世の中であることを祈りつつ。

有　川　浩

ジュエル・ボックス

＊

心の中に開けてはならない箱が一つある。

箱の中には触れてはならない宝石が一つ。

箱を開けると触れたくなる。だから厳重に鍵《かぎ》をかけている。

鍵を——かけているのに、

「壊して開けるなアホウッ！」


怒鳴った自分の声で飛び起きた。自分の息が耳につくほど荒い。

枕元の時計を見ると点呼までまだ二時間はある。一人部屋でよかった、大部屋の頃なら同室から大ブーイングが飛び交っているところだ。

堂上《どうじょう》はぐったり布団に潜り込んだ。

バカな夢を見た。見た理由は分かっている。

郁《いく》の採用が決まってから考え得るありとあらゆるところに箝口令《かんこうれい》を敷きまくった。上司や仲間たちはにやにや笑いながら見守る楽しみを選択したらしい。

笑わば笑え。――郁にさえ自分が『憧《あこが》れの図書隊員』とバレなければそれでいい。郁が面接で喋《しゃべ》った図書隊員は断じて自分ではない。

小牧《こまき》が上戸をこらえ切れないほど美化されたあのときの図書隊員が自分とバレるなど、想像するだけで目眩《めまい》がした。

＊

「でもさ、何かこう、ちょっと来るものない？」

小牧が笑いながらそんなことを言い出した。堂上班が編制される前の話になる。

「五年だよ。五年も前からお前の後ろ姿だけ追いかけてここに来たんだよ、あの子。ちょっとこう、たまんなくならない？」

「ならん！」

堂上は噛《か》みついた。心中は後悔の坩堝《るつぼ》である。――向こうは堂上の顔などまったく覚えていなかったらしいが。

行動力はありそうなタイプに見えた。――向こうは堂上とまともに目が合ってもチラともかすめる記憶はなかったらしいが。

ターゲットを決めたら一直線のタイプにも見えた。

自分のほうしか覚えていなくてがっかりしたなんてことは断じてない。単にこちらは物覚えがいいから忘れていなかったというだけの彼女の顔を見て――まあ、確かに五年前と比べると多少は大人びた顔立ちになってはいたが――一瞬何かを期待するように胸が騒いだこともただの錯覚だ。

笠原《かさはら》郁、そのとき初めて知った彼女の名前に胸が熱くなったことも断じて気のせいだ。

まさか、ここに来たなんて。しかも防衛部志望で。

頼む、帰れ。お前が追いかけてきた図書隊員はもういない。

あの日あのとき。

万引きをしたとまで言い張って本を守ろうとした女子高生の前で見計らい権限を使ったことに後悔はない。それは一生後悔しない。

しかしもう一生同じことはしない。

だからあの日の図書隊員は消えたんだ。

悪ノリが過ぎる上官の采配《さいはい》で郁は堂上の受け持つ教育隊に配属された。

望むところだ。徹底的に絞ってやる。

こんなところもう嫌だと出ていきたくなるほど。――それでも残るというのならどんなことがあっても生き残れるほど。

小牧にやんわり諭されるほどきつくも当たった。

適切に指導はしている。早い段階で女子で初の特殊防衛員にという話も出ていた。それなら選別も兼ねての厳しい指導はなおさらだ。個人的な態度がどうあろうが文句を言われる筋合いはない。

郁は若干私情が混じった堂上のシゴキからも脱落しようとはせず、陰で「あれだけ狙い撃ちにされてよく保《も》つよな」と囁《ささや》かれていることも知らず、「クソ教官！」と地団駄を踏みながら、歯軋《はぎし》りをしながら、――そして不本意だったであろう涙を見せながら、

結局、図書特殊部隊の一員となった。

頭の悪さは実技教官の立場からでは何ともしてやれなかったが、少なくとも生半《なまなか》なことで命に関わるようなヘマは踏まないだけのことを叩《たた》き込んだ。

そして思惑どおりに「クソ教官」と毛嫌いされる立場も手に入れた。そのはずだった。

――のに、何でこんなことになっているのかは堂上が訊《き》きたい。

クソ教官クソ教官と突っかかられながら、結局郁の面倒を見るのは堂上だ。隊の連中からも「あれだけ絞られてよくもまあこれだけ懐いたもんだ」と呆《あき》れられるほど。

別に懐かれてなどいないと思う。何しろ事あるごとに突っかかられるわ言い合いになるわ、この状態をして「懐かれている」と表現されるのは納得がいかない。同じレベルに下りて延々やり合うわけにもいかないので程々でこちらが畳んでいるだけだ。

それに目を離したら危なっかしいことこのうえないので、上官として野放しにしておけない。

手塚《てづか》のレベルなら安心して放っておけるものを――と思っていたら「手塚は手塚で拗《す》ねてるみたいだけどね、憧れの班長が笠原さんにかかりっきりだから」と小牧に言われて脱力した。

「ガキかあいつら……」

「ガキだよ、まだ大学出たての二十二歳じゃないか。しかも二人とも体育会系。認めてほしくて突っかかるのも背伸びするのも根っこは同じだよ」

――そのガキ同士で付き合うの付き合わないの話があったと聞いたときの動揺も断じて気のせい。

「笠原さんてね、上官や先輩じゃお前だけなんだよ。本気でむきになって噛みつくのって」

そして小牧は例によって例のごとく笑った。

「その状態をして懐かれてるって表現しないのは欺瞞《ぎまん》だと思うけど」

お前はけっこう分かりやすいよ、と小牧は付け加えてまた笑った。

＊

仕事上のことならまだ納得がいく。

しかし、いつのまにやら仕事かどうか微妙なことまで郁に関しては堂上の担当になっていたのは納得いかない。たとえば――

「おーい、堂上。笠原がオチたぞ」

隊での飲み会などでだ。郁が何かやらかすたびに自分が呼び立てられるのはどういうわけだ、と堂上には不服である。酒は好きだし、会費を出すならそれなりに飲みたいほうだ。そこに水を差されるのだから面白かろうはずがない。

グラスを置いていけば誰かに飲まれるので、せっかく選んだいい酒を水でも飲み干すように飲み干して席を立つ羽目になる。

郁は今まであまり酒を呑んだことがないらしく、飲み会となるとあれもこれもと色んな種類を試したがる。それも色がキレイで口当たりがいいという理由でカクテル系、一番の落とし穴系に何故わざわざ嵌《はま》りに行くのかと口を酸っぱくして説教したい。膝《ひざ》詰めで酒のいろはを叩き込みたいくらいだが、そんな場面は仲間たちの格好の肴《さかな》にされること確実なので却下。

特殊部隊には今まで女子がいなかったので、先輩隊員たちは飲み会の席に女子がいるというだけで機嫌がいい。だから郁が飲みたがれば「行け行け」と無責任に煽《あお》るだけである。

しかも郁はでかい図体《ずうたい》をして――細いことは確かに細いが、堂上より五㎝も背が高いくせに酒に弱い。カクテル一杯ですぐ赤くなったかと思うと寝オチしてしまう。

それでも一応は自分の図体を自覚しているらしく、眠くなると邪魔にならないところに――と気を遣ってはいるようだが、郁の場合はそれが仇《あだ》だ。

何しろ戦闘職種系大男が集団で飲むのだから、羽目を外すときはただでは済まない。よって飲み会は座敷の個室を確保できる店と決まっている。

その個室の中で、――とんでもないところに寝場所を見つけているのである。

衝立《ついたて》の裏側に丸まっている、服や荷物をしまう物入れに入り込んでいるなどはまだ序の口である。座敷でいつのまにどう潜り込んだやら掘りごたつの中で寝ていたときはそのまま殴って起こそうかと思った。

もちろん参加者の爆笑を誘ったことは言うまでもない。一番声が大きいのは玄田《げんだ》だ。

「さすが新米とはいえタスクフォース隊員、誰にも気づかれることなく俺たちの足元に潜んでいるとは侮れん！」

小牧の上戸ももちろんフル稼働で恥じ入ったのは堂上一人、辛うじて手塚が気を遣って神妙な顔をしていたくらいである。

「……ご歓談中のところ大変申し訳ありませんが、うちのバカ隊員が邪魔にならないよう回収したく、ご協力をお願いします」

さすがに完全に寝オチしている女を掘りごたつのわずかな隙間から引っ張り出すのは不可能だ。

「このサイズなら四人でいけるな」

緒形《おがた》の見立てで宴会テーブルの四隅に手近の隊員が立った。

「よーし、三カウントで上げて左に寄せろ！　回収は堂上とする！」

玄田の指示に店員が何事かと座敷を覗《のぞ》きにくる。

トムとジェリーのトムのような引き笑いで進藤《しんどう》が説明を入れた。

「ご心配なく、テーブルをちょいと移動させてもらうだけです。うちの娘っ子が掘りごたつの中に潜り込んで寝ちまいましてね」

特殊部隊が常連の店だ、それだけの説明で店員も引っ込む。

「三、二、一、ゼロ！」

酔っていてもカウントは完璧《かんぺき》だ。そして重たいテーブルは上に林立しているビール瓶や徳利を一つも引っくり返すことなく玄田の指示した位置に移動した。

掘りごたつの中で郁は周囲の喧噪《けんそう》を気にしたふうもなく熟睡している。その様子でまた仲間の爆笑が弾《はじ》けた。

「すみません」

何でこいつの分を俺がいたたまれなくならなきゃならないんだ。堂上の内心は穏やかでない。

掘りごたつの中に下り、郁の膝と背中に腕を差し込みかけて――上から降る気配に気づいた。

玄田を始め、先輩や同僚たちがにやにや笑いで堂上と郁を見下ろしている。

作業中断。堂上は俗に『お姫様抱っこ』と呼ばれる抱き上げ方を荷物担ぎに変更した。

「何だ王子様、お姫様抱っこはしないのか」

「俺は王子様じゃないし、どこの世界に酔って掘りごたつに潜り込むお姫様がいますか」

荷物担ぎで充分です、こんな奴。言いつつ掘りごたつから上がると、また不本意な爆笑だ。

無視だ、こういう状況は無視に限る。下手に突っかかれば長引くだけだ。

座敷の隅に郁を転がして、――自分の上着を着せかけていたのは無意識だった。

小牧がいいかげん苦しそうに笑いながらやってきて、堂上の肩に手をかける。

「もー、お前はさー。分かりやすすぎだよ。わざわざ荷物担ぎなんかするからさー」

笑い続ける小牧の馴々《なれなれ》しい手を堂上はしかめ面で払いのけた。

そして郁が飲み会に参加すると十中八、九の確率で堂上は二次会には参加できなくなる。寝オチか寝オチ寸前か、とにかく二次会に参加できるコンディションではなくなっている郁を寮に送り届けねばならないからだ。

堂上はもはや義務のように郁を負ぶって店を出るようになっている。

と、手塚が気を遣ったように声をかけてきた。

「あの、堂上二正。よかったら俺が連れて帰りましょうか。いつもこれではあんまりですし」

どうやら以前から堂上が二次会に出られず離脱することを気にしていたらしい。

その親切な申し出に、何故か戸惑った自分がいた。

何でだ。今日も会費分は全く飲めていない。これ幸いと手塚に任せて、二次会で飲み直せばいいだろう。

と、小牧がその場にやってきてガシッと手塚の首に腕をかけた。

「はーい、手塚は余計な気ィ回さずにこっちねー」

手塚が引きずられるように小牧に連行される。

「部下の不始末は上官の責任。それにうちの班長の仏頂面はポーズのことがままあるからね」

「は？　ポーズというのは一体……」

「それは自分で分かるようにならなきゃ駄目だなぁ」

余計なことは言うな。俺は任せたって全然、

だが、二次会に向かう一行から取り残されて妙にほっとした。

＊

そろそろ夜は涼しくなる季節だったが、背中だけは温かかった。背負った重みの分だけ温《ぬく》い。

首の骨が抜かれたように郁は堂上の肩に頭を落として負ぶわれている。

すぐ耳元でたまに呟《つぶや》く声。埒《らち》もないことをいろいろ。もう慣れた。

王子様。

あたしここまで来たんです。

会いたい。

切れ切れの、途中の音を落っことしているような呟き。まるで寝言のような——いや、それは誰かが聞いているなんて思いも寄らない寝言なのだろう。

寝言の王子様率はかなり高い。聞き飽きた。

努めて無心に郁を負ぶって歩く。

そこへそれは不意打ちだった。

……どうじょうきょうかん。

ぎくりと一瞬足が止まった。

無防備な声で呟かれたのは確かに自分の名前だった。起きているのかと疑って郁を窺《うかが》ったが、郁の息はやはり寝息だ。

聞き飽きたと思っていた。王子様王子様王子様。うるさいしつこいもう黙れ。

だが、こうして自分の名前を呼ばれてみると——こちらのほうが心臓に悪い。

——そんな声で俺を呼ぶな。

どうじょうきょうかん。

どうじょうきょうかん。

どうじょうきょうかん。

「……うるさい、お前」

目を覚ますことを期待して寝言に返事をしてみた。だが事態は泥沼になった。

よかった、いた。

そう呟いた郁が、いつもは堂上の肩からぶら下げているばかりの両腕を堂上の首に絡めた。

「起きてんのかお前、だったら歩け」

しかし肩越しに窺う顔はやはり寝顔だ。


置いてかないで。

ちゃんと追いかけるから。

あたしちゃんと走れるから。

もうあのときみたいに置いてかないで。

おねがいです。


いつのことを言っているのか分かった。小田原攻防戦だ。不公正に郁を編成から外した。

外して死ぬほど後悔した。

苦い思いがこみ上げて愚痴のように呟く。

「王子様はどうしたんだ、王子様は」

すると郁は律儀に夢うつつで返事をくれた。

王子様には憧《あこが》れてるけど、
今、あたしが追いかけたいのは、堂上教官なんです。
やめろと怒鳴りつけたかった。
箱は閉めた、鍵《かぎ》は捨てた、それなのに何でお前は――
壊して箱を開けにくる！
中にしまった宝石の名前は五年越しで知った、『笠原郁』という。
箱が開いたら触れたくなる、自制が飛ぶ、――だからしまったことを思い出す。
大して飲んだつもりはなかったが、自分はどうやら酔っている。
手が届くなんてことは――思い出すな！

帰り道はいつもの倍ほども長く感じられた。

酔いつぶれた郁は同室の柴崎《しばさき》では運べない。寮監の許可を得て二人の部屋まで堂上が運ぶ。

「今晩もお世話様でした」

まだ消灯ではないので廊下には女子隊員の姿もちらほら見える。だが、郁がつぶれて堂上に搬送されてくることは珍しくないので皆スルーだ。

堂上は独身男子が聞けば誰もが羨《うらや》ましがる部屋に立ち入り、ベッドに郁を転がし込んだ。

「少し消耗されてます？」

羨ましがられる主要な理由である柴崎が、小首を傾げて堂上に訊いた。

とても話せるようなことではない。

「……お前、こいつにちょっと酒の飲み方教えとけ」

「うっかりコイツがつぶれたら堂上教官が回収に来てくれるって保証つきじゃないとイヤですよ。とても手に負えないもの、女子で飲むときはいつもセーブさせてます」

回収に行って今日みたいな寝言を誰かに聞かれるのはもっとごめんこうむる。

「ならいい」

後は任せた、と堂上は部屋を出た。見送った柴崎は何か察したのか、いたずらっぽく笑った。

「はい、教官の大事な部下は確かにお預かりしました」

『大事な』に含みを持たせたアクセントに、どっと疲れが肩にきた。

＊

その晩見た夢はとても人には言えない。

当の郁はといえばけろっとした顔で翌日出てきて、堂上の苛立《いらだ》ちも倍増だ。

見てしまった、見てはならない夢を忘れるために、その一日は堂上の郁への当たりはきつくなった。

fin.

図書隊について

■図書隊の職域について

職域	図書館員	防衛員	後方支援員
部署	図書館業務部	防衛部	後方支援部
主な業務	・通常図書館業務	・図書館防衛業務	・蔵書の装備 ・戦闘装備の調達整備 ・物流一般

※図書隊総務部は図書館員と防衛員から登用するほか、行政からも人員が派遣される。
※総務部人事課は図書基地にのみ置かれ、管区内の全人事を統括する。
※後方支援は一般商社にアウトソーシングするため、正隊員は管理職以外配属されない。

■図書隊員の階級について

特等図書監	一等図書監	二等図書監	三等図書監

	一等図書正	二等図書正	三等図書正

図書士長	一等図書士	二等図書士	三等図書士

※他、臨時図書士、臨時図書正、臨時図書監の階級があるが、これは後方支援部のアウトソーシング人員に対応したもの。臨時隊員の権限は後方支援部内に限定されている。

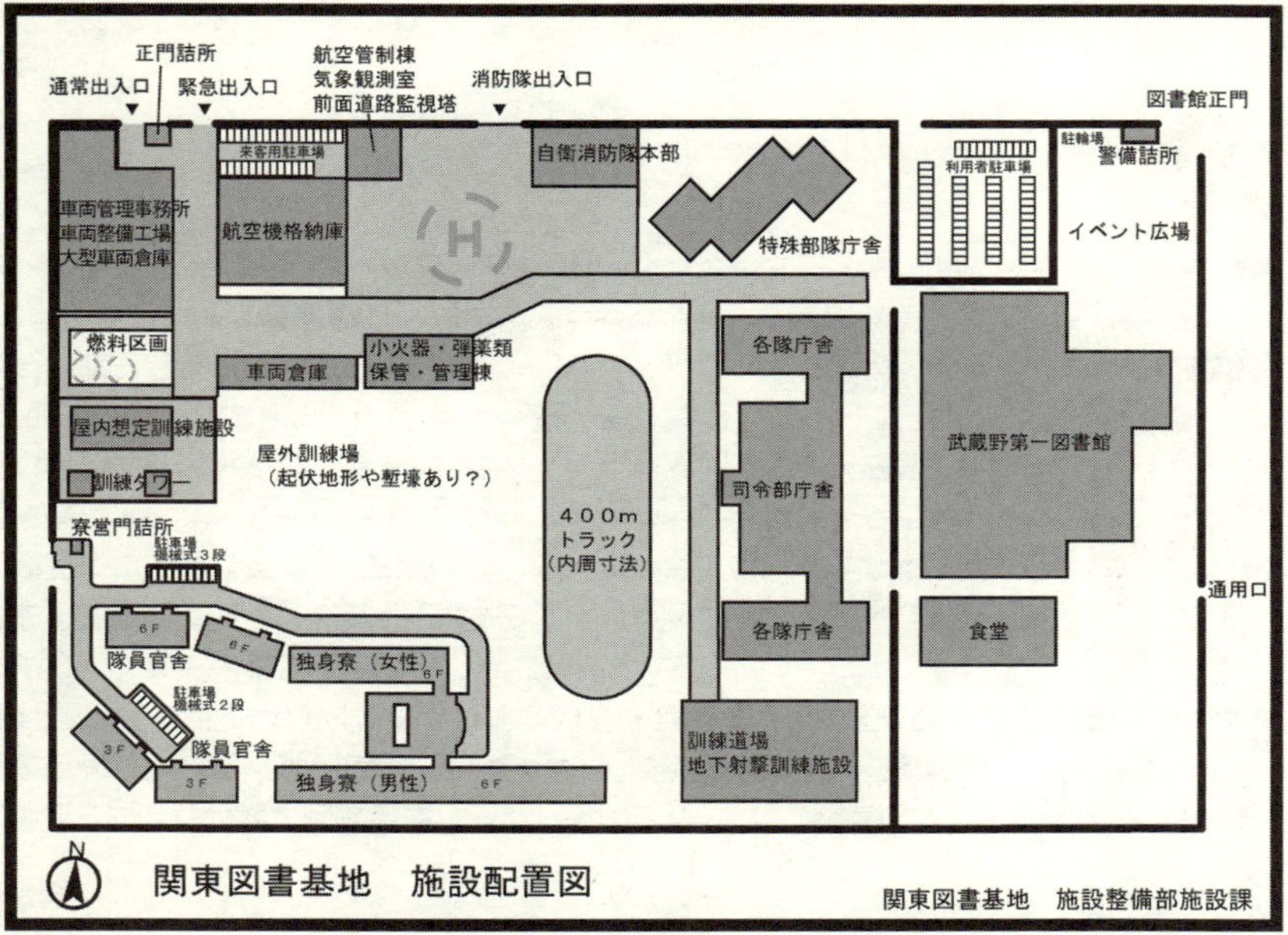
正門詰所
通常出入口
緊急出入口
航空管制棟
気象観測室
前面道路監視塔
消防隊出入口
図書館正門
来客用駐車場
自衛消防隊本部
駐輪場
警備詰所
利用者駐車場
車両管理事務所
車両整備工場
大型車両倉庫
航空機格納庫
H
特殊部隊庁舎
イベント広場
燃料区画
車両倉庫
小火器・弾薬類
保管・管理棟
各隊庁舎
屋内想定訓練施設
屋外訓練場
（起伏地形や塹壕あり？）
武蔵野第一図書館
訓練タワー
司令部庁舎
寮営門詰所
駐車場
機械式３段
400m
トラック
（内周寸法）
6F
隊員官舎
独身寮（女性）
各隊庁舎
通用口
食堂
駐車場
機械式２段
3F
隊員官舎
訓練道場
地下射撃訓練施設
独身寮（男性）
N
関東図書基地　施設配置図
関東図書基地　施設整備部施設課

イラスト　白猫

参考文献

「図書館の近代―私論・図書館はこうして大きくなった」（東條文規　1999年　ポット出版）
「図書館をつくる。」（岩田雅洋　2000年　株式会社アルメディア）
「国立国会図書館のしごと―集める・のこす・創り出す」（国立国会図書館編　1997年
日外アソシエーツ株式会社）
「司書・司書教諭になるには」（森智彦　2002年　ぺりかん社）
「図書館の自由とは何か」（川崎良孝　1996年　株式会社教育史料出版会）
「図書館とメディアの本　ず・ぼん9」（2004年　ポット出版）
「図書館とメディアの本　ず・ぼん10」（2004年　ポット出版）
「書店風雲録」（田口久美子　2003年　本の雑誌社）
「報道の自由が危ない―衰退するジャーナリズム―」（飯室勝彦　2004年　花伝社）
「「言論の自由」vs.「●●●」」（立花隆　2004年　文藝春秋）
「よくわかる出版流通のしくみ'05～'06年版」（2005年　メディアパル）

文庫化特別対談　有川浩×児玉清（俳優）

『図書館戦争』そして、有川浩の魅力～その１

小説を愛し小説家を愛する、当世きっての読書家にして書評家でもある俳優・児玉清と、『図書館戦争』シリーズの生みの親・有川浩の対談が実現。『図書館戦争』そして、作家・有川浩の魅力をおおいに語る――有川さんの本を読むと、心が正されるんですよ。人間のあったかさを、感じ直すことができる。（児玉清）

わずか5か条が6冊に途方もない妄想力ですね

有川　児玉さんが『図書館戦争』を読んで下さっているということに、勇気づけられているんです。「あの児玉さんに通用したんだ！」って。

児玉　いや、通用なんてものじゃないですよ！　驚くべき作品ですよね。以前、有川さんとお話をさせて頂いた時にも伺いましたが（ＰＨＰ研究所『児玉清の「あの作家に会いたい」　人と作品をめぐる25の対話』）、一番最初は、ご主人の指摘があったんですよね？

有川　はい。旦那と地元の図書館に行ったら、「面白いものがあるよ」と呼ばれまして。入り口のところに、「図書館の自由に関する宣言」のプレートが掲げられていたんです。

児玉　ご主人の嗅覚《きゅうかく》も素晴らしいですが、有川さんはその宣言を見た瞬間に、これは小説になるぞ、「早く書かないと誰かに取られちゃう！」と思われたそうで。

有川　焦りましたね。

児玉　そこがすごい（笑）。しかもね、その宣言の、わずか5か条からイメージを膨らませて、6冊ものシリーズを書き上げてしまった。これはどの作家にも負けないくらいの、途方もない爆発力といいましょうか、妄想力といいましょうか……。

有川　妄想だったら任せて下さい（笑）。

児玉　しかも、物語っていうのは、リアリティがないとね。ただただ勝手な妄想を風船みたく膨らましたって、読者は付いてこないですよね。

有川　突拍子もない絵空事であっても、細部は作り込んでいかなきゃいけないなっていうのはすごく意識しています。図書隊やメディア良化委員会といった組織の構造は、細かく作り込んでいったんです。

児玉　そうですよね。これは有川さんの特徴でもあると思うんですけれど、「これだ！」という対象を見つけた時に、それにまつわる情報を精緻《せいち》に調べ上げてね、そして妄想で膨らませて、実に見事に網羅する。「隙を突かせないぞ！」っていうね。調査する力と、それから綿密さの力。ものすごいものがありますね。しかも、ですよ。人間ドラマも実に素晴らしい。図書館を舞台にした表現の自由を巡る戦争という、言ってしまえば空中楼閣みたいな世界です。しかしそこに関わる人間達には、ものすごいリアリティがある。人間の心の機微が、実に見事に描かれているんですね。

有川　キャラクターの感情に寄り添って書く、というやり方は絶対に守り通さなければいけないなと思っています。作者の、物語の都合でキャラクターを動かさないようにしなければ、と。

児玉　作者の都合でキャラクターを動かさない、そのことは、あとがきを読むとうかがえますよね。「お前ら何勝手に動いてるんだ!」と、キャラクターに対して驚いてらっしゃる、自分で書いていながらね（笑）。また、スピンオフが面白いんだよね。これ好きだって言う方は僕はね、たくさんいらっしゃるんじゃないかと思うんです。別冊スピンオフを2冊読んでも、それ自体として実に面白い。むしろ人間ドラマ的な部分では、本編より膨らんでいるとも言えませんか?

有川　『革命』の4冊まで で、検閲との戦いにある程度目鼻がついたので。読者さんが安心して楽しんで頂ける素地ができあがっていたかな、と思いますね。丁寧に読んで頂いて、本当にありがとうございます!

児玉　僕が本当に面白いと思っていると、納得してもらえましたか（笑）。

「キャラクターが勝手に動く」言い換えるなら「エチュード」

児玉 最初から、シリーズ本編は4冊の予定だったんですか？

有川 3冊で終わらせなきゃいけないか、4冊やらせて頂けるか、どちらか分からなかったんです。

児玉 いろんな事情があったんですか？

有川 そうですね。本が売れないと出させてもらえないので。到着点のイメージは、なんとなくできていたんです。ただ、出版社の方から、1冊目の『図書館戦争』の売り上げがどこまでいくかで3巻にするか4巻にするか決める、という話でした。3巻で畳む覚悟もあったんですけれども、いい結果が出たおかげで、なんとか4巻までできるように。3巻までだったら入れられないエピソードを、ばしばし突っ込んでみました。

児玉 僕は有川さんの本を読んでいていつも思うんですけれど、思いつきってものから、本に定着させるまでには、いろんな過程があるわけですよね。以前、お話を伺った時におっしゃっていたのが、自分は「ノリ派だ」と。

有川 そうですね。「ライブ派」「ノリ派」です。物語の設計図を最初に作るのが「プロット派」で、私はノリで書くタイプなんです（笑）。

児玉　そのつど瞬発的、瞬間的な。しかし、そういったノリってものをその後も持続させて、物語の展開を破綻《はたん》なく繫《つな》げていくというのは、大変なご苦労があるのではと僕なんかは考えてしまうんですが、どうなんでしょうか。

有川　私のノリっていうのは、キャラクターを摑《つか》めるかどうかってところにすごくかかっていると思うんですね。私としては、キャラクター達が勝手に動くのを、見えないカメラで撮らせてもらっている感覚なんです。

児玉　よく「私は透明なカメラだ」と、発言していますよね。

有川　はい。なので、キャラクターを摑めたら、こっちがノリを維持しようと頑張らなくても、キャラクターがぐいぐい進んで行ってくれるので、私は連れて行かれるままという感じなんです。

児玉　そこなんです！　そこのところの感覚が、読者っていうのはなかなか分からない。実は、いろんな作家の方達にインタビューをしていると、「書き出すと、登場人物達が勝手に動く。自分はそれに任せてるんだ」と答える方が、結構多いんですよ。ところが聞き手側としてはね、私は作家じゃないものですから、勝手に人物が動くというのは、分かるようで理解できないところがあるんですよ。

有川　児玉さんは俳優さんなので……「エチュード」みたいなものだと思っていただければと。演劇でいうところの、「即興劇」ですね。

児玉　あるひとつの設定なりテーマみたいなものがあって、それに沿う形で役者達が即興で芝居をし、物語を作っていくという。

有川　そうですね。だから、キャラクターが役者、のようなものなんですね。物語のおおざっぱな設定とか、キャラクターの名前とか性格は決めておいて。あとは「こういう出来事が起こった時、この人達どうするの？」っていうファクターを、私はポンポンと置いていくだけですね。あとは勝手に、「役者」たちがなんとかする（笑）。それを私は記録しているという。

児玉　僕は俳優としてはろくでもないけれども、「キャラクターが勝手に動く」のは、演劇のエチュードだって伺うと、今ね、ものすごく納得しましたよ。ところで、その時に大事なのは、役者がいい演技、面白い物語を紡ぐ演技をしているかどうかを見抜く、演出家としての力ですよね。そういう力というのは、どういうところで培ったんでしょうか？

有川　意識しないうちにできるようになっちゃってた、という感じです。物語を作る、キャラクターを遊ばせるということが、小さい時の私にとって遊びだったんですよ。

児玉　具体的に言うと？

有川　みんなは校庭でドッジボールをしたりして遊んでいるのが楽しい、と。でも私は教室で、お姫様の絵を描いたり王子様の絵を描いたりして、「この2人がどうやって出会うのかな？」「お城の舞踏会はどんなふうなのかな？」ということを、えんえん考えているのが楽しいという感じです。周りからは遊んでるようには見えないんですけれど（笑）。

児玉　なるほど。デビューしてからはまだ日が浅いですが、物語作りに関しては、長大なキャリアの持ち主なわけですね。

突拍子のない設定でも人間が書けていれば大丈夫

児玉　そしてね、これもまた有川さんの特徴ですけれども、台詞《せりふ》の絶妙さ。年を取ってくると、若い小説家の書く会話にときどき付いていけないことがあるんだけど、全然、違和感ないのね。こういった台詞っていうのは、どういうところで採取してらっしゃるんだろうなあと思うんです。自然に出てきちゃうんですか？

有川　小さい頃から読んできた本とか漫画とか、あるいは見てきたドラマや映画とかで、私が一番興味を持って追い掛けていたのが、会話のやり取りだったんですね。昔も今も、物語の中では人の会話のやり取りが、一番楽しい。それで、会話をシミュレートする能力が発達したのかな、とは思います。

児玉　今回、改めて「図書館戦争シリーズ」を読ませて頂いていてね、会話の面白さで何度吹いたか分からない（笑）。読者の人達っていうのは、有川さんのお書きになる会話を読むことによって、ライブな感じというかな、キャラクター達が生きているっていう感じを得ていると思うんですよ。ここには人間のナマの会話ならではの、たどたどしさっていうものもちゃんと入っているしね、心のあやを、台詞の中で見事に掬《すく》っている。

有川　私が一番興味があるのは、人間なんですよね。人間の、心に一番興味があるんです。よく「言葉で言い尽くせるものじゃない」ってことを言われますけれど、それは言葉を使えるだけ使い尽くしてから言うことだって思っていて……。

児玉 あ、確かだなあ。そんなふうに簡単に言うな、と。

有川 「言ったって分からない」って、言葉を使い尽くしてからじゃないとダメなものだって思うんです。やっぱり言葉っていうのは、文字にしても話し言葉にしても、人間の心の中を表す、たったひとつのツールじゃないですか。だからこそ、言葉を尽くして、キャラクター達の会話を描くことに執着しているところがあるんだと思います。

児玉 その思いは、読んでる側に伝わりますよね。かと言って、有川さんの小説は決して、饒《じょう》舌《ぜつ》ではないんですよ。ただベラベラ喋《しゃべ》り合ってるような状態ではない。言葉を尽くすことと、饒舌ではないってところの、境目のようなものを、ご自身でも感じてらっしゃると思うんですが、いかがですか？

有川 会話を〝立てる〟時は、それぞれのキャラクターに立って、言葉を選んでいますね。そのキャラクターが、その時に選びたい、本当に使いたいという言葉を、摑み取ろうとあがいているところがあって。「この場面でこの会話の流れで、この台詞が出てきたら綺麗《きれい》だよね」とかいう会話は、嘘だと思うんですよ。どれだけぎこちなくなってもいい。本人達が、それぞれ選んでいる言葉を交わしていかないと、生きた会話にはならないとは思っているんです。

児玉 おっしゃる通りだと思いますね。

有川 ただ、お互い傷つけ合いたい場合は別ですけれども（笑）。お互い、「伝えたい」と思っている以上は、会話がゴールに辿《たど》り着くようになるんじゃないかなと思っています。
児玉　登場人物達の心を映し出していない台詞であるがゆえに、台詞がぶつかり合わない、綺麗ごとで収まっていってしまう、そういう小説ってありがちです。そのところ、登場人物達が「生きている」というリアリティは、絶対に失ってはならないものですよね。
有川　作品世界のリアリティを追求するためにも、人間をリアルに書く、というのが私の作風かなって思っています。私は結構、突拍子もない設定の話をいっぱい書いてますけれども……。
児玉　突拍子のないの、多いですよ（笑）。
有川　初期の頃は、ほとんどそうです（笑）。それが「嘘っぽくないよね」ってことを、よく褒めて頂けるんですけれども。それはたぶん、その突飛な状況に立ち会っている人達が嘘じゃないからだと、私は思っているんです。
児玉『図書館戦争』も、まさにそうですよね。
有川　自分が読者になった時のことを思ってもそうなんですけど、人間に嘘がなかったら、設定上の嘘ってだいたいは飲み込めると思うんです。
児玉　それは有川さんの作品の、根底にありますよ。突拍子もない設定でも、そこで生きている人間がちゃんと生きていれば、飲み込める。心強い言葉ですねえ。
有川　だから、どんな突飛な設定を思いついても、物怖《ものお》じをせずに飛び込んでいけるところがあるのかなと。「人間が書けていれば、大丈夫！」みたいな。
児玉　しかも、図書館のプレートを見た瞬間に、こうした特異な設定がぽっと浮かび上がるわけでしょう。有川さんの手にかかれば、なんだって小説になる。お任せあれですね。

有川 作家が本気で「面白い！」と思っていたら、なんだって小説になる可能性があると思うんですよ。自分が「面白い！」と思ったものを一緒に面白がってくれる人が、きっと他にもいるに違いないって、私は信じて書いているんです。

児玉 だからこんなにも、実にさまざまなタイプの小説をお書きになれるわけですね。『図書館戦争』を読んだ方は、有川さんの別の作品も手に取って読んでみてほしいですね。逆の読み方をされている方もいるのかな？　例えば、僭越《せんえつ》ながら、私が文庫版の解説を書かせて頂いた『阪急電車』を読んで、有川浩という作家に興味を持った方は、『図書館戦争』を読むと非常に驚かれるかもしれない。……いや、絶対驚きますよ（笑）。

有川 驚かれるかなと、私も思います（笑）。

（取材・構成　吉田大助／二〇一一年三月収録）

※特別対談は、角川文庫『図書館内乱　図書館戦争シリーズ②』に続きます。

この作品は二〇〇六年三月、メディアワークスより刊行されました。
『ジュエル・ボックス』はアニメーション『図書館戦争』DVD、
初回限定版特典冊子で掲載されました。
オリジナル編集は徳田《とくだ》直巳《なおみ》氏によります。
文庫化にあたり、加筆、訂正をしています。

図書館戦争《としよかんせんそう》

図書館戦争《としよかんせんそう》シリーズ①

有川《ありかわ》 浩《ひろ》

角川文庫 16777

平成二十三年四月二十五日　初版発行
平成二十三年五月二十日　三版発行

発行者―井上伸一郎
発行所―株式会社角川書店
東京都千代田区富士見二―十三―三
電話・編集（〇三）三二三八―八五五五
〒一〇二―八〇七八

発売元―株式会社角川グループパブリッシング
東京都千代田区富士見二―十三―三
電話・営業（〇三）三二三八―八五二一
〒一〇二―八一七七
http://www.kadokawa.co.jp

印刷所―旭印刷　製本所―本間製本
装幀者―杉浦康平

あ 48-5　ISBN978-4-04-389805-3　C0193